JN076168

2024-25年版

プロのレセプトチェック技術

請求もれ&査定減全286事例の要点解説

株式会社ソラスト 著

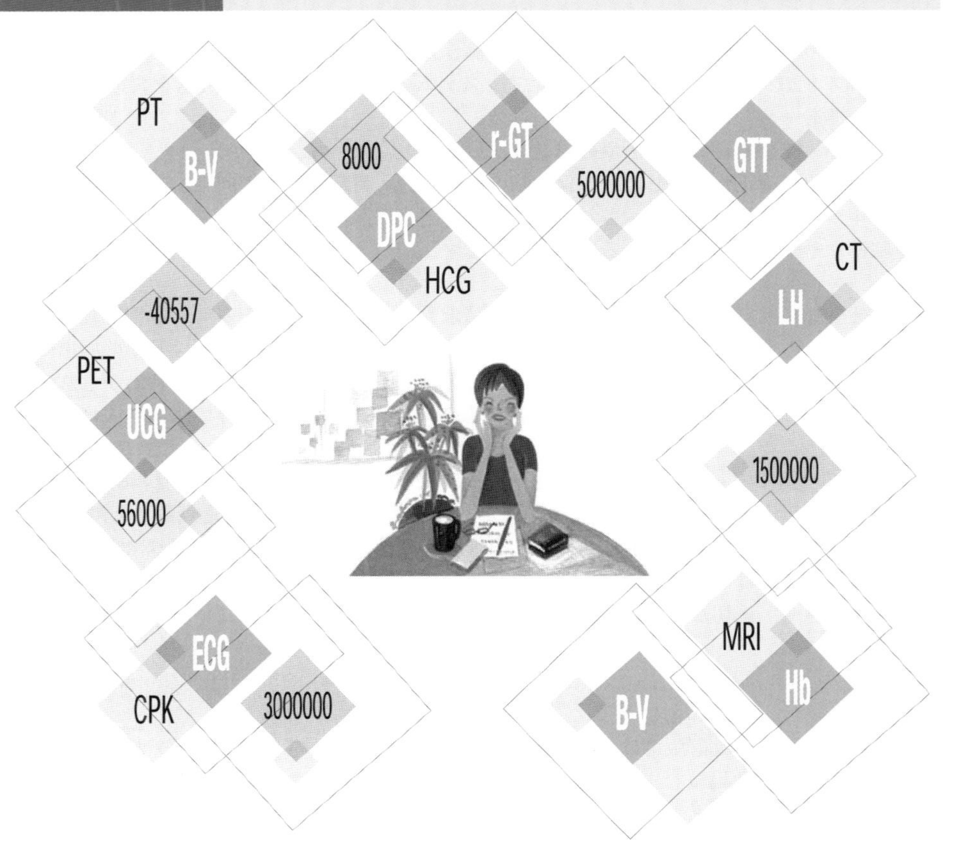

医学通信社

はじめに

約４年間の長きにわたった未曽有の新型コロナウイルスとの闘いが終息を迎え，コロナ禍以前の平穏な生活が戻りつつあります。医療機関に従事されている皆様におかれましては，厳重な感染対策や度重なる診療報酬の特例ルールの対応にご尽力いただき，心より敬意を表したいと思います。

2024年度診療報酬改定は，６年に一度の医療・介護・障害福祉サービスのトリプル改定です。診療報酬の改定率は全体でマイナス0.12%となり，６回連続のマイナス改定ではあるものの，前回と比較してマイナス幅は大きく圧縮されています。診療報酬本体はプラス0.88％で，直近10年間で最大のプラス値となりました。その内訳として，職員の賃上げに関するものがプラス0.61%と大きな割合を占めています。

昨今の物価高騰・賃金上昇，医療機関の経営状況，人材確保の必要性など医療を取り巻く問題や背景を踏まえ，2024年度診療報酬改定の基本方針では，

- 現下の雇用情勢も踏まえた人材確保・働き方改革等の推進
- ポスト2025を見据えた地域包括ケアシステムの深化・推進や医療DXを含めた医療機能の分化・強化，連携の推進
- 安心・安全で質の高い医療の推進
- 効率化・適正化を通じた医療保険制度の安定性・持続可能性の向上

が４つの重点課題として示されています。各医療機関は今後の将来を見据えて，自院の立ち位置，効率的な病院運営や経営戦略を検討する必要があります。

健全な病院経営のため，請求担当には請求もれや査定が無くなる努力を継続維持することが求められています。日々の会計入力の積み重ねで作成されるレセプトデータから，施設基準の届出基準を判定する診療報酬点数が増えています。重症度，医療・看護必要度もその一つであり，診療行為がもれなく正しくレセプトデータに反映されなければ，入院基本料の施設基準に，ひいては病院全体の医業収入に大きく影響する可能性があります。

DPC包括であっても診療行為が正しく入力されていなければ，次年度の医療機関別係数として自院全体の収入に影響しますし，次回診療報酬改定時は診断群分類ごとの所定点数として全国のDPC対象病院の収入にまで影響します。その影響度を考えると，小さい請求もれが大きな減収リスクになりうることを請求担当は肝に銘じなくてはなりません。正しい診療報酬の知識を身に付け，医療スタッフとのコミュニケーションスキルを向上させ，適切な診療報酬請求を遂行できるように常に邁進していきましょう。

＊　　　＊　　　＊

今回の2024年改訂版では，『月刊／保険診療』に連載中の「パーフェクト・レセプトの探求」の事例から新しい症例を多数掲載しました。できるだけわかりやすく,見やすく,現場で活用していただけることを心がけて,加筆修正をしています。少しでも皆様のお役に立つことができれば幸いです。

なお，本書には，必要に応じて『診療点数早見表2024年度版』，『DPC点数早見表2024年度版』の該当ページを掲げています（**「早見表」「DPC点数早見表」p.00**と表記しました）。

本書作成に携われた医学通信社ご担当者様には，多大なるご支援をいただきましたことを御礼申し上げます。
末筆ながら読者様の今後さらなるご発展とご活躍を心よりお祈り申し上げます。皆様ありがとうございました。

2024年８月

株式会社 ソラスト

目　次

請求もれ篇

6－投薬・注射の請求もれ／38

7－処置・手術・麻酔の請求もれ／44

8－検査・病理診断の請求もれ／92

9－画像診断の請求もれ／112

10－入院料等の請求もれ／119

11－その他の請求もれ／130

12－DPCによる請求誤り／133

審査・査定篇

1－審査のしくみ／138

2－薬剤（投薬・注射）の査定／141

3－処置・手術・麻酔の査定／170

4－検査・病理診断の査定／196

5－画像診断の査定／217

6－入院に関する査定／222

7－その他の査定／229

8－総　括／241

参考資料／243

請求もれ篇

1—請求もれとは何か

「請求もれとは何か」について考えてみよう。

現在の診療報酬は，包括化が進められているとはいえ，基本的には行った処置や使用した薬剤を一つひとつ積み上げていく出来高で請求するシステムを土台としている。これらの積み上げのなかで出来高請求や包括請求が認められる行為が請求されなかったり，その行為にともなって使用した薬剤が何らかの理由で請求されていないケースが起こる。これらを請求もれという。

また，請求もれとは，一般的にはレセプト上で算定もれとなっている項目を指す場合が多い。たとえば「血液検査があって採血料がない」等である。しかしこれらは，請求もれのごく一部であり，狭義の請求もれといえる。

一方，広義の請求もれとは何か。

医療機関で行われる診療行為は，患者の容態により，または医療機関の設備や人員配置などにより大きく変化する。一口に請求もれといっても千差万別であり，しかも様々な場面で発生する。したがって，患者に対して行われた診療行為が医療機関の収入につながらなかったものすべてを，請求もれとしてとらえなければ片手落ちといえよう。

せっかく患者に対して何らかの医学管理等の医療行為を行っているのに診療録に請求根拠の記載がないため，請求ができていないケースは散見されている。

施設基準においては，自院での届出項目の把握はもちろん，自院で何の届出が可能なのか，また戦略として何を届出していくのか検討することが必要となる。この検討がなされないことも不作為の請求といえよう。

また，DPCによる包括評価では，医療資源を最も投入した傷病名を正しく選択しない限り，正当な診療報酬を得ることができない。

重症度，医療・看護必要度の評価をEFファイルで行う取組みが近年進み，拡大している。小さな請求もれの積み重なりが，そのスコアを左右し，入院基本料の維持，ひいては，病院経営に大きな影響を及ぼしている。

これらの状況からも請求もれを考える場合は，事務のみがその責を負うものではない。医療機関全体の問題として捉えなければ，問題の解決となりえないのである。

2—請求もれの原因

出来高請求による請求もれの原因を考えてみると，大きく次の二つに分類される。
①診療側の問題
②事務側の問題
これらの問題を少し詳しく調べてみよう。

1）診療側の問題

診療現場は，診療行為の発生源である。ここで行われた行為は，速やかにそして確実に事務側に伝えられなければならない。しかし，診療現場は患者の治療や救命が最優先である。保険診療に対する正しい認識がないとオーダー入力をもらしたり，起票もれが発生しうる。

近年，ますます医療をとりまく環境がきびしさを増し，患者数の減少による減収などにより，診療サイドでも請求もれについて積極的な関心をもつスタッフが増加してきているのも事実である。反面「診療報酬の請求は事務がやればいい」という従来の考え方も依然として根強い。ところが，診療報酬請求の条件には，医師によるカルテ記載を義務づけているものが多い。そのため診療サイド（特に医師）が診療報酬に関心をもたない限り請求もれを防ぐことはむずかしい。

一方，現在は勤務医の疲弊が社会問題となっている。病院の医師は臨床以外の様々な業務に追われ，きびしい状態に置かれている。医師でなければできない仕事は医師に，事務ができる部分は医師の負担を少しでも軽くするための努力を行うことが事務職員に課せられた責務の一つではないだろうか。

2）事務側の問題

コンピュータ化が進み，オーダリングが増え，事務は機械的にとりこみを行っているケースが見受けられる。そのため，診療行為の前後の関係を考えたり，臨床上の流れに目を向けることに無関心な場合が多い。コンピュータチェックを過信し，請求できるものを見のがしてしまう事例は多い。

しかし，臨床の現場は多種多様であり，日進月歩である。そのすべてがコンピュータで処理できるわけではない。したがって，ただ伝票に記載されたコードを入力するだけでは，請求もれが発生してしまう。診療側では，常識と考えられている事柄については，わざわざ記載しないことも日常的に発生する。

また，オーダーと伝票の両方が運用される場合がある。この場合，ただオーダーをとりこみ，伝票に記載されているもののみを入力すると，両方のはざまで算定誤りが起こる事例もある。

請求もれは，医師等の技術料が評価されないばかりでなく，使用した薬剤や特定保険医療材料が請求されず，医療機関の損失となってしまう。

請求もれの問題は，単に部分として捉えるのではなく，医療機関全体の問題として捉えなければその解決はむずかしいのである。

3—請求もれを防ぐために

1 マスターの精度とそのチェック

近年，オーダリングの導入が進み，医師がコンピュータに直接入力を行うケースが圧倒的である。この場合，診療情報にかかる各種のマスターの精度とそのチェックが請求もれを防ぐ大きなポイントとなる。マスターの精度は，自院の医療機関で何が行われているかを把握することから始めなければならない。そしてセット化ができる場合には，セット化することも重要である。

また，請求もれや請求誤りを防ぐためには，マスターチェックが重要となる。

特に点数改定後のマスターチェックは重要である。

いったんコンピュータで入力されたものは，誤りとして発見することが非常にむずかしく，長期間の請求もれにつながる。

さらに，このような事例は日常のマスターの変更や追加時に繰り返し発生することにも注意を払わなければならない。

2 情報伝達の手段…伝票の作成

たとえオーダリングであっても，手術室や内視鏡室，アンギオ室（血管造影室）等で行われる行為は，コスト伝票により医事に伝達される場合が多い。したがって，請求もれを防ぐ運用上の課題は伝票の善し悪しが挙げられる。少ない労力で誰もが誤りなく起票できることがポイントとなる。手書きをできるだけ少なくし，1回のチェックで，医療行為や使用薬剤なども請求できる運用の検討が必要であろう。簡単な起票は，人為的ミスの減少と請求もれ防止の両方の効果が得られる。

3 医事職員のレベルアップ

1）「点数表」に強くなる

現在はコンピュータ入力が主流であり，点数表を確認する機会が減っているように思われる。

しかし，点数表は請求業務の原点である。

疑問が起きたときには必ず点数表を開いてみよう。「わからなければすぐ人に聞く」，急ぐときにはもちろん必要なことである。聞く前に必ず点数表を開いて，「自分はこう思う」と言えば聞かれたほうも答えやすい。また，事後にでも必ず自分で調べる習慣をつけることが重要である。請求もれを防ぐには，一人ひとりの努力や認識が大きな力になることを理解しなければならない。

2）臨床に強くなる

「医事コードだけを入力すればよい」という考え方は，単なるキーパンチャー（作業者）となってしまう。請求もれがあっても気付くことができず，診療サイドから信頼を得ることができない。

臨床に強くなることは，診療の流れが理解でき無駄な作業がなくなり，結果として余裕が生まれる。しかも自分の体のしくみや，家族の健康にも配慮することができる。近年はインターネットでいくらでも情報が得られる時代である。仕事のスキルアップのためにも，自身の健康のためにもアンテナをのばしてみよう。

3）施設基準に精通する

点数表には施設基準の届出が必要な項目が多々設けられ，人・物・チーム・体制等一定の要件を満たし届出た医療機関にのみ点数を配分する仕組みとなっている。したがって自院の状況を確認し，届出が可能なものについては速やかに手続きを行うことが重要となる。

例えば人員をあと１人確保するだけで施設基準の条件をクリアできるケースもありうる。もちろん人員を増やした場合のコストとの収支シミュレーションが必要となることはいうまでもない。

いずれにしても，自院のあるべき姿が確立されていなければ検討すらできないことを認識しなければならない。

これらの精査や届出に関する問題は，医療機関全体で考えなければならないが，収入を確保する立場にある医事職員は施設基準に精通していることが最良と考える。施設基準の確保もまた大きな請求もれ防止策の一つといえるのではないだろうか。

4 診療部門と医事部門の連携

請求もれを防ぐには，病院に働く一人ひとりがコスト意識をもつことが何よりも重要である。どんなに事務が頑張っても，医師が指導の内容をカルテに記載しない限り「医学管理等」を算定することができない。また，どんなに医師や看護師が一生懸命に伝票記載やオーダ入力をしても，それを事務が理解できなければ正しい請求はできない。医療技術スタッフも同様である。例えば放射線技師が造影剤を書き忘れれば請求にはつながらない。

一人ひとりがコスト意識をもつためには，何よりもお互いの仕事を理解し合うことである。それにはお互いの情報共有をこまめに行うことが必要となる。診療部門と事務部門の密な連携は，請求もれをなくす最大のポイントである。

近年の診療報酬は，医療技術スタッフへの評価とチーム医療に対しての評価を高く設定している。患者に対して医療機関で働くすべてのスタッフが，それぞれの役割でサポートすることが求められている。

医療環境の激しい変化のなかで生き残るには，あるべき姿をもう一度確認する必要がある。診療サイドの行為をきちんと請求につなげ，健全な経営基盤のうえで患者に選ばれる医療機関になることが求められる。そしてその鍵を握るのは医事部門の一人ひとりの皆さんの力であるといっても過言ではない。

4―初・再診，医学管理の請求もれ

Q1　特定疾患療養管理料の算定もれ　B000

条件　診療所，外来，７歳女児（2024年７月分，関連部分のみ抜粋）

〈病名〉気管支喘息（2022.8.5）

〈内容〉

⑫	＊再診料	75×2
	＊外来管理加算	52×2
⑬	＊喘息治療管理料（2月目以降）	25×1
	＊特定疾患療養管理料（診療所の場合）	225×1
㉕	＊特定疾患処方管理加算	56×2

〈カルテ〉

7/1	再診 喘息に対する指導（内容省略） ピークフロー測定日記検討 Rp　do　　28TD
7/29	再診 喘息に対する指導（内容省略） Rp　do　　28TD

A　レセプトを見ると，F100「注５」特定疾患処方管理加算１が２回算定されているが，B000特定疾患療養管理料が１回しか算定されていない。カルテを見ると，１日も29日も同じように指導が行われている。調べてみると，この医療機関では「特定疾患療養管理料」と「喘息治療管理料」は同時に算定できないと思い込んでいたものであった。

B001「16」喘息治療管理料は，ピークフローメーター（**図表４-１**）を給付するための費用を加味して設けられた点数である。

ピークフロー測定日記をもとに計画的な管理を行った場合に算定できる扱いであるが，特定疾患療養管理料も併せて算定できるので注意する。

医学管理等の併算定の可否については，勝手な思い込みや解釈の誤りがないよう，しっかり確認しておきたい。なお，B000特定疾患療養管理料と各医学管理等の併算定のルールは医学通信社診療点数早見表の第２章特掲診療料の冒頭にある特掲診療料に関する通則に記載されているので参照されたい。

図表４-１　ピークフローメーター

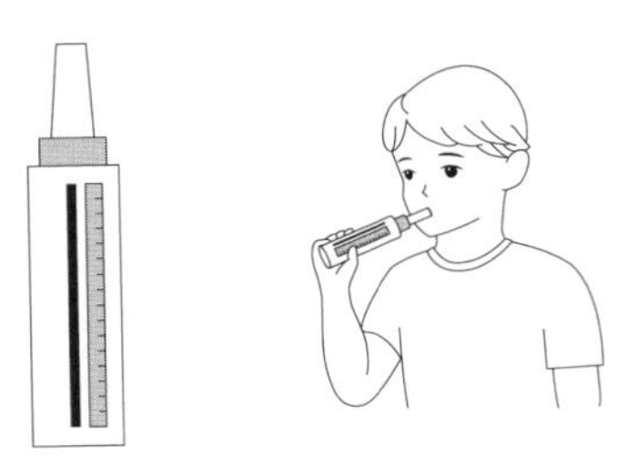

⑬	＊特定疾患療養管理料（診療所の場合）	225×1

↓

⑬	＊特定疾患療養管理料（診療所の場合）	225×2

Q2　特定薬剤治療管理料「注7」加算の算定もれ

B001「2」「注7」

条件 DPC対象病院，650床以上，入院（2024年6月，関連部分のみ抜粋）

〈病名〉急性骨髄性白血病

〈内容〉

⑬	＊特定薬剤治療管理料１（25日）（第１回目） 「注８」初回月加算　750×1 （カ）入院中の患者であってアミノ配糖体抗生物質等を数日間以上投与

〈カルテ〉関連部分のみ抜粋

総合検査　血清　バンコマイシン
6/25，7/1，7/7，7/13実施
注射　バンコマイシン塩酸塩点滴静注用0.5g「MEEK」　2瓶
6/22～7/8

A　骨髄異形成症候群から急性骨髄性白血病に進行した患者の入院事例である。カルテを確認すると免疫能低下による感染から発熱が持続したためバンコマイシンが投与されていた。

レセプトを見ると，2020年改定で追加されたB001「２」の「注７」加算（バンコマイシン投与の患者）が算定されていないことに気づいた。

B001「2」特定薬剤治療管理料

注７　イについては，入院中の患者であって，バンコマイシンを投与しているものに対して，血中のバンコマイシンの濃度を複数回測定し，その測定結果に基づき，投与量を精密に管理した場合は，１回に限り，530点を所定点数に加算する。

（「早見表」p.243）

担当医師に確認のうえ，加算を算定することとなった。なお，それに伴い，「注７」と併算定ができない「注８」初回月管理加算（臓器移植後等の患者以外）（第１回目）（280点）は算定できないので注意が必要である。

よって正しいレセプトは以下のとおり。

➡	⑬	**＊特定薬剤治療管理料１（25日）** **「注７」加算（バンコマイシン投与の患者）** **1,000×1** **（カ）入院中の患者であってアミノ配糖体抗生物質等を数日間以上投与**

Q3　小児特定疾患カウンセリング料の算定もれ

B001「4」

条件 DPC対象病院，500床規模，外来（2024年6月，関連部分のみ抜粋）

〈病名〉頭痛，不登校，起立性調節障害

〈内容〉

	小児特定疾患カウンセリング 初回実施日：2022年11月11日
⑫	＊外来診療料　76×1

〈カルテ〉関連部分のみ抜粋

○○○○（小児科）<医師>
A：本日のカウンセリングを予定どおり行うことを確認，今回は臨床心理士のみで行うことを本人，家族ともに了承
P：心理面接継続
○○○○（小児科）<臨床心理士>
6月24日　10：00～10：30（心理面接・本人）
P：母子並行面接継続

A 上記（カルテ）より，算定要件の(2)を満たしていることが確認できた。さらに確認すると，算定要件の(3)と(4)も満たしていた。

【小児特定疾患カウンセリング料に関する通知】（抜粋）

(2) 「ロ」については，（中略）当該患者の診療を担当する小児科又は心療内科の医師の指示の下，公認心理師が当該医師による治療計画に基づいて療養上必要なカウンセリングを20分以上行った場合に算定する。

(3) カウンセリングを患者の家族等に対して行った場合は，患者を伴った場合に限り算定する。

(4) 小児特定疾患カウンセリング料の対象となる患者は，次に掲げる患者である。

ア 気分障害の患者

イ 神経症性障害の患者

ウ ストレス関連障害の患者

エ 身体表現性障害（小児心身症を含む。また，喘息や周期性嘔吐症等の状態が心身症と判断される場合は対象となる）の患者

オ 生理的障害及び身体的要因に関連した行動症候群（摂食障害を含む）の患者

カ 心理的発達の障害（自閉症を含む）の患者

キ 小児期又は青年期に通常発症する行動及び情緒の障害（多動性障害を含む）の患者

（令６保医発0305・４／**「早見表」p.249**）

小児科の医師，臨床心理士ともにB001「４」「ロ」を把握したうえで，５月のカウンセリングを臨床心理士に任せたということも判明した。しかし，臨床心理士は算定するためのオーダーを医師が行うと思い，医師は臨床心理士が行うと思っていたという。算定のための指示を人任せにしていたことが，今回の算定もれの原因であった。

今後は，臨床心理士がカウンセリング終了後に患者基本伝票に手書きで記載し，請求に反映することとした。

正しいレセプトは以下のとおり。

➡	⑫	**＊外来診療料**	**76×1**
	⑬	**＊小児科特定疾患カウンセリング料** **「ロ」公認心理師による場合**	**200×1**

医療従事者が積極的に診療報酬の算定に取り組むことは非常に重要である。しかし，最終的に請求に正しく反映させるためには，やはり医事課が関わる必要があると改めて認識させられた。

Q4 小児科療養指導料の算定もれ

B001「5」

条件 **DPC対象病院，外来**（2024年６月，関連部分のみ抜粋）

〈病名〉 極低出生体重児／早産児，協調運動障害

〈内容〉 **【診療実日数】** ２日

⑫	＊外来診療料，乳幼児加算	114×2
⑳	＊脳血管疾患等リハビリテーション料（Ⅰ）理学療法士による場合	245×2

〈カルテ〉

体温37.1℃，聴診，触診異常なし，予定通りリハビリ実施する
風邪を引かせないよう体調管理を継続すること

A 早産で極低出生体重児（**図表４-２**）の４カ月の児がNICUを退院後，外来通院にてリハビリを受けている事例である。

小児科医から，担当事務に対し，「これまでの外来通院時に行った小児科療養指導料が算定されていないのではないか」との問合せがあった。指摘を受けカルテを見てみると，B001「５」小児科療養指導料のオーダーはなかったが，指導内容の要点が記載されていた。

小児科療養指導料の通知より，その対象となる疾患及び状態をまとめると**図表４-３**のようになるが，算定担当者は**図表４-３**の①のみを確認していたことがわかった。

よって正しいレセプトは以下のとおりとなる。

➡	⑫	**＊外来診療料** **乳幼児加算**	**114×2**
	⑬	**＊小児科療養指導料**	**270×1**
	⑳	**＊脳血管疾患等リハビリテーション料（Ⅰ）** **理学療法士による場合**	**245×2**

近年，低出生体重児が増加している一方，医療技術の進歩により低出生体重児の救命率は向上している。低出生体重児およびその家庭が抱えるリスクとその対応については厚生労働省のホームページに「低出生体重児保健指導マニュアル～小さく生まれた赤ちゃんの地域支援」が策定されており，そうい

った側面からも当該指導料の対象となっていることは極めて納得できるものである。

小児科では事務担当者による児の出生体重の確認，定期的に通院している場合は，前回の算定内容の確認は重要と考えられる。

さらに，小児科療養指導料を算定する際には，極低出生体重児が主病として登録されることと，診療録への指導内容の要点の記載が必要であることも併せて確認いただきたい。

図表 4－2　出生体重からの出生児の分類

高出生体重児	4,000g以上
正出生体重児	2,500g以上4,000g未満
低出生体重児	2,500g未満
極低出生体重児	1,500g未満
超低出生体重児	1,000g未満

図表 4－3　小児科療養指導料の対象となる疾患及び状態

①	脳性麻痺や先天性心疾患等の慢性疾患（小児慢性特定疾病含む）	15歳未満
②	児童福祉法第56条の6第2項に規定する障害児	
③	出生体重が1,500g未満	6歳未満

Q5　難病外来指導管理料の算定もれ

B001「7」

条件　**出来高病院（250床），外来**（2024年７月，関連部分のみ抜粋）

〈病名〉悪性関節リウマチ（主）

〈内容〉

⑭　＊在宅自己注射指導管理料2（月27回以下の場合）　650×1
　＊アクテムラ皮下注162mgオートインジェクター
　　0.9mL　2本（2週間に1回　28日分）　（点数省略）△×1

〈カルテ〉

＃悪性関節リウマチ
7/10　ESR：7　RF：490　H
　CRP：0.02　抗CCP抗体：15　H
　TCZ※2週間1回自己注射の継続。
感染症に気を付けること，関節の機能を保つため適切な運動を行うこと，体調を崩さないように十分な睡眠や保温につとめ，栄養のバランスを取って適正体重を守ることを指導。

※TCZ（トシリズマブ）：アクテムラ

A　悪性関節リウマチに対する自己注射を行い，C101「２」在宅自己注射指導管理料２「イ」月27回以下の場合を算定している患者の事例である。カルテを確認したところ，以下の記載があった。

悪性関節リウマチは指定難病であり，B001「７」難病外来指導管理料の算定対象となる「別に厚生労働大臣が定める疾病」に該当する（「早見表」p.252）。

難病外来指導管理料は，治療計画に基づき療養上の指導を行った場合に，月１回に限り算定できる点数である。特掲診療料に関する通則に『B001「７」難病外来指導管理料（中略）並びに（中略）在宅療養指導管理料は同一月に算定できない』とあるため，以前は在宅自己注射指導管理料との併算定ができなかったが，2016年度の診療報酬改定で「特に規定する場合を除き」という文言が追加され，在宅自己注射指導管理料に係る保医発通知(8)に『「２」はB001「７」難病外来指導管理料との併算定は可とする』という算定要件が増えた。

正しいレセプトは以下のとおりとなる。

➡　⑬　＊難病外来指導管理料　270×1
⑭　＊在宅自己注射指導管理料2
　（月27回以下の場合）　650×1
＊アクテムラ皮下注162mgオートインジェクター
　0.9mL　2本（28日分）（点数省略）△×1

医事担当者に算定していない理由を聞いたところ，「前任者から引き継いだ算定マニュアルに併算定不可と記載があった」とのことだった。診療報酬改定時には自院のマニュアルを随時見直し，正しい算定を行うように留意願いたい。

チェックポイント！

★　**B001「７」難病外来指導管理料とC101在宅自己注射指導管理料「２」は，特掲診療料「通則」同一月に算定できない診療料の組合わせにおいて，唯一併算定可である「特に規定する場合」に該当する！**

Q6 入院栄養食事指導料の算定誤り

B001「10」

条件 **DPC対象病院，300床，入院，関連する施設基準届出あり**（2024年7月，関連部分のみ抜粋）
〈病名〉２型糖尿病・糖尿病性合併症なし（E11.9）
〈内容〉【診断群分類番号】10007xxxxxx１xx
【今回入院年月日】Ｒ6.7.1　【今回退院年月日】Ｒ6.7.14
〈入退院情報〉前回退院日：Ｒ6.3.15　同一傷病入院：有

⑬	＊入院栄養食事指導料１（２回目）	200×1

A 糖尿病の教育入院にて入院栄養食事指導を行った事例である。今回の入院期間では入院栄養食事指導料を１回しか請求していないにもかかわらず，B001「10」「イ」入院栄養食事指導料１⑵２回目の点数で請求されているため疑問に思い，事務連絡を確認すると以下の記載があった。

> 問　最初の入院時に栄養食事指導を行い，退院後数日で同一傷病により再入院した患者に対し栄養食事指導を行う場合，「初回」の入院栄養食事指導料を再度算定できるか。
> 答　「初回」の入院栄養食事指導料は，前回入院時と入院起算日が変わらない再入院の場合，算定できない。（下線筆者）（平28.4.25）

管理栄養士に確認したところ，「前回入院時に栄養指導を実施したため，今回は２回目になると判断した」という回答であった。管理栄養士へ事務連絡と入院起算日の考え方を説明し，本事例では前回退院から３カ月以上経過しており，今回は新たな入院起算日になるためB001「10」「イ」⑴初回の点数になることを説明した。

対策として，今後は前回入院歴がある場合，医事課へご確認いただくよう依頼した。正しいレセプトは次のとおり。

➡	⑬	＊入院栄養食事指導料１（初回）	260×1

各部署でオーダー入力された内容を，計算担当者の判断で算定要件に合わせて算定方法を変更している医療機関が時おり見受けられる。原則として，カルテが算定の根拠となるため，そうした場合，オーダー元から正してもらうことが求められる。計算担当者だけの判断で請求を変更すると，誤請求になるリスクがあるだけでなく，誤ったオーダー入力が繰り返されることになるので，各部署（オーダー元）と相互確認を行ったうえで，医療機関全体で適切な請求やカルテ記載（オーダー入力）を心掛けたい。

Q7 心臓ペースメーカー指導管理料の算定誤り

B001「12」

条件 **DPC対象病院，650床規模，外来**（2024年11月，関連部分のみ抜粋）
〈病名〉完全房室ブロック，心房細動
ペースメーカー植込み後（H30.12.17）
持続性心室頻拍（Ｒ6.9.20）
〈内容〉

⑬	＊心臓ペースメーカー指導管理料「ロ」ペースメーカーの場合	300×1
	＊遠隔モニタリング加算	260×3

A ペースメーカー植込み後の外来フォローの事例である。前回受診は７月で，B001「12」心臓ペースメーカー指導管理料「注５」遠隔モニタリング加算の対象であるため，同加算を８～10月の３月分算定していた。しかし，レセプト点検時に受診状況を確認すると，患者は９月から入院，10月にはペースメーカーを抜去し，植込型除細動器移植術が行われていたと判明。入院加療をしているため，遠隔モニタリング加算の算定誤りがわかり，併せて「注２」導入期加算140点が算定できることがわかった。

2020年改定以前は「イ」着用型自動除細動器の場合と「ロ」それ以外の場合の２種類だった心臓ペースメーカー指導管理料が，2020年改定にて細分化されている。具体的には「それ以外の場合」が，「ロ」ペースメーカーの場合と「ハ」植込型除細動器又は両室ペーシング機能付き植込型除細動器の場合に分けられたのである。

背景には，日本不整脈心電学会からの提案で，ペースメーカーと植込型除細動器，両室ペーシング機能付き除細動器では管理項目が違うことなどを理由に指導管理料を増設すべきとされていたことがある（**図表 4 - 4**）。また，早期のデバイスチェックにより全死亡の38%，全死亡又は心不全に起因する入院を36%減少することが証明されているという。

これらを受け，下記のように点数が設定された。

> **B001「12」心臓ペースメーカー指導管理料**
> イ　着用型自動除細動器による場合　360点
> ロ　ペースメーカーの場合　300点
> ハ　植込型除細動器又は両室ペーシング機能付き植込型除細動器の場合　520点
> **（「早見表」p.259）**

併せて遠隔モニタリング加算も細分化された（「ロ」と「ハ」に対応）ため留意されたい。

以上より，正しいレセプトは次のとおりとなる。

傷病名：完全房室ブロック，心房細動
ペースメーカー植え込み後（H30.12.17）
持続性心室頻拍（R 6 . 9 .20）
植込型除細動器移植状態（R 6 .10. 8 ）

➡	⑬	**＊心臓ペースメーカー指導管理料「ハ」植込型除細動器又は両室ペーシング機能付き除細動器 導入期加算**	**660×1**

他医療機関で移植を行った場合であっても算定可能であるため，ペースメーカーチェックを外来で実施されている場合は，改めて患者に植え込まれているデバイスを確認するようご留意されたい。

図表 4 - 4　指導管理料細分化の提案

ペースメーカーと除細動器の管理項目の違い

ペースメーカー	埋込み型除細動器/両室ペーシング機能付き除細動器
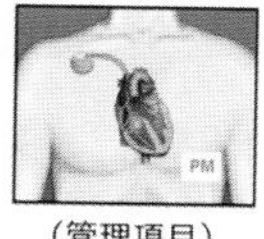	ICD
（管理項目） 1. 電池消耗 2. リード抵抗 3. ペーシング調整など	（管理項目） 1. 電池消耗 2. リード抵抗 3. ペーシング調整 4. 除細動の有無 5. 治療条件の設定など
（現在） 360点/月 ただし植え込み後3か月以内は導入期加算140点	（今回の要望） 1,230点/月 ただし植え込み後3か月以内は導入期加算140点

（令和元年度第２回診療報酬調査専門組織・医療技術評価分科会「医療技術評価・再評価提案書」より）

Q8　在宅療養指導料の算定もれ

B001「13」

条件　**出来高病院（200床以上），外来**（2024年６月分，関連部分のみ抜粋）

〈病名〉神経因性膀胱（2024. 6 .10），排尿困難（2024. 6 .10）

〈内容〉

⑪	＊初診料	291×1
⑳	＊留置カテーテル設置	40×1
	＊膀胱留置カテ2管一般（Ⅱ）－1（○○○円）１本	（点数省略）×1

〈カルテ〉

6/10　○○内科より，尿が出ないと紹介状持参。
検査により，神経因性膀胱による排尿困難と判断。
膀胱留置カテーテルの24時間以上の設置が必要なため，付き添い家族と本人に対して，自宅でのカテーテルの取扱い方法および消毒方法等について看護師より指導室にて指導（40分間）。

A　事例は，神経因性膀胱による排尿困難のため膀胱留置カテーテルを設置した事例である。膀胱留置カテーテルは，24時間以上の体内留置が算定要件となっているため，算定要件と合致しているか，カルテを確認した。

カルテ記載にカテーテルの24時間以上留置が必要とあることから，材料の算定は可能である。また，在宅における療養指導を看護師に指示したことが記載されているため，B001「13」在宅療養指導料の要件を満たすものと判断して，点数表の通知を確認した。

> **【在宅療養指導料に関する通知】**
> (2)　保健師，助産師又は看護師が個別に30分以上療養上の指導を行った場合に算定できるものであり，同時に複数の患者に行った場合や指導の時間が30分未満の場合には算定できない。なお，指導は患者のプライバシーが配慮されている専用の場所で行うことが必要であり，保険医療機関を受診した

際に算定できるものであって，患家において行った場合には算定できない。
（令６保医発0305・４／「早見表」p.260）

ここで注意したいのは，B001「13」在宅療養指導料はC100～C121在宅療養指導管理料および初診料等の算定の有無に関係なく，算定可能であるという点である。30分以上かけて指導をしている看護師の手間を考えると，「在宅」という言葉に惑わされることなく，確実に算定につなげていきたい項目である。また，外来での留置カテーテル等の医療材料の算定については，「24時間以上留置している」旨のコメントを記載して，無用の査定を避けたい。

よって，正しいレセプトは以下のとおり。

➡	⑪	＊初診料　291×1
	⑬	＊在宅療養指導料　170×1
	㊵	＊留置カテーテル設置　40×1
		＊膀胱留置カテ2管一般（Ⅱ）－1 (○○○円)　（点数省略）×1 ※排尿困難のため24時間以上の留置を必要とした。

Q9　腎代替療法実績加算（慢性維持透析患者外来医学管理料「注3」）の算定もれ　B001「15」「注3」

条件　**DPC対象病院（600床規模），外来，腎代替療法実績加算の施設基準届出**（2024年７月，関連部分のみ抜粋）

〈病名〉（主）慢性腎不全（H17.1.11）

〈内容〉【診療実日数】14日（外来診療料は省略）（透析は計14回）

⑬	＊慢性維持透析患者外来医学管理料	2,211×1
㊵	＊人工腎臓（慢性維持透析1）イ（4時間未満）	1,876×14

A　レセプト請求内容の確認を依頼された病院での事例である。結論から言えば，B001「15」慢性維持透析患者外来医学管理料「注３」腎代替療法実績加算（100点）が算定されていなかった。

腎代替療法実績加算は，患者や医療機関を末期腎不全の唯一の根治的治療である腎移殖へ誘導するものと理解している。国内での腎移植は，年間１万件を超えるアメリカ等と比べると非常に少ないが，**図表４－５**に示すとおり，血液透析，腹膜透析に比し て患者の生活の自由度が高いため，今後，国内でも広がりを見せるものと考えられる。

この医療機関では，医事会計システムの設定で慢性維持透析患者外来医学管理料と腎代替療法実績加算とをセット化し，請求もれ対策とした。

正しいレセプトは以下のとおりとなる。

➡	⑬	＊慢性維持透析患者外来医学管理料 腎代替療法実績加算　2,311×1
	㊵	＊人工腎臓（慢性維持透析1）イ（4時間未満）　1,876×14

自院の取組みが評価される加算なので，事務部門だけでなく，医師・看護師，臨床工学技士等の透析業務に関連するスタッフ全員で確認の場を設けることが重要である。次回改定の際には同様の事態を起こさないよう，日頃からチームプレーを意識されたい。

図表４－５　末期腎不全に対する治療手段の比較

比較の観点	腎移殖	腹膜透析	血液透析
必要な薬剤	免疫抑制薬とその副作用に対する薬剤	貧血，骨代謝異常，高血圧などに対する薬剤	
生活の制約	ほとんどない	**やや多い**（自宅での透析液交換等）	**多い**（週3回，1回4時間程度の通院治療）
手術の内容	腎移殖術（大規模手術・全身麻酔）	腹膜透析カテーテル挿入（中規模手術）	バスキュラーアクセス（シャント）（小手術・局所麻酔）
通院回数	移殖後の1年以降は月1回	**月1～2回**	**週3回**
その他	透析による束縛がない	**血液透析にくらべて自由度が高い**	日本で最も実績のある治療法

Q10　がん性疼痛緩和指導管理料の算定もれ

B001「22」

条件 DPC対象病院（600床規模），入院（2024年７月，関連部分のみ抜粋）
〈病名〉下葉肺扁平上皮癌（H30.5.21），癌性疼痛（H30.11.20）
〈内容〉

㉒	＊ナルサス錠6mg（8日）	（点数省略）△×14

A　癌患者にナルサス錠（持続性がん疼痛治療剤）の処方をしているが，B001「22」がん性疼痛緩和指導管理料の算定がもれているケースである。がん性疼痛緩和指導管理料は，がん性疼痛の症状緩和を目的として麻薬を投与しているがん患者に対して，『WHO方式がんの疼痛治療法（World Guidelines for pharmacological and radiotherapeutic management of cancer pain in adults and adolescents 2018）』に従って，副作用対策等を含めた計画的な治療管理を継続して行い，療養上必要な指導を行った場合に，月１回に限り，指導と処方を行った日に算定することができる。

本事例の場合，施設基準の届出をしている病院で，主治医が緩和ケアに係る研修を受けた保険医であったため，算定可能であった。

正しいレセプトは以下のとおりとなる。

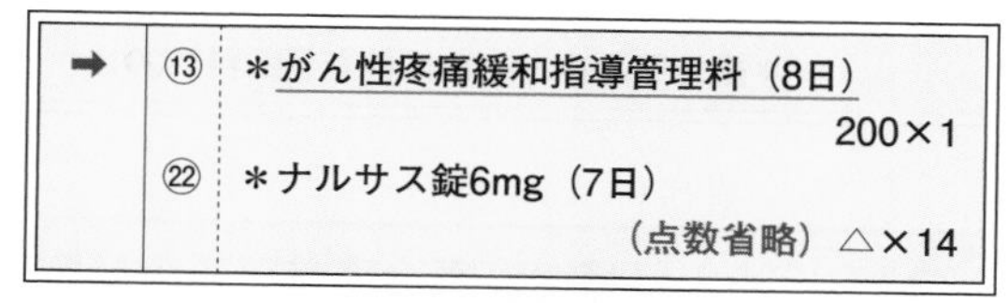

➡	⑬	＊がん性疼痛緩和指導管理料（8日）	200×1
	㉒	＊ナルサス錠6mg（7日）	（点数省略）△×14

がん性疼痛緩和指導管理料を算定する場合は，麻薬の処方前の疼痛の程度（疼痛の強さ，部位，性状，頻度等），麻薬の処方後の効果判定，副作用の有無，治療計画および指導内容の要点を診療録に記載しなければならない。積極的に算定を進めるために院内運用を構築していきたい。

※本件はB001「23」がん患者指導管理料「ロ」を算定していないケースであるが，B001「23」「ロ」を算定している場合，がん性疼痛緩和指導管理料は別に算定できない。

Q11　がん患者指導管理料の算定もれ

B001「23」

条件 出来高病院，250床，外来（2024年12月，関連部分のみ抜粋）
〈病名〉両側乳癌の術後，遺伝性乳癌卵巣癌症候群の疑い
〈内容〉【患者】55歳，女性

⑫	＊外来診療料	76×2
⑥⓪	＊BRCA１/２遺伝子検査（血液を検体とするもの） 医療上の必要性：家族性素因の検索のため	20,200×1
	＊遺伝子関連・染色体検査判断料	100×1

〈カルテ〉医師記録より抜粋

12/6　＃両側性乳癌
　右術後３年８カ月，左術後１年６カ月　ともに再発徴候なし
　家族歴：叔母，姉（乳癌死）
　BRCA遺伝子検査について説明，次回外来時に実施。検査説明書・同意書はお渡し済み。

A　両側乳癌の術後，外来にて，D006-18 BRCA1/2遺伝子検査を実施した事例である。算定もれはなさそうだが，カルテを確認した。

カルテには，BRCA遺伝子検査に関する説明の記載がある。また，遺伝子検査の必要性等を記載した説明書・同意書もカルテに保存されていた。点数表を確認すると，B001「23」がん患者指導管理料「ニ」医師が遺伝子検査の必要性等について文書により説明を行った場合（300点）が算定できることが判明した。よって正しいレセプトは次のとおり。

➡	⑫	＊外来診療料 76×2
	⑬	＊がん患者指導管理料 （医師が遺伝子検査の必要性等を文書説明） 300×1
	⑥⓪	＊BRCA1/2遺伝子検査（血液を検体とするもの） 医療上の必要性：家族性素因の検索のため 20,200×1
		＊遺伝子関連・染色体検査判断料 100×1

B001「23」「ニ」は2020年に新設された項目だが，近年，ほかにも遺伝子検査に関連する保険点数の新設が増えており，この傾向は今後も継続すると思われる。遺伝子検査関連の項目は点数が高く，それに伴う判断料や加算もあり，算定が煩雑である。今回のような医学管理料の算定もれにも留意されたい。

Q12　婦人科特定疾患治療管理料の算定もれ

B001「30」

条件 DPC対象病院，300床規模，外来（2024年11月，関連部分のみ抜粋）

〈病名〉子宮内膜症，器質性月経困難症

〈内容〉

⑫	＊外来診療料	76×1
㉑	＊ヤーズフレックス配合錠 1T×28	（点数省略）×1

〈カルテ〉医師記録より抜粋

R6.10.15	下腹部痛，過多月経，貧血を主訴にて当科初診。 エコー，MRIにて子宮内膜症と診断。
R6.11.12	治療計画を作成し，LEP製剤※投与開始。 忘れずに定期内服するように指導。　（以下省略）

※　低用量ピル（エストロゲン・プロゲスチン配合剤）。卵胞ホルモンと黄体ホルモンを配合したホルモン製剤のこと。

A　40歳女性が産婦人科を受診し，子宮内膜症と器質性月経困難症と診断され，ホルモン剤を処方された事例である。一見すると算定もれはなさそうだが，カルテを確認すると指導内容の記載があった。

カルテには「器質性月経困難症 診療計画書」（**図表4－6**）が作成され，患者署名の記載があった。内容を確認したところ，B001「30」婦人科特定疾患治療管理料（250点）に該当すると考えられた。

婦人科特定疾患治療管理料の施設基準

(1)　当該保険医療機関内に婦人科疾患の診療を行うにつき十分な経験を有する常勤の医師が1名以上配置されている。

(2)　(1)に掲げる医師は，器質性月経困難症の治療に係る適切な研修を修了している。なお，ここでいう適切な研修とは次のものをいう。

ア　国又は医療関係団体等が主催する研修である。

イ　器質性月経困難症の病態，診断，治療及び予防の内容が含まれるものである。

ウ　通算して6時間以上のものである。

（「早見表」p.1311）

自院の施設基準の届出状況を確認したところ，すでに届出は済んでおり，算定要件を満たしていることが判明した。

図表4－6　器質性月経困難症　診療計画書

器質性月経困難症　診療計画書

＿＿＿＿年＿＿月＿＿日

患者氏名＿＿＿＿＿＿＿＿様　（　　）歳

現在の病巣（疑いも含む）	□子宮内膜症 位置：右卵巣・左卵巣・深部・その他 大きさ：（　　　　） □子宮筋腫 位置：粘膜下・筋層内・漿膜下・その他 大きさ：（　　　　） □子宮腺筋症 □その他（　　　　）
現在の月経・妊娠の状況	1. 月経　（未閉経・薬物治療中・閉経） 2. 妊娠　（現在希望・将来希望・希望せず）
現在の症状	1. 月経痛　（無・有） 2. 慢性骨盤痛　（無・有） 3. 不妊症　（無・有・現在妊娠の希望なし） 4. その他の症状　（無　有：　　　　）
現時点の治療方針	□薬物療法（LEP・プロゲスチン・GnRHアナログ・その他） □不妊治療　□手術　□経過観察
起こり得るリスク・合併症	
現在の治療の状況	1. 効果　（有効・無効・わからない） 2. 副作用　（なし・あり＿＿＿＿　） 3. 合併症　（なし・あり＿＿＿＿　）
長期的な治療計画	□薬物療法＿＿＿＿＿＿まで □その他
次回受診日	年　月　日
その他	

病院名＿＿＿＿＿＿＿＿　主治医氏名＿＿＿＿＿＿＿＿

患者署名＿＿＿＿＿＿＿＿

よって正しいレセプトは次のとおり。

→	⑫	＊外来診療料　76×1
	⑬	＊婦人科特定疾患治療管理料　250×1
	㉑	＊ヤーズフレックス配合錠 1T×28　（点数省略）×1

器質性月経困難症の原因には，子宮筋腫や子宮内膜症，子宮腺筋症といった婦人科疾患があり，そのままにしておくと疾患の増悪や不妊等につながる可能性がある。婦人科特定疾患治療管理料は，月経困難症と続発性疾患の早期発見・治療介入，定期的な医学管理による重症化予防を評価するため，婦人科疾患に対して初めて保険収載された外来指導管理料である。

本事例を担当した産婦人科医師は受講修了証を施設基準届出の担当者へ渡していたが，医事算定担当者と算定方法を協議していなかったため，本事例では算定もれになってしまった。

今後，該当患者については，医師が受診ごとに指導内容の要点を診療録に記載し，３月に１回婦人科特定疾患治療管理料をオーダーする運用とした。

診療報酬改定前後には新設点数に注視しているが，それ以降に届出した場合に情報共有がもれてしまうことも多い。各部署が協力して算定もれのないよう留意されたい。

Q13　院内トリアージ実施料の算定もれ

B001-2-5

条件　**出来高病院，救急指定**（2024年６月分，関連部分のみ抜粋）

〈病名〉右側頭部打撲（2024.6.30）

〈内容〉

	入院日：2024.6.30　退院日：2024.7.9
⑪	＊初診料（休日加算）　541×1
⑨⓪	＊救急医療管理加算1　2　意識障害又は昏睡（指標省略）JCS300　1,050×7
	入院後３日以内に実施した主要な診療行為（省略）

〈カルテ〉

6/30　19：00　タクシー来院，着院時独歩不可，意識レベル3〔JCSⅢ（300）：刺激しても覚醒しない状態の意〕，側頭部創よりの出血，嘔吐あり。トリアージ看護師○○により赤タグ判断，待患者3人に断りを行いつつ救急室へ搬入。患者付添いには状態を説明し，家族に連絡を取らせた。

A　事例の病院では，B001-2-5院内トリアージ実施料の届出を行っており，具体的なトリアージ方法〔救急来院した時点での患者状態を院内ルール**図表４-７**で評価，重症度や緊急度に応じ診療の優先順位を決めること〕等に関する掲示物も救急室待合に貼ってあった。

同実施料は，救急外来を受診する患者に比較的軽症の方が多く，重症者の治療に支障を来している社会現象を緩和する理由に加えて，診察順を巡る患者トラブルの防止に寄与する効果があったとの報告をもとに導入された項目である。実質上トリアージを行う必要性がない場合は算定できない旨が通知されている（事務連絡 H24.7.3）。

レセプト点検時に，この事例の院内トリアージ実施料の算定もれが疑われたので，カルテを確認した。

図表４-７　トリアージ判断の例

区分	内容（START法準拠）	再評価時間
赤　緊急	気道確保必要，末梢循環の悪化，ただちに初期対応が必要	なし
黄　準緊急	意識レベルの低下なし，長時間は待てない	約30分
緑　待機的	歩行可能，長時間待てる状態	約30分

事例のカルテには，待患者３人の存在と看護師（施設基準届出者）によるトリアージ判断が記載されていた。よって，院内トリアージ実施料の算定要件を満たしている。他にも算定されていない事例を見つけたので，以下のように救急部と事務部に周知を行い，適正な算定をお願いした。

○**算定**：届出をした医師と看護師が実施した場合。
○**対象**：夜間，休日または深夜（平日8：00～18：00及び土曜の標榜時間は除く）に受診した初診料の算定患者。診察の結果，初診後即時に入院した患者を含む。

○**要件**：院内トリアージを実施して，患者またはその家族に対してその主旨と患者状態を説明し，カルテにその旨を記載する。

よって，正しいレセプトは以下のとおりとなる。

➡	⑪	＊初診料（休日加算）	541×1
	⑬	＊院内トリアージ実施料	300×1
	⑳	＊救急医療管理加算1　イ　意識障害又は昏睡（救急医療管理加算１）JCS300	1,050×7

Q14　夜間休日救急搬送医学管理料の算定もれ　B001-2-6

条件 **DPC対象病院，入院，A県B医療圏第２次救急医療体制，夜間休日救急搬送医学管理料・救急搬送看護体制加算１の施設基準届出済み**（2024年６月分，関連部分のみ抜粋）

〈**病名**〉急性冠症候群（I249）

〈**内容**〉【診断群分類番号】050030xx9910x0

【入院年月日】2024.６.２

【入退院情報】（予定・緊急入院区分）：３．緊急入院（２以外の場合）

【出来高部分】

⑪	＊(緊入)（2日） 初診料（休日）	541×1

A　６月２日（日曜日）に急性冠症候群（胸痛の訴え）により救急車で搬送され，入院となった事例である。救急車での来院であることは，入退院情報と(緊入)の表記から確認できる。

ポイントは，この病院がA県の医療計画において第２次救急医療施設として位置付けられていることである。そうであれば，B001-2-6夜間休日救急搬送医学管理料の要件を満たしているが，算定がされていない。

同管理料の算定もれ防止に当たってDPC対象病院では，①「３．緊急入院（２以外の場合）」（救急車，救急ヘリコプターでの搬送）であるか，②初診料の算定（夜間，休日および土曜日の時間外に限る）があるか――を確認することが重要である。特に土曜日については，医療機関により診療時間が異なるので十分に注意していただきたい（**図表４－８**）。

図表４－８　夜間休日救急搬送医学管理料の算定可否

○救急車などにて搬送された患者のみ	6:00～8:00	8:00～12:00	12:00～18:00	18:00～22:00	22:00～翌6:00（深夜）
平日	○	×	×	○	○
土曜日※	○	○	○	○	○
休日	○	○	○	○	○

※土曜日に診療を行う医療機関はその標榜時間は算定不可

また，(緊入)の記載については，「DPC対象病院の場合，入退院情報の欄があるし，入力しなくてもよいのではないか」という問合せがある。しかし，DPCにかかる診療報酬請求書等の記載要領のⅡ診療報酬明細書（様式第10）の記載要領（「DPC点数早見表」p.478）「２．明細書の記載要領に関する事項」に，特段の記載がない場合は一般の記載要領（「早見表」p.1612）と同様とする旨の記載がある。(緊入)（「早見表」p.1631（26）その他「セ」）については記載不要との記述がないため，DPCにおいても必要である。この項目の算定もれを防止するための手段の一つと捉え，DPC対象病院においてもレセコン等への登録をしていただきたい。

なお，この医療機関では救急搬送看護体制加算１の施設基準を届出しており，あわせて1,000点の算定もれとなっていた。

当該加算は，夜間救急外来の看護体制を評価したものであり，施設基準の届出がされていればB001-2-6を算定した全例に対して算定できる。請求事務部門全体に注意喚起するとともに，B001-2-6と「注３」がセットで入力できる医事コードマスタを設定し，算定もれ防止の体制を整備した。

よって，正しいレセプトは以下のとおり。

➡	⑪	＊(緊入)（2日） 初診料（休日）	538×1
	⑬	＊夜間休日救急搬送医学管理料 救急搬送看護体制加算1	1,000×1

チェックポイント！

★　**救急搬送看護体制加算は，施設基準の届出医療機関ではB001-2-6夜間休日救急搬送医学管理料の算定全例で算定できる！**

Q15　臍ヘルニア圧迫指導管理料の算定もれ

B001-8

条件 **DPC対象病院（200床以上），外来**（2024年６月分，関連部分のみ抜粋）

〈病名〉臍ヘルニア（2024.6.27）

〈内容〉

	生年月日：2024.3.6（生後3カ月）
⑪	＊初診料（乳幼児加算）　366×1
⑬	＊乳幼児育児栄養指導料　130×1

〈カルテ〉

○○医院より「臍ヘルニアの手術適応の判断を仰ぎたい」との紹介状。まずは圧迫し経過観察。3カ月後再診とし，手術適応を判断する。お母さんに以下のことをお話しした。

・現在は1cm程度のため，経過観察可能。
・筋肉が発育する1歳頃には，自然に治癒することがほとんどである。すぐに手術はお勧めできない。
・自然治癒しなければ，手術をしましょう。
・圧痛や変色が見られれば，すぐに受診してください。

カルテには臍ヘルニア圧迫を行ったことの記載があり，指導内容の要点にあたる記載も認められた。

A　事例は紹介状を持参し，小児外科を受診した乳幼児のレセプトである。臍ヘルニア（**図表４-９**）に対して診察を行っており，B001-8臍ヘルニア圧迫指導管理料が算定できるのではないかと考え，カルテを確認した。

B001-8　臍ヘルニア圧迫指導管理料

(1)　臍ヘルニア圧迫指導管理料は，臍ヘルニアの患者の保護者に対して以下に示す事項について，個別に説明及び指導管理を行った場合に算定できる。
　ア　臍ヘルニアの病態
　イ　臍ヘルニア圧迫療法の概要及び具体的実施方法
　ウ　臍ヘルニア圧迫療法の治癒率と治癒しなかった場合の治療法
　エ　想定される合併症及び緊急時の対処方法
(2)　指導内容の要点を診療録に記載する。

（令６保医発0305・４／**「早見表」p.304**）

カルテの記載内容と通知から算定可能と判断し，医師に確認したところ，医師は入力を忘れたとのことであった。医師に診療録への追記をお願いすると同時に，同指導管理料の算定許可を得た。

図表４-９　臍ヘルニア

生後間もなくへその緒が取れたあと，お腹に圧力が加わったときにへそが飛び出した「でべそ」状態を臍（さい）ヘルニアと呼ぶ。触れると柔らかく，圧迫すると簡単にお腹に戻るが，お腹に力が加わるとまた飛び出す。臍ヘルニアは，5～10人に1人の割合でみられ，生後3カ月頃まで大きくなる。ほとんどはお腹の筋肉が発育して1歳頃までに自然に治る。1～2歳を過ぎてもヘルニアが残っている場合や，ヘルニアの治癒（ヘルニア門の閉鎖）後にへそが飛び出したままの瘢痕過形成（臍突出症）の場合，手術の適用となることがある。（日本形成外科学会，日本小児外科学会の資料を改変）

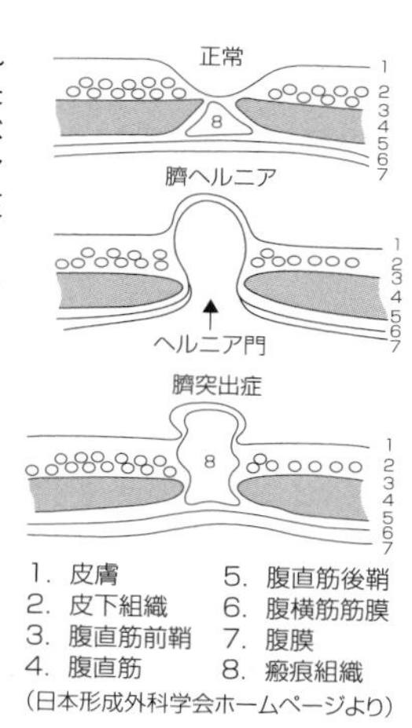

（日本形成外科学会ホームページより）

正しいレセプトは以下のとおり。

➡	⑪	＊初診料（乳幼児加算）	366×1
	⑬	＊乳幼児育児栄養指導料	130×1
		＊臍ヘルニア圧迫指導管理料	100×1

Q16 多機関共同指導加算の算定もれ

B005「注3」

条件 DPC対象病院（200床以上）(2024年８月，関連部分のみ抜粋)
〈病名〉声門癌（C320）
〈内容〉【診断群分類番号】03001xxx99x0xx
【入院年月日】2024.８.９【退院年月日】2024.８.30

⑬	＊退院時共同指導料2 保険医共同指導加算　　700×1

〈カルテ〉

指導実施日：R6年8月27日
共同指導参加者：家族（妻，長男），在宅主治医（○○医院　院長），訪問看護師（○○所長，○○看護師），介護支援専門員（ケアマネ○○さん），当院主治医，当院看護師

A 数カ月前に当院で声門癌の手術を実施し，その後，入退院を繰り返していた患者の事例である。今回の退院時に在宅療養を担う診療所の医師と在宅療養に関する共同指導を行ったということで，B005退院時共同指導料２と「注２」の加算（保険医共同指導加算／300点）を算定した。

退院精算時には確認していなかった退院時共同指導説明書を後日確認したところ，下記（上記カルテ）の内容が記載されていた。

共同指導には，当院の主治医，看護師以外に在宅療養を担う在宅主治医の医師，訪問看護ステーションの所長と看護師，ケアマネジャーが参加していた。

B005　退院時共同指導料２
注３　注１の場合において，入院中の保険医療機関の保険医又は看護師等が，在宅療養担当医療機関の保険医若しくは看護師等，保険医である歯科医師若しくはその指示を受けた歯科衛生士，保険薬局の保険薬剤師，訪問看護ステーションの看護師等（准看護師を除く），理学療法士，作業療法士若しくは言語聴覚士，介護支援専門員（中略）又は相談支援専門員（中略）のうちいずれか３者以上と共同して指導を行った場合に，多機関共同指導加算として，2,000点を所定点数に加算する。
(下線筆者)(「**早見表**」**p.307**)

診療報酬点数表を確認してみたところ，当院の医師，看護師以外に３者以上の参加で共同指導を行っているので，B005「注３」多機関共同指導加算（2,000点）が算定できることがわかった。

なお，「注３」の加算を算定する場合，「注２」加算は算定できない。

よって，正しいレセプトは次のとおり。

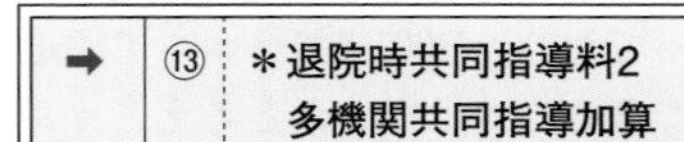
➡ ⑬ ＊退院時共同指導料2
多機関共同指導加算　2,400×1

入院患者に退院時共同指導を行った場合，B005「注２」や「注３」の加算が算定できることを連絡してもらえることになっているが，参加者の職種や2,000点の加算が算定できるという詳細が伝わっていなかったことで算定もれとなってしまった。連絡方法や内容による取違えに注意が必要である。また，算定要件である「３者以上」の考え方が間違っていれば，2,000点を誤って算定しかねない。算定時には指導説明書の記載内容も確認し，加算の算定もれ，算定誤りがないように気をつけたい。

図表4－11は，診療報酬改定に関する厚生労働省の資料であるが，今般の診療報酬改定では，医科・歯科・調剤・介護と各々の連携で点数を算定する項目が増えている。医療機関内で情報を共有し，算定もれのないルールで運用することが大切である。

また，本加算点数については，歯科を標榜していない医療機関が算定要件となっている点も留意されたい。

Q22 医療機器安全管理料の算定もれ

B011-4

条件 DPC対象病院，400床（2024年7月分，関連部分のみ抜粋）

〈病名〉腹部大動脈瘤破裂（I713）

〈内容〉

診断群分類番号：050162xx03x1xx
入院日：2024.7.31
⑪ ＊初診料 291×1
㊿ ＊ステントグラフト内挿術2　1以外の場合ロ（腹部大動脈）（31日） 49,440×1
＊大動脈瘤切除術（吻合又は移植を含む）〔腹部大動脈（その他のもの）〕（31日）（手術開始11：40） 52,000×1
＊閉鎖循環式全身麻酔5（麻酔困難な患者）（ステントグラフト内挿術施行時）（31日）詳細省略 （点数省略）×1
＊閉鎖循環式全身麻酔5（麻酔困難な患者）（腹部大動脈瘤切除術施行時）（手術開始16：50）（31日）詳細省略 （点数省略）×1

〈カルテ〉

入室後の経過

ICU到着時，BP実測でSBP（収縮期血圧）130程度。NCR（シグマート注）＋PRP（濃縮血小板）を開始したが，数分でショックバイタルとなる。SBPが30台に低下。11：40～緊急手術。（中略）術後未覚醒未抜管でICU帰室。

帰室時SBP120。帰室30分後にSBP50に急低下。緊急CTで，予期せぬ腹部大動脈瘤破裂を確認，16：50～緊急手術となる。挿管したまま手術室へ出棟。（以下略）

A 前医に救急搬送後，CTで腹部大動脈瘤破裂を疑われて当院へさらに救急搬送された。着院時にはショック状態であり，約50分で緊急手術となった。K561ステントグラフト内挿術「2」「ロ」腹部大動脈を実施，その帰室後に予期せぬ動脈瘤の破裂を来し，K560大動脈瘤切除術「7」腹部大動脈（その他のもの）が施行された事例である。

レセプトに誤りがないか，カルテを確認した。

1回目手術後に未抜管でICUに帰室して，人工呼吸を実施している状態であった。2回目の手術時には挿管したままで出棟していることも確認できた。つまり，全身麻酔時以外でも人工呼吸器を使用していたことがわかる。しかし，人工呼吸器の使用に対して，B011-4 医療機器安全管理料が算定されていないことに気がついた。

担当者に同管理料を算定していない理由を聞いたところ，「人工呼吸は処置であり，手術当日には算定できない。それに付随する同管理料は算定できないと思った。翌月まで人工呼吸を算定しているので，翌月は算定するつもりだった」と説明があった。

しかし，算定要件には，「生命維持装置を用いて治療を行った場合に1月に1回に限り」とあり，治療行為の算定の有無は算定要件ではない。よって，正しいレセプトは以下のとおりとなる。

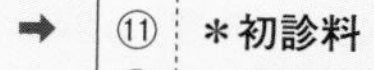

➡ ⑪ ＊初診料 291×1
⑬ ＊医療機器安全管理料「1」（臨床工学技士が配置されている保険医療機関において，生命維持管理装置を用いて治療を行う場合）（人工呼吸実施） 100×1

Q23　退院時薬剤情報連携加算の算定もれ　B014「注２」

条件 DPC対象病院，300床規模，入院（2024年６月，関連部分のみ抜粋）

〈内容〉【退院年月日】R６.６.26

転帰：軽快

⑬	＊退院時薬剤情報管理指導料 （退院年月日：令和６年６月26日）	90×1

〈カルテ〉薬剤管理指導記録より抜粋

> 6/26
> - 入院中および退院時処方内容は，持参のお薬手帳に添付。
> - 退院時の処方薬を１錠ずつ見せて，効能効果，用法，用量，服薬上の注意点を説明。
> - 薬剤情報提供書を渡す。入院時持参薬のうちアムロジピンは，低血圧の原因と考えられるため中止とした旨説明。
> - かかりつけ調剤薬局に入院中の処方変更などを記載した「服薬管理サマリー」を提供したいと説明。○○調剤薬局に情報提供することに。
> - お薬手帳を患者に返却，服薬管理サマリーもお渡しし，○○調剤薬局に渡すように説明。
>
> 〔服薬管理サマリー（写し）添付あり（**図表４－12**）〕

A　B014退院時薬剤情報管理指導料については，入院前の内服薬を変更・中止したものに対して，文書で保険薬局に情報提供した場合に，「注２」退院時薬剤情報連携加算（60点）が算定できる。そこで，当院でも算定できないものか確認してみた。

次に点数表を確認してみる。

> **B014　退院時薬剤情報管理指導料**
>
> (8)「注２」に規定する退院時薬剤情報連携加算は，（中略）入院前の処方の内容に変更又は中止の見直しがあったものに対して，患者又はその家族等の同意を得て，退院時に見直しの理由や見直し後の患者の状態等を，患者又はその家族等の選択する保険薬局に対して，文書で情報提供を行った場合に，退院の日に１回に限り算定する。（以下省略）
>
> (9) 保険薬局への情報提供に当たっては，「薬剤管理サマリー」（日本病院薬剤師会）等の様式を参照して情報提供文書を作成し，当該文書を患者若しくはその家族等又は保険薬局に交付する。この場合において交付した文書の写しを診療録等に添付する。
>
> （下線筆者）（令６保医発0305・４／**「早見表」p.346**）

日本病院薬剤師会のHPに公表されている「薬剤管理サマリー」を確認したところ，当院で記載している様式はすべて同じ項目だった。薬剤管理指導記録と薬剤管理サマリーの記載内容から，B014「注２」退院時薬剤情報連携加算の算定要件を満たす。よって正しいレセプトは次のとおり。

➡	⑬	＊退院時薬剤情報管理指導料 退院時薬剤情報連携加算 （退院年月日：令和６年６月26日）	150×1

薬剤部に確認したところ，オーダ入力をしているとのこと。ところが，システム設定を確認したところ，オーダ側と医事システムの連携ができていないことが判明したため，すぐに設定を修正した。関係部門，事務部門，システム部門であらかじめ情報共有をし，必要な準備を行っておくことの重要性を感じた事例であった。

図表４－12　服薬管理サマリー（写し）（関連部分のみ）

入院時持参薬		退院時処方	
内服薬A　1錠　1日1回夕食後	×7日	内服薬A　1錠　1日1回夕食後	×14日
内服薬B　1錠　1日1回夕食後	×7日	内服薬B　1錠　1日1回夕食後	×14日
内服薬C　1錠　1日1回夕食後	×7日	内服薬C　1錠　1日1回夕食後	×14日
アムロジピン錠2.5mg　1錠 1日1回夕食後	×7日		

特記事項	※患者情報で伝達が必要と思う内容を記載すること（問題点，薬剤の評価，医師の処方意図等／入院中の薬剤の追加，減量，中止で伝えたい内容） アムロジピン錠2.5mgは，低血圧の原因と考え中止としました。中止後経過良好でしたので，退院時処方も中止としています。

5—在宅の請求もれ

Q24 往診料，同「注１」休日加算の算定もれ（救急搬送診療料算定時） C000，C004

条件 DPC対象病院（200床以上），外来（2024年６月，関連部分のみ抜粋）
〈病名〉脳梗塞疑い（R６.６.２）10：17
〈内容〉

⑪	＊初診料（休日加算）	541×1
⑬	＊救急搬送診療料	1,300×1

A 急な右眼の視野不良を自覚したため，家族の運転する自家用車で近所の消防署まで赴き助けを求めたところ，脳卒中の疑いがあると判断された患者のレセプトである。消防署が当院にドクターヘリの緊急出動を要請し，搬送となった（**図表５-１**）。

> **C004 救急搬送診療料**
> (4) 搬送先の保険医療機関の保険医に立会診療を求められた場合は，A000初診料，A001再診料又はA002外来診療料は１回に限り算定し，C000往診料は併せて算定できない。ただし，患者の発生した現場に赴き，診療を行った後，救急用の自動車等に同乗して診療を行った場合は，往診料を併せて算定できる。
> （下線筆者）（令６保医発0305・４／「**早見表**」**p.382**）

今回の事例では，医師が同乗したドクターヘリで患者がいる現場に赴き，そのドクターヘリ内で診療を行いながら自院へ搬送しているため，C000往診料が算定できる。

ここでさらに注意したいのが，往診料は，往診を行う時間や日によって加算が算定できる点である。

> **C000 往診料**
> 注１ 別に厚生労働大臣が定める時間において入院中の患者以外の患者に対して診療に従事している場合に緊急に行う往診，夜間（深夜を除く）又は休日の往診，深夜の往診を行った場合には，（中略）次に掲げる点数を，それぞれ所定点数に加算する。
> イ・ロ（略）
> ハ イからロまでに掲げるもの以外の保険医療機関の保険医が行う場合
> (1) 緊急往診加算 325点
> (2) 夜間・休日往診加算 650点
> (3) 深夜往診加算 1,300点
> （下線筆者）（「**早見表**」**p.352**）

2016年改定において，往診料に対して休日加算が新設されており，当該事例の診療日である６月２日が日曜にあたることから，休日加算が算定可能となる。ちなみに「注１」でいう「緊急」の往診とは，外来診察中に求められて行う往診のことを指す。

以上より，正しいレセプトは以下のとおりとなる。

➡	⑪	＊初診料（休日加算）	541×1
	⑬	＊往診料（休日往診加算）	1,370×1
		＊救急搬送診療料	1,300×1

チェックポイント！

★ **C004救急搬送診療料は，患者のいる現場に赴き，救急用の自動車等に同乗して診療を行った場合には，C000往診料が併算定できる！**

★ **この場合でもC000往診料において，夜間・休日往診加算，深夜加算等の加算が算定可能！**

図表５-１ ドクターヘリの緊急出動

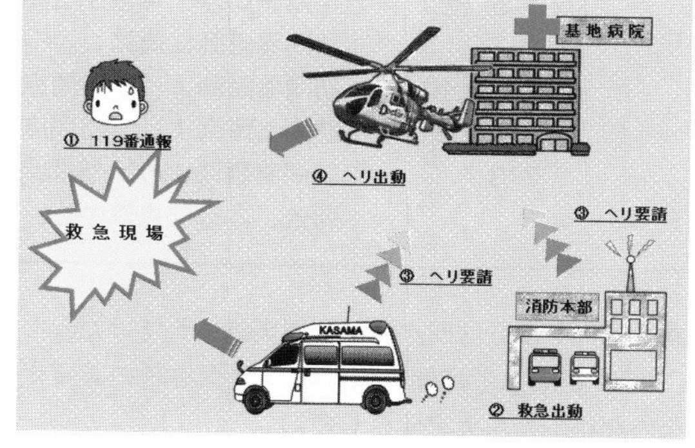

（笠間市消防本部 HP より）

Q25 救急搬送診療料の算定もれ

C004

条件 **離島医療機関**（2024年６月分，関連部分のみ抜粋）

〈病名〉急性心筋梗塞，心肺停止状態

〈内容〉

⑬	＊診療情報提供料（Ⅰ）	250×1

〈カルテ〉

自宅で倒れ，救急車にて当院搬送。当院では循環器系治療ができないため，○○大学病院への移送が必要と判断。ドクターヘリを要請し，移送を開始する。

ドクターヘリとの合流地点まで救急車に同乗，心肺蘇生を行いながら移動。10分後に合流地点に到着。ドクターヘリ同乗の大学病院の医師に患者を引き渡す。大学病院では緊急CABG（冠動脈バイパス術）を施行し救命できた。

A この事例では，救急車でドクターヘリの合流地点まで移送し，大学病院の医師に引き渡すまでの間，医師が救急車に同乗して蘇生等の医療行為を行っている。よって，C004救急搬送診療料が算定できる。救急車に同乗した時間は10分程度であるため，「注３」の長時間加算は算定できない。

よって，正しいレセプトは以下のとおり。

➡	⑬	＊診療情報提供料（Ⅰ）	250×1
	⑭	＊救急搬送診療料	1,300×1

なお，ドクターヘリとは，救急医療用の医療機器等を装備した救急医療用ヘリコプターであって，救急医療の専門の医師，看護師が同乗し，現場から医療機関へ搬送するまでの間，患者に救急的処置を行うことができるものである。

救急用の自動車等で搬送する場合はC004救急搬送診療料が算定できるが，ドクターヘリはそれに該当するのか，通知を確認した。

【救急搬送診療料】

(2) 救急医療用ヘリコプターを用いた救急医療の確保に関する特別措置法第2条に規定する「救急医療用ヘリコプター」により搬送される患者に対して，救急医療用ヘリコプター内において診療を行った場合についても救急搬送診療料を算定することができる。

（令６保医発0305・４／**「早見表」p.381**）

この事例の場合，大学病院においても救急搬送診療料を算定できることになる。

Q26 在宅患者訪問点滴注射管理指導料の請求もれ

C005-2

条件 **在宅療養支援診療所**（2024年７月分，関連部分のみ抜粋）

〈内容〉

⑭	＊在宅患者訪問診療料（Ⅰ）「1」「イ」（5日）	888×1
	＊在宅患者訪問看護・指導料（6日，7日，8日）	580×3
㉝	＊点滴注射	（点数省略）×1
	＊点滴注射（訪問点滴）	0×3

〈カルテ〉

7/5（金）	定期訪問時，体温37.5℃。咳と痰に加え脱水症状あり。点滴実施。訪問看護師に連絡し，6日から3日間の点滴を指示。
7/6（土）	訪問看護師より，訪問点滴実施，著変なしとの連絡。
7/7（日）	訪問看護師より，訪問点滴実施，症状改善傾向の報告。
7/8（月）	訪問看護師より，訪問点滴実施，体温36.5℃，咳と痰が収まったと報告。本日で点滴中止。

A 事例では，訪問点滴が３回実施されていたが，C005-2 在宅患者訪問点滴注射管理指導料の算定がないため，カルテを確認した。

５日の医師による点滴のあと，訪問看護師に連続した３日間に点滴を行うよう指示が出されている。

通知では，訪問点滴指示は７日以内とされ，「１週間（指示を行った日から７日間）のうち３日以上」実施した場合に算定するとあるため，算定要件を満たす（医師が行った点滴注射は数に含めない）。

図表 5 - 2　訪問点滴の実施状況

日	月	火	水	木	金	土
	1	2	3	4	5 訪問診療点滴	6 訪問点滴 ①
7 訪問点滴 ②	8 訪問点滴 ③	9	10	11	12	13
14	15	16	17	18	19	20

算定していない理由を担当者に確認すると，「1週間」とは暦週であり，日曜日から土曜日までを単位として考えると，週3日以上の条件を満たさないと解釈していた。算定の「1週につき」の考え方は暦週で正しいが，「1週間のうち3日以上」実施の場合の1週および点滴指示の有効期間の1週は，「指示日より7日間」であると明記されている。

したがって，正しいレセプトは以下のとおり。

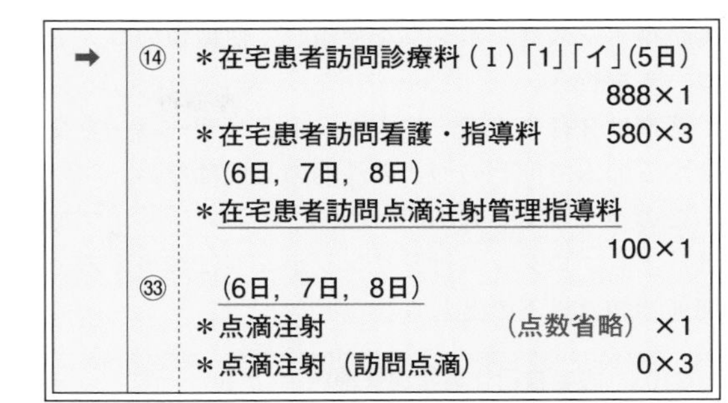

➡	⑭	＊在宅患者訪問診療料（Ⅰ）「1」「イ」(5日)	888×1
		＊在宅患者訪問看護・指導料　(6日，7日，8日)	580×3
		＊在宅患者訪問点滴注射管理指導料　(6日，7日，8日)	100×1
	㉝	＊点滴注射	（点数省略）×1
		＊点滴注射（訪問点滴）	0×3

訪問看護師による在宅点滴注射の行為の請求が認められて久しい。点滴する薬剤に制限はないが，薬剤料を除いて保険医療材料，衛生材料などの点滴注射にかかる器材は，指示を出した医療機関が提供することになっていることから点数的なメリットは小さい。とはいえ，医師の手を煩わすことなく訪問看護師が点滴を実施することは患者の療養上よい点が多いとされ，算定事例が増えている。

Q27　在宅自己注射指導管理料の算定誤り

C101

条件　**出来高病院（200床以上），外来**（2024年6月分，関連部分のみ抜粋）

〈病名〉1型糖尿病（1998.6.10），糖尿病性腎症（2008.5.14），糖尿病性末梢神経障害（2008.5.14）

〈内容〉

⑫	＊外来診療料	76×1
⑭	＊在宅自己注射指導管理料（1以外の場合）（月28回以上）	750×1
	＊血糖自己測定器加算（1型糖尿病・90回以上）	1,170×1
	＊間歇注入シリンジポンプ加算（プログラム付）	2,500×1
	＊自己注射薬剤	
	ヒューマログ注100単位／mL　20mL　1日3回　28日分	（点数省略）×1

〈カルテ〉1型糖尿病。HbA1cは2000年頃から8％台で推移。CSII導入＋カーボカウント

A　1型糖尿病で自己注射をしている事例である。C152間歇注入シリンジポンプ加算「1」プログラム付きシリンジポンプが算定されているが，手技料はC101在宅自己注射指導管理料「2」（1以外の場合）である。

カルテを確認すると，CSII療法が導入されていたことがわかった。CSII療法とは，インスリン注射等の従来の療法では血糖コントロールができない場合や，より厳密な血糖コントロールが必要となる場合に，皮下（左下腹部が多い）に細くて柔らかいカテーテルを留置し，そこからインスリンを体内注入する方法である（**図表 5 - 3**）。

○カーボカウント

直訳のとおり「炭水化物を数える」こと。血糖値は，炭水化物を意味するカーボ（糖質＋食物繊維）の摂取量に応じて上がる（糖質1gに対して血糖値は摂取2時間後に3mg／dL上昇）。そこで，このカーボの摂取量を計測して血糖値をコントロールする。

通常時はベーサル（基礎）注入として24時間持続的自動投与が行われる。食事等でインスリンの追加が必要な場合は，ボーラス（追加）注入として簡単な操作で必要量のインスリンを追加投与できる。

この2つの調整ができる

図表 5 - 3　CSII療法

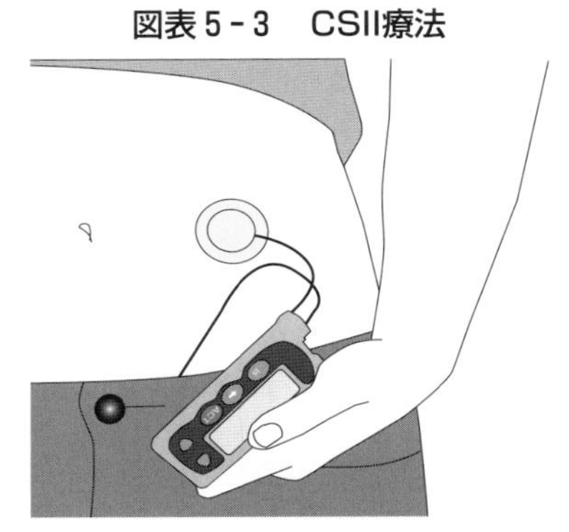

携帯型インスリンポンプを使用して血糖値のコントロールを行う。

薬剤は3日に1度，注入セットとリザーバーを交換するのみで，そのつどの注射の必要はない。

このポンプが，C152間歇注入シリンジポンプ加算「1」プログラム付シリンジポンプに該当する。関連通知は以下のとおり。

C101 在宅自己注射指導管理料

(6) 「1」複雑な場合については，間歇注入シリンジポンプを用いて在宅自己注射を行っている患者について，診察を行った上で，ポンプの状態，投与量等について確認・調整等を行った場合に算定する。（以下略）

（令6保医発0305・4／「早見表」p.411）

この手技と加算は一対であると覚えておくとよい。よって，正しいレセプトは以下のとおりとなる。

➡	⑭	**＊在宅自己注射指導管理料（1 複雑な場合）**	**1,230×1**
		＊血糖自己測定器加算（1型糖尿病・90回以上）	**1,170×1**
		＊間歇注入シリンジポンプ加算（プログラム付）	**2,500×1**

Q28 在宅自己注射指導管理料算定患者の緊急受診時における注射費用の算定もれ C101

条件 **DPC対象病院，400床規模，外来**（2024年6月，関連部分のみ抜粋）

〈病名〉 2型糖尿病（R1.6.13）

〈内容〉 診療実日数：2日

⑫	＊外来診療料	76×1
	＊外来診療料（時間外特例）	256×1
⑭	＊在宅自己注射指導管理料「2」1以外の場合「ロ」月28回以上	750×1
	＊ヒューマログ注ミリオペン（300単位）3キット インスリン グラルギンBS注ミリオペン「リリー」（300単位）2キット	（点数省略）×1
㉒	＊ブドウ糖 500g	（点数省略）×1
⑥⓪	＊グルコース	11×1

〈カルテ〉 関連部分のみ抜粋

6/7 20：10 家族でテレビを見ていたところ，倦怠感を自覚し吐き気，軽度の意識障害が出現したため時間外に来院。
採血の結果，血糖値が顕著に上昇しており，高血糖と判断しインスリンを皮下投与した。数分で症状改善したため，入院とはせず帰宅とした。
<注射指示>ヒューマリンN注カート 5単位IV

A 事例のレセプトは令和1年6月に「2型糖尿病」と診断され，当該月より在宅自己注射を導入された事例である。定期的にインスリンが処方されており，C101在宅自己注射指導管理料も算定されているため問題のないレセプトに見えるが，診療実日数と時間外加算の関係から，1日は時間外に受診していることがわかる。レセプト点検時に，請求内容では時間外に受診した経過が不明瞭であったため，カルテを確認した。

カルテ記載から，自宅で高血糖発作を起こし時間外に受診したことがわかる。さらに，院内で緊急的にインスリンが投与されていることがわかった。

しかし，レセプトを見てみると，投与されている「ヒューマリンN注カート」の薬剤料及びG000皮内，皮下及び筋肉内注射の手技料が算定されていない。

会計担当者になぜ算定されていないのかと確認を行ったところ，以下のような返答があった。

「在宅自己注射指導管理料を算定している患者については，外来受診時に院内で投与した自己注射に関連する薬剤（この場合はインスリン製剤）と注射の手技料は算定できないと聞いています。そのため，算定しませんでした」。

確かに，以前は外来受診時に院内で行われる注射の費用は算定できないとされていたが，2020年診療報酬改定で一部要件の緩和（下線部）が行われた。

C101 在宅自己注射指導管理料

(13) 在宅自己注射指導管理料を算定している患者の外来受診時（緊急時に受診した場合を除く）

に，当該在宅自己注射指導管理に係るG000皮内，皮下及び筋肉内注射，G001静脈内注射を行った場合の費用及び当該注射に使用した当該患者が在宅自己注射を行うに当たり医師が投与を行っている特掲診療料の施設基準等の別表第9に掲げる注射薬の費用は算定できない。なお，緊急時に受診した場合の注射に係る費用を算定する場合は，診療報酬明細書の摘要欄に緊急時の受診である旨を記載する。
（令6保医発0305・4／「早見表」p.411）

すなわち，緊急時に受診した場合は，注射に係る費用が算定できると改められたことがわかる。

診療報酬改定では，項目の新設・削除のみでなく，従来からある算定要件が適正化・緩和されることもあるため，告示・通知を十分確認し，変更された部分を適切に把握することが必要である。

担当者も，この通知内容まで読み込めていなかったと反省し修正を行うこととなった。概要欄に緊急時の受診である旨を記載することも留意されたい。

よって，正しいレセプトは以下のとおり。

➡	⑫	＊外来診療料	76×1
		＊外来診療料（時間外特例）	256×1
	⑭	＊在宅自己注射指導管理料「2」1以外の場合「ロ」月28回以上（緊急受診：R6.6.7）	750×1
		＊ヒューマログ注ミリオペン（300単位）3キット インスリン　グラルギンBS注ミリオペン「リリー」（300単位）2キット	（点数省略）×1
	㉒	＊ブドウ糖　500g	（点数省略）×1
	㉛	＊皮内，皮下及び筋肉内注射	25×1
		ヒューマリンN注カート 0.05mL	（点数省略）×1
	㊿	＊グルコース	11×1

Q29　バイオ後続品導入初期加算の算定もれ

C101「注4」

条件　DPC対象病院，400床，外来，内科（2024年6月，関連部分のみ抜粋）
〈病名〉２型糖尿病（R6.4.12）
〈内容〉診療実日数：２日

⑭	＊在宅自己注射指導管理料「2」「ロ」月28回以上，導入初期加算	1,330×1
	＊ヒューマログ注ミリオペン（300単位）3キット インスリン　グラルギンBS注ミリオペン「リリー」（300単位）　2キット	（点数省略）×1

〈カルテ〉関連部分のみ抜粋

本日より自宅でのインスリン自己注導入。前回はヒューマログについて説明。今回，ランタスとバイオ後続品のインスリングラルギンについて説明を行い，後続品導入を希望されたため，ヒューマログとグラルギンにて注射を行ってもらう。

A　2024年4月に「２型糖尿病」と診断され，6月より在宅自己注射を導入された事例である。

6月から在宅自己注射導入であるため，C101在宅自己注射指導管理料「注２」導入初期加算も算定しており，問題のないレセプトに見えるが，インスリン製剤にある「BS」の表現について，バイオ後続品である事に気づき，点数表を確認した。

C101　在宅自己注射指導管理料
注4　患者に対し，バイオ後続品に係る説明を行い，バイオ後続品を処方した場合には，バイオ後続品導入初期加算として，当該バイオ後続品の初回の処方日の属する月から起算して3月を限度として，150点を所定点数に加算する。
（下線筆者）

「注４」バイオ後続品導入初期加算の算定もれであった。「バイオ後続品」とは細胞を用いて遺伝子組替えや細胞培養等を行い製造されるものである。そして，先行バイオ医薬品との同等性／同一性が証明・承認された医薬品を「バイオ後続品（バイオシミラー）」と呼ぶ――とのことであった。

今回処方されている在宅自己注射用薬剤を確認すると，「インスリン　グラルギンBS注ミリオペン」にはバイオシミラーの略語「BS」が含まれているため，「バイオ後続品」に該当することがわかった。そこで，「注４」の算定要件である「バイオ後続品に係る説明」が行われたか，カルテを確認した。

カルテ記載からバイオ後続品の説明が行われていることがわかるため，「注４」の算定対象となる。

正しいレセプトは以下のとおりとなる。

➡	⑭	＊在宅自己注射指導管理料「2」「ロ」月28回以上 導入初期加算 バイオ後続品導入初期加算　1,480×1 ＊ヒューマログ注ミリオペン（300単位）３キット インスリン　グラルギンBS注ミリオペン「リリー」（300単位）２キット （点数省略）×1

インスリン　グラルギン以外にもバイオ後続品は存在するため，バイオ後続品の一覧を作成して同じようなミスが起こらないよう対応した。

なお，バイオ後続品〔BS（バイオシミラー）〕の製品名などについては，（一社）日本バイオシミラー協議会のホームページに詳しく掲載されているので参照されたい。

https://www.biosimilar.jp/biosimilar_list.html

Q30　在宅自己導尿指導管理料の算定もれ　C106，C163

条件 **病院300床，外来，55歳の患者**（2024年６月分，関連部分のみ抜粋）

〈病名〉 糖尿病（Ⅱ型），神経因性膀胱

〈内容〉

⑭	＊在宅自己注射指導管理料「2」（月28回以上）	750×1
	＊注入器加算	300×1
	＊注入器用注射針加算「2」	130×1
	＊自己注射薬剤　ノボリン30R注フレックスペン １日10単位30日分　300単位	（点数省略）×1

〈カルテ〉

6/10	糖尿病に対して，在宅自己注射指導管理（注入器処方，薬剤：ノボリン30R　300単位）
6/10	神経因性膀胱に対して，在宅自己導尿指導管理（間欠導尿用ディスポーザブルカテーテル使用）

A　糖尿病，神経因性膀胱に対する在宅療養指導管理料算定例である。

事例の場合は，６月10日の在宅自己注射指導管理に対してのみ算定している。確かに，同一の患者については２以上の在宅療養指導管理を行っても一つしか算定できないことになっている。

ただし，以下のような記載があるので注意する。

> **【在宅療養指導管理材料加算】**
> (2)　同一の保険医療機関において，２以上の指導管理を行っている場合は，主たる指導管理の所定点数を算定する。この場合にあって，在宅療養指導管理材料加算及び当該２以上の指導管理に使用した薬剤，特定保険医療材料の費用は，それぞれ算定できる。（下線筆者）
> （令６保医発0305・４／**「早見表」p.427**）

まず，「２以上の指導管理を行っている場合は，主たる指導管理の所定点数を算定する」とある。特に規定があるわけではないが，この場合の「主たる」とは，一般的により点数の高いものを指す。

事例の場合は，同一月に在宅自己注射指導管理と在宅自己導尿指導管理を行っているが，より点数の高いC106在宅自己導尿指導管理料（1,400点）を算定することになる。また，所定点数については主たるものしか算定できないが，在宅療養指導管理材料加算等についてはそれぞれ算定できるので，正しい請求は以下のようになる。

➡	⑭	＊在宅自己導尿指導管理料　1,400×1 ＊特殊カテーテル加算 ２　間歇導尿用ディスポーザブルカテーテル ロ　イ以外のもの　1,000×1 ＊注入器加算　300×1 ＊注入器用注射針加算「2」　130×1 ＊自己注射薬剤　ノボリン30Ｒ注フレックスペン　300単位　（点数省略）×1

コンピュータで計算処理を行っている場合，一方の条件だけ取り入れる排他処理をしてしまい，事例のような算定もれが継続することになる。院内で算定ルールを作り，もれのないように注意したい。

Q31　血糖自己測定器加算（間歇スキャン式持続血糖測定器によるもの）の算定もれ　C150

条件 DPC対象病院，500床規模，外来，内分泌内科（2024年８月，関連部分のみ抜粋）
〈病名〉２型糖尿病・多発糖尿病性合併症あり（R６.６.10）
〈内容〉【診療実日数】１日

⑫	＊外来診療料	76×1
⑭	＊在宅自己注射指導管理料（1以外の場合）（月28回以上）	750×1
	＊血糖自己測定器加算（月60回以上測定する場合）	830×1

〈カルテ〉
S：変わりないです
O：検査値（省略），ヒューマログ8-4-8，ランタスXR　夕14単位，SMBG 1日2回
　＃1　type2　DM〔抗GAD抗体陰性〕
　＃2　HT，脂質異常症
A：初診時教育入院進めるも本人拒否，他院でdrop outの歴あり。現行加療継続。
　リブレ導入済み。
<電子カルテ上の付箋>
　代謝：2DM，血糖測定器加算60回，在宅自己注射指導管理料28回

A　特に気になる点のないレセプトだが，カルテにある「リブレ」の記載に目が止まった。リブレとは，間歇スキャン式持続血糖測定器（isCGM）である「FreeStyleリブレ」（**図表５-４**）のことである。このリブレ使用に係る点数はC150血糖自己測定器加算「７」間歇スキャン式持続血糖測定器によるものであり，その算定対象は，以前は「強化インスリン療法等を実施している患者」のみだったが，2022年度改定で「インスリン製剤の自己注射を１日に１回以上行っている入院中の患者以外の患者」へ拡大・変更された（**図表５-５**）。

よって，正しいレセプトは次のとおり。

➡	⑫	＊外来診療料	76×1
	⑭	＊在宅自己注射指導管理料（1以外の場合）（月28回以上）	750×1
		＊血糖自己測定器加算（間歇スキャン式持続血糖測定器）	1,250×1

事例の病院では，診療部門と連携し，リブレを使用している患者を把握・確認し，電子カルテ上の付箋についても適切な算定につながるよう，表記を「間歇スキャン式持続血糖測定器」へと修正した。

今回の事例のように，利用する道具自体がモノ代（特定保険医療材料料）としてレセプトに表現されないものについては，診療現場と医事会計部門での算定に係る認識の共有が重要である。また，改定時の確認は特に重要であり，納入会社などからも，そうした情報を早く正確に把握しておきたい。

図表５-４　FreeStyleリブレとFreeStyleリブレPro

	FreeStyleリブレ	FreeStyleリブレPro
対象	患者さん向け	医療従事者向け
グルコース値の測定方法	日常生活のなかで患者さんがいつでも測定可能	患者さんの来院時に医師が測定
センサーの装着	患者さんが上腕後部に装着	医療従事者が患者さんの上腕後部に装着
センサーメモリー	８時間（グルコース値を毎分測定し，15分ごとにグルコース値を自動的に記録）	最長14日間（持続的に測定し，15分ごとにグルコース値を自動的に記録）
リーダーの仕様	●患者さん自身が保有して使用 ●１つのReaderが同時に対応するセンサーは1つ ●測定データは90日間保存され，豊富なわかりやすいグラフで履歴を表示する ●厚さ４cm以内の衣服の上から読み取ることができる ●見やすく，操作しやすいタッチスクリーン ●いつでも，どこでも，測定が可能	●医療従事者が保有し，施設内で使用 ●１つのReaderを複数の患者さんのセンサーに対応させて使用可能 ●詳細なグルコースデータが最大14日間分表示される ●14日分の測定結果の読取り時間は約５秒 ●厚さ４cm以内の衣服の上から読み取ることができる ●見やすく，操作しやすいタッチスクリーン
保険償還区分	C150血糖自己測定器加算 「７」間歇スキャン式持続血糖測定器によるもの（1,250点）	D231-2皮下連続式グルコース測定（一連につき）（700点） 158皮下グルコース測定用電極（6,390円）

アボットジャパン「FreeStyle リブレ，FreeStyle リブレ Pro パンフレット」より

図表５-５　C150血糖自己測定器加算「７」の算定要件

C150血糖自己測定器加算「７」間歇スキャン式持続血糖測定器によるもの		1,250点
注３	2022年４月１日から	2022年３月31日まで
	インスリン製剤の自己注射を１日に１回以上行っている入院中の患者以外の患者に対して，血糖自己測定値に基づく指導を行うため，間歇スキャン式持続血糖測定器を使用した場合に，３月に３回に限り，第１款の所定点数に加算する。	入院中の患者以外の患者であって，強化インスリン療法を行っているもの又は強化インスリン療法を行った後に混合型インスリン製剤を１日２回以上使用しているものに対して，血糖自己測定値に基づく指導を行うため，間歇スキャン式持続血糖測定器を使用した場合に，３月に３回に限り，第１款の所定点数に加算する。

Q32　血糖自己測定器加算の算定もれ

C150

条件　DPC対象病院，600床規模，外来）（2024年８月，関連部分のみ抜粋）

〈病名〉２型糖尿病

〈内容〉

⑭	＊在宅自己注射指導管理料（１以外の場合）（月28回以上）	750×1
	＊血糖自己測定器加算（60回以上）（１型糖尿病患者を除く）	830×1

〈カルテ〉関連部分を抜粋

症状安定，インスリン量変更なし，特に変わりなければ次回３月後。

A　事例のレセプトは，2型糖尿病に対する在宅自己注射指導管理を行っているもので，一見，何も問題ないように見える。

院外処方箋（関連部分を抜粋）
ライゾデグ配合注　フレックスタッチ　３キット
１日１回　10単位

算定担当者は医師からのオーダーを受け，在宅療養指導管理料と材料加算，インスリン製剤，支給材料を確認して患者へ請求した。だが，処方箋を確認したところ，インスリン製剤のライゾデグ配合注フレックスタッチは１キット300単位であり，事例では３キットで１日10単位とされているため，同剤は３月分処方されている（300単位×３キット÷10＝90日分）ことがわかった。

C150　血糖自己測定器加算
(3)　当該加算は，１月に２回又は３回算定することもできるが，このような算定ができる患者は，C101在宅自己注射指導管理料を算定している患者のうちインスリン製剤を２月分又は３月分以上処方している患者（中略）に限る。
（下線筆者）（令６保医発0305・４／**「早見表」p.428**）

上記のように，３月分のインスリン製剤が処方されている場合，C150血糖自己測定器加算を１月に３回まで算定可能と判断できる。

カルテの医師記載を確認すると，症状の安定から頻回の来院は不要と判断していることがわかった。

算定担当者に確認したところ，血糖自己測定器加算を２回以上で算定するかどうかは試験紙の支給枚数から判断すると誤認していることがわかった。

よって，正しいレセプトは次のとおり。

➡	⑭	＊在宅自己注射指導管理料（１以外の場合）（月28回以上）	750×1
		＊血糖自己測定器加算（60回以上）（１型糖尿病患者を除く）	830×3

診療科や医師により来院指示のペースやインスリン製剤の投与量は様々で，指導は患者の病状や性格を考慮して行われている。また，複数月分の処方があり，次回予約が２カ月以上先となっていても，試験紙が不足して次月に来院するケースなどもあり，算定者が事務的な判断のみで算定することはむずかしい（原則的にはインスリン製剤の処方量を基準に算定すればよいが，指示していなくても毎月受診する患者については，受診のつど算定しているケースもある）。医師の算定指示や確認方法などをチェックし，適切な運用を構築しておきたい。

なお，試験紙は，患者から残数を聞いて次回までの測定回数に合わせて支給するのが一般的だが，患者が必要以上に血糖測定をした場合などで，薬剤と試験紙の残量に差が生じることがある。

Q33　血中ケトン体自己測定器加算の算定もれ

C150「注４」

条件 DPC対象病院，600床規模，外来（2024年７月，関連部分のみ抜粋）
〈病名〉１型糖尿病・糖尿病性合併症なし（R３.９.８）
〈内容〉

⑭	＊在宅自己注射指導管理料（１以外の場合）（月28回以上）	750×１
	＊血糖自己測定器加算（120回以上）（１型糖尿病・小児低血糖症等）	1,490×１
	＜院外処方＞	
㉑	＊フォシーガ錠５mg 1T	（点数省略）×28
	＊ノボラピッド注フレックスタッチ　300単位	（点数省略）×３

A　１型糖尿病にて毎月外来受診している患者で，診断当初よりインスリン製剤の自己注射と経口薬の併用療法を行っている事例である。特に問題のないレセプトとして処理されようとしていたが，2022年度診療報酬改定にて，SGLT２阻害薬（**図表５-６**）を服用している１型糖尿病患者に対して，新たな加算が新設されていることを思い出した。

C150　血糖自己測定器加算
注４　SGLT2阻害薬を服用しているⅠ型糖尿病の患者に対して，血中ケトン体自己測定器を使用した場合は，血中ケトン体自己測定器加算として，３月に３回に限り，40点を更に第Ⅰ款の所定点数に加算する。　（「早見表」p.428）

血糖自己測定器加算
(8)「注４」の血中ケトン体自己測定器加算は，SGLT2阻害薬を服用しているⅠ型糖尿病の患者に対し，糖尿病性ケトアシドーシスのリスクを踏まえ，在宅で血中のケトン体濃度の自己測定を行うために血中ケトン体自己測定器を給付した場合に算定する。　（以下略）（令６保医発0305・４）

本例では，SGLT２阻害薬である「フォシーガ錠」を服用しているため，血中ケトン体自己測定器を使用していれば加算が算定できることがわかった。

すぐに主治医に確認したところ，当患者は血中ケトン体自己測定器を使用しているが，医師も改定で新設された項目に気が付いておらず，電子カルテでのオーダが抜けていたことが判明した。

よって，正しいレセプトは以下のとおり。

➡	⑭	＊在宅自己注射指導管理料（１以外の場合）（月28回以上）	750×１
		＊血糖自己測定器加算（120回以上）（1型糖尿病・小児低血糖症等）	1,490×１
		＊血中ケトン体自己測定器加算	40×１
		＜院外処方＞	
	㉑	＊フォシーガ錠５mg 1T	（点数省略）×28
		＊ノボラピッド注フレックスタッチ　300単位	（点数省略）×３

診療報酬改定では，厚生労働省の説明会等では触れられない新設項目や変更箇所があり，医師もすべてを把握できていないことがあるため，注意が必要であると改めて感じさせられる事例であった。

図表５-６　SGLT２阻害薬

＜SGLT２阻害薬とは＞
○尿としての糖排泄を増やすことで結果として血液中の糖（血糖）を減らす薬
・糖尿病は血糖値の高い状態が続くことで様々な合併症をひきおこす
・体内にはSGLT２という尿から血管へ糖を運ぶ運び屋のような物質が存在する
・本剤はSGLT２の働きを阻害し，尿として糖や水分を排泄し血糖値を下げる
○作用機序（作用の仕組み）に基づく薬剤の特徴
・糖の代謝に関わるインスリンに直接関与しないため「本剤単独投与」の場合は低血糖が少ないとされる
・利尿作用による体液量の減少に伴い脱水がおこる場合がある
○薬剤によっては糖尿病以外の病態（慢性心不全など）の治療に使われることもある（日経メディカル処方薬辞典より抜粋）

＜SGLT２阻害薬一覧＞（参考）
・フォシーガ錠（アストラゼネカ）
・カナグル錠（田辺三菱製薬）
・ジャディアンス錠（日本ベーリンガーインゲルハイム）
・スーグラ錠（アステラス製薬）
・デベルザ錠（興和）

Q34　注入器加算の算定もれ

C151

条件 DPC対象病院，200床，外来（2024年８月，関連部分のみ抜粋）

〈病名〉２型糖尿病（R６.８.５）

〈内容〉

⑪	＊初診料	291×1
⑫	＊外来診療料	76×1
⑭	＊在宅自己注射指導管理料（月28回以上），導入初期加算	1,330×1
	＊血糖自己測定器加算（月60回以上測定）	830×1
	＊注入器用注射針加算（１以外）	130×1
	＊ヒューマログ注カート　300単位　1筒	（点数省略）×1

〈カルテ〉

前回から在宅自己注射の方法について指導開始。医師看護師見守りのなか，今回はご自身で実施され，特に問題なく自己注射可能と判断。本日から自宅で自己注射開始。ヒューマログの処方と合せてヒューマペンサビオをお渡しした。

A　糖尿病と診断され，外来で自己注射を導入した事例である。C101在宅自己注射指導管理料「２」「ロ」を算定するにあたり，C150血糖自己測定器加算「３」やC153注入器用注射針加算「２」を算定している。また，A000初診料とC101「注２」導入初期加算を算定していることから，今回初めて在宅自己注射指導管理料が算定されたことが推測できる。

問題のないレセプトに見えるが，支給している薬剤の商品名が「～カート」という名称のため，カートリッジ式の自己注射薬剤であることが窺える。ここで，カートリッジ製剤を自己注射する場合は専用の注入器が必要であるということを思い出したが（**図表５-７**），レセプトには注入器に関する算定がなかったため，カルテを確認した。

カルテにはしっかりと「ヒューマペンサビオをお渡しした」と記載されており，C151注入器加算の算定もれであることがわかった。

よって正しいレセプトは以下のとおり。

図表５-７　インスリン製剤（一部抜粋）

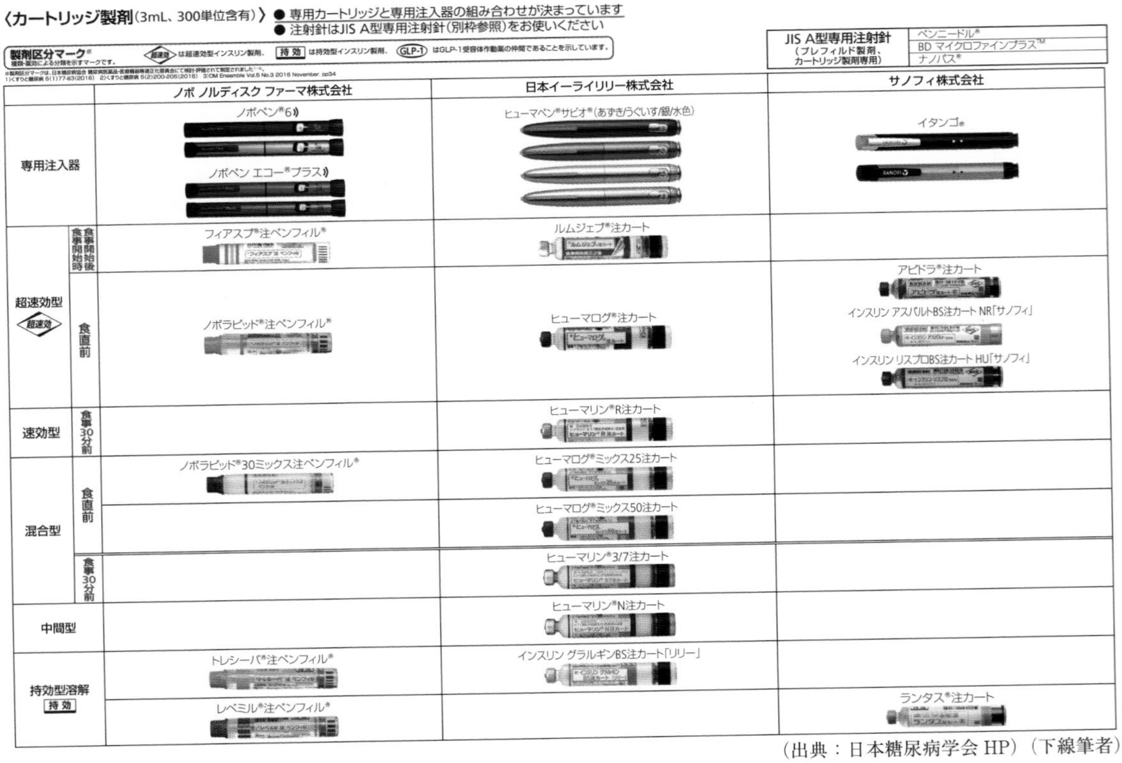

〈カートリッジ製剤（3mL、300単位含有）〉
● 専用カートリッジと専用注入器の組み合わせが決まっています
● 注射針はJIS A型専用注射針（別枠参照）をお使いください

製剤区分マーク　種類・薬効による分類を示すマークです。　超速効 は超速効型インスリン製剤、持効 は持効型インスリン製剤、GLP-1 はGLP-1受容体作動薬の仲間であることを示しています。

JIS A型専用注射針（プレフィルド製剤、カートリッジ製剤専用）	ペンニードル®
	BD マイクロファインプラス™
	ナノパス®

		ノボ ノルディスク ファーマ株式会社	日本イーライリリー株式会社	サノフィ株式会社
専用注入器		ノボペン®6 ノボペン エコー®プラス	ヒューマペン®サビオ®（あずき/うぐいす/銀/水色）	イタンゴ®
超速効型（超速効）	食事開始時 食事開始後	フィアスプ®注ペンフィル®	ルムジェブ®注カート	
	食直前	ノボラピッド®注ペンフィル®	ヒューマログ®注カート	アピドラ®注カート インスリン アスパルトBS注カート NR「サノフィ」 インスリン リスプロBS注カート HU「サノフィ」
速効型	食事30分前		ヒューマリン®R注カート	
混合型	食直前	ノボラピッド®30ミックス注ペンフィル®	ヒューマログ®ミックス25注カート	
			ヒューマログ®ミックス50注カート	
	食事30分前		ヒューマリン®3/7注カート	
中間型			ヒューマリン®N注カート	
持効型溶解（持効）		トレシーバ®注ペンフィル®	インスリン グラルギンBS注カート「リリー」	
		レベミル®注ペンフィル®		ランタス®注カート

（出典：日本糖尿病学会 HP）（下線筆者）

➡	⑪	＊初診料	291×1
	⑫	＊外来診療料	76×1
	⑭	＊在宅自己注射指導管理料（月28回以上） 導入初期加算	1,330×1
		＊血糖自己測定器加算（月60回以上測定）	830×1
		＊注入器用注射針加算（１以外）	130×1
		＊注入器加算	300×1
		＊ヒューマログ注カート　300単位　1筒	（点数省略）×1

在宅療養指導管理料では材料加算が多く評価されているが，なかにはわかりにくいものもある。どの材料を支給した場合にどの加算が算定できるのかを把握することが大切である。

Q35　持続血糖測定器加算の「注2」加算の算定もれ

C152-2

条件 DPC対象病院，200床以上（2024年７月，関連部分のみ抜粋）

〈病名〉２型糖尿病・腎合併あり（R１.７.24）

〈内容〉

⑭	＊在宅自己注射指導管理料「1」複雑な場合	1,230×1
	＊間歇注入シリンジポンプ加算「1」プログラム付きシリンジポンプ	2,500×1
	＊持続血糖測定器加算 1　間歇注入シリンジポンプと連動する持続血糖測定器を用いる場合 「ハ」５個以上の場合	3,300×1

A　事例は，２型糖尿病に対して在宅自己注射を行っていて，今回，インスリンポンプ療法（**図表５－８**）とともに持続血糖測定（**図表５－９**）が導入されることとなった患者のレセプトである。

インスリンポンプ療法には，シリンジポンプが使用されるため，加算点数の算定は問題ないように見えるが，持続血糖測定器を使用した場合は別の加算点数があったことを思い出し，C152-2持続血糖測定器加算の算定要件を見直してみた。

> **C152-2　持続血糖測定器加算**
> 注２　当該患者に対して，プログラム付きシリンジポンプ又はプログラム付きシリンジポンプ以外のシリンジポンプを用いて，トランスミッターを使用した場合は，２月に２回に限り，第１款の所定点数にそれぞれ3,230点又は2,230点を加算する。ただし，この場合において，区分番号C152に掲げる間歇注入シリンジポンプ加算は算定できない。　（下線筆者）（「早見表」p.429）

下線部より，「トランスミッターを使用した場合」は，C152間歇注入シリンジポンプ加算（「１」2,500点）よりも高い点数が算定できることが確認できた。そこで，今回使用している持続血糖測定器を確認したところ，トランスミッターを使用した血糖測定器およびインスリンポンプ（**図表５－８**）であることがわかった。

よって，正しいレセプトは以下のとおりとなる。

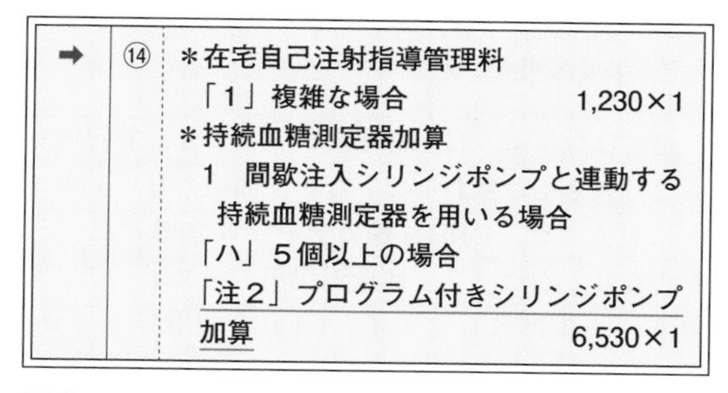

➡	⑭	＊在宅自己注射指導管理料 「1」複雑な場合	1,230×1
		＊持続血糖測定器加算 1　間歇注入シリンジポンプと連動する持続血糖測定器を用いる場合 「ハ」５個以上の場合 「注２」プログラム付きシリンジポンプ加算	6,530×1

図表５－８　インスリンポンプ療法のイメージ

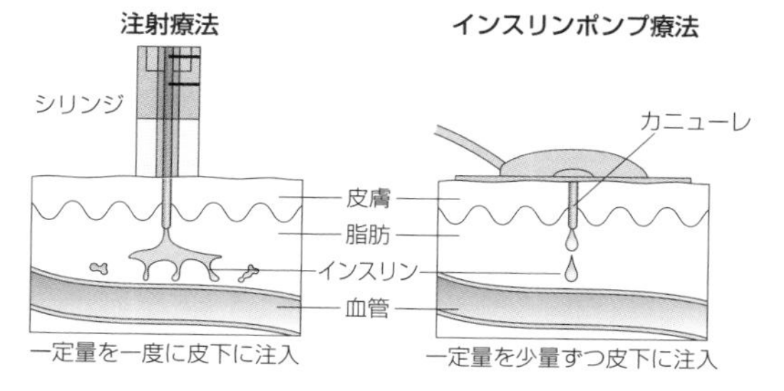

図表５－９　持続血糖測定（CGM）を行うトランスミッター付インスリンポンプ

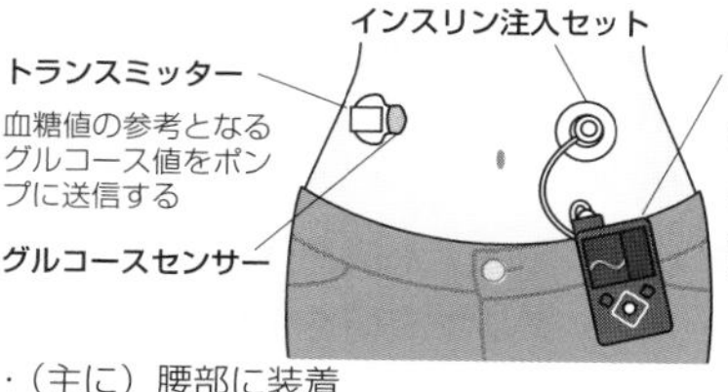

・（主に）腰部に装着
・10秒ごとに測定し，５分ごとの血糖値の平均値を記録する
・患者は機器操作不要
・防水仕様のため，測定中も入浴可能
・医療機関で測定データを解析

使用している医療材料・医療機器がどういったものかを正しく理解して算定を行うことの重要性を教えられた事例である。

チェックポイント！

★ 医療材料・機器は付加機能などの違いから点数，加算の有無が異なる場合がある！

★ 間歇注入シリンジポンプでは，C152「1　プログラム付き・2　それ以外」のほかにも，C152-2持続血糖測定器加算の注加算も併せて確認！

Q36　特殊カテーテル加算　親水性コーティングを有するものの算定もれ　C163

条件 200床病院（2024年７月，関連部分のみ抜粋）

〈病名〉神経因性膀胱（H20.10.16）

〈内容〉

⑭	＊在宅自己導尿指導管理料	1,400×1
	＊特殊カテーテル加算（間歇導尿用ディスポーザブルカテーテル）（イ以外）	1,000×1

〈カルテ〉

自己導尿は問題なくできている。
引き続き自宅で導尿継続を指導。以下の物品を支給。
＊スピーディカテ　30本/箱　2箱

A　神経因性膀胱に対して在宅にて間歇自己導尿※を行っている患者の定期外来受診の事例である。

※間歇導尿（在宅自己導尿）

排尿困難や神経因性膀胱患者の排尿のため一定時間ごとに（間歇）尿道からカテーテルを入れ，膀胱に溜まった尿を排出すること。

間歇導尿であれば，留置カテーテルやハルンバッグが不要になるので，患者のQOLを向上させることができる。そのほかにも，腎機能を守る，尿路感染の予防になる，おむつやパッドが不要となる――など，多くの利点がある。

患者は数年来，自己導尿を行っており，算定内容も毎月大きくは変わっていない。問題のないレセプトに見えるが，C163特殊カテーテル加算は３区分からなり，かつ「２」間歇導尿用ディスポーザブルカテーテルはさらに「イ」（１）～（３）と「ロ」に分かれている。実際に支給しているカテーテルを確認した。

支給物品より，C163「２」間歇導尿用ディスポーザブルカテーテル加算の「イ」（親水性コーティングを有するもの）が算定できるのではないかと思い，確認を行った。

親水性コーティングとは，水滴を作らない水濡れ状態を保つコーティング剤で表面を覆い，優れた潤滑性をもたせること。挿入・抜去時に尿道粘膜の損傷を最小限に抑え，尿路感染症の予防にも効果があるとされている。

スピーディカテ（添付文書から抜粋）

【形状・構造及び原理等】

材質：ポリウレタン

本品は，カテーテルに親水性コーティングが施され，包装内にポリビニルピロリドン等張液が封入された泌尿器用カテーテルである。

（下線筆者）

＜構造図（代表例）＞

全長

材料の添付文書より，当該材料が「親水性コーティングを有するもの」であることがわかった。

よって正しいレセプトは以下のとおりとなる。

➡	⑭	＊在宅自己導尿指導管理料	1,400×1
		＊特殊カテーテル加算（間歇導尿用ディスポーザブルカテーテル）（イ　親水性コーティングを有するもの）（60本以上90本未満の場合）	1,700×1

チェックポイント！

★ 数年にわたり変わらず継続している治療・算定内容であっても，診療報酬改定により算定区分が変化する場合がある！

★ 特に在宅療養で治療を継続する患者の場合には，定期外来受診時などと併せて，算定内容をチェックすることが必要！

Q37 在宅持続陽圧呼吸療法材料加算の算定もれ

C107-2，C171-2

条件 出来高病院，260床，外来（2024年６月，関連部分のみ抜粋）
〈病名〉重症肺気腫（H22. 8 .17），慢性閉塞性肺疾患（H23. 2 .25），睡眠時無呼吸症候群（H28. 2 . 3 ）
〈内容〉

⑭	＊在宅酸素療法指導管理料（その他） 酸素濃縮装置加算，酸素ボンベ加算（携帯用酸素ボンベ），呼吸同調式デマンドバルブ加算，在宅酸素療法材料加算（その他） 7,671×1 ＊在宅持続陽圧呼吸療法指導管理料２ 在宅持続陽圧呼吸療法用治療器加算 （CPAPを使用） 1,210×1 SpO_2 97% AHI 47.5/hr 日中，傾眠傾向で起床時に頭痛あり

A 長期にわたり慢性閉塞性肺疾患にて外来フォローしている患者の事例である。在宅にて，HOT（Home Oxygen Therapy：在宅酸素療法）とCPAP（Continuous Positive Airway Pressure：持続陽圧呼吸療法）を併用している。

診療報酬改定では，加算の新設や分割などの見直しが行われる。算定に改定の影響がないか確認を行った。2016年改定では，C107-2在宅持続陽圧呼吸療法指導管理料の本体項目が分割されている。これは主要な消耗品を別評価したものであったが，現在，適正な算定ができているかを改めて，確認してみた。

> **C107-2 在宅持続陽圧呼吸療法指導管理料**
> ⑶ 在宅持続陽圧呼吸療法指導管理料２の対象となる患者は，以下のアからウまでのいずれかの基準に該当する患者とする。（ア，イ，省略）
> ウ 以下の（イ）から（ハ）までの全ての基準に該当する患者。ただし，無呼吸低呼吸指数が40以上である患者については，（ロ）の要件を満たせば対象患者となる。
> 〔（イ），（ハ），省略〕
> （ロ） 日中の傾眠，起床時の頭痛などの自覚症状が強く，日常生活に支障を来している症例
> （令６保医発0305・４／「早見表」p.419）

レセプトの注記には，無呼吸低呼吸指数（AHI；Apnea Hypopnea Index）が「47.5/hr」とあり「ウ」に該当することがわかる。さらに，「日中，傾眠傾向で起床時に頭痛あり」との記述もあることから，「ロ」も満たす。この結果，C107-2「２」在宅持続陽圧呼吸療法指導管理料２が算定できる。材料加算をよく見ると，酸素療法分の材料の算定（在宅酸素療法材料加算）はあるが，持続陽圧呼吸療法分の材料加算がない。併算定ができないか確認してみた。

> **C171-2 在宅持続陽圧呼吸療法材料加算 100点**
> 注 在宅持続陽圧呼吸療法を行っている入院中の患者以外の患者に対して，当該療法に係る機器を使用した場合に，３月に３回に限り，第１款の所定点数に加算する。 （「早見表」p.435）

併算定できないという記載は見当たらず，当該療法に係る機器を使用した場合に算定できるとある。したがって，C171在宅酸素療法材料加算とC171-2在宅持続陽圧呼吸療法材料加算は併算定できる。

よって，正しいレセプトは以下のとおり。

➡	⑭	＊在宅酸素療法指導管理料（その他） （中略） 7,671×1 ＊在宅持続陽圧呼吸療法指導管理料２ 在宅持続陽圧呼吸療法用治療器加算 （CPAPを使用） 在宅持続陽圧呼吸療法材料加算 1,310×1

6—投薬・注射の請求もれ

Q38　抗悪性腫瘍剤処方管理加算の算定もれ　F400

条件　DPC対象病院，600床，外来（2024年８月，関連部分のみ抜粋）
〈病名〉前立腺癌（Ｒ６.１.18）
〈内容〉診療実日数：１日

⑳	＊処方箋料 一般名処方加算2　68×1 （処方内容） 【般】ビカルタミド錠80mg　1錠×91

〈カルテ〉関連部分のみ抜粋し要約

2024年１月	前立腺生検実施のため入院
１月18日	ビカルタミド使用に関する説明実施
同日	ビカルタミドを退院時処方
以降２月，５月，８月にビカルタミドを外来にて定期処方	

A　事例は，F400処方箋料「注５」抗悪性腫瘍剤処方管理加算の算定もれの点検をした際のものである。事例の病院は，この加算の算定を**図表６－１**の手順で行っている。

医事課は伝票が回ってきた場合，医師が説明を実施したと認識し，伝票にある薬剤が処方箋に記載されたらその都度当該加算を算定するよう医事システムにコメント等を残す運用だが，事例ではコメント等も特に確認できなかった。このことから伝票が医事課に回ってきていない可能性が高いと考え，カルテを確認した。

ここで，改めて算定要件を確認した（※F400「注５」の算定要件はF100「注６」に準じる）。

> **F100　処方料**
> ⑽　**「注６」抗悪性腫瘍剤処方管理加算**
> ア　「注６」に規定する抗悪性腫瘍剤処方管理加算については，入院中の患者以外の悪性腫瘍の患者に対して，抗悪性腫瘍剤による投薬の必要性，副作用，用法・用量，その他の留意点等について文書で説明し同意を得た上で，抗悪性腫瘍剤の適正使用及び副作用管理に基づく処方管理のもとに悪性腫瘍の治療を目的として抗悪性腫瘍剤が処方された場合に算定する。（以下略）
> （令６保医発0305・４）

当該薬剤の説明は入院中に行われたが，通知を読む限り，説明を外来で行う必要はないことがわかるため，事例でも外来では算定が可能だと考えられる。

よって，正しいレセプトは以下のとおりとなる。

➡	⑳	＊処方箋料 一般名処方加算2 抗悪性腫瘍剤処方管理加算　138×1 （処方内容） 【般】ビカルタミド錠80mg　1錠×91

病院により運用は異なるが，検査や画像診断と異なり，医師の行為に基づき発生する指導料や処置，手術等の算定は発生源となる医師への点数や運用の周知が重要で，それらを確認できる事務側のスキルも問われる。現実的に継続可能な運用を心掛け，適切な算定をされたい。

図表６－１　抗悪性腫瘍剤処方管理加算の算定フロー

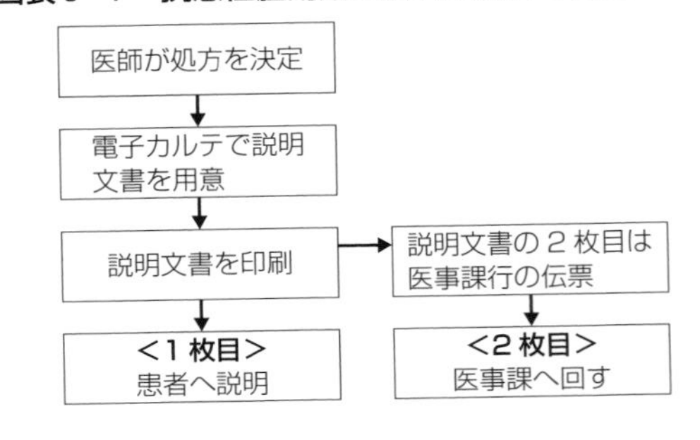

Q39　外来化学療法加算の算定もれ

注射「通則６」

条件 **60歳の女性外来患者，外来化学療法加算１施設基準届出あり**（2024年６月分，関連部分のみ抜粋）

〈病名〉関節リウマチ

〈内容〉

㉝	＊点滴注射（その他） ＊レミケード点滴静注用100　2瓶 　生食注〔大塚〕250mL　1袋	53×1 （点数省略）×1

〈カルテ〉

5/13	レミケード点滴の投与の必要性，投与計画について説明。併せて副作用などについても説明。患者の同意を得た （※説明文書・同意書控えはカルテに添付済み）。
6/3	レミケード投与1回目。外来化学療法室にて実施。 レミケード点滴静注用100mg　2瓶 生食250mL　1袋

A　外来化学療法室にて，レミケード点滴（インフリキシマブ製剤）の注射を行った。

「外来化学療法加算」が認められる注射手技料は，G001 静脈内注射，G002 動脈注射，G004 点滴注射，G005 中心静脈注射，G006 植込型カテーテルによる中心静脈注射である。入院中の患者以外の患者に対して，治療の開始に当たり注射の必要性，危険性等について文書により説明を行い同意を得たうえで，化学療法を行った場合に，投与された薬剤に従い，次に掲げるいずれかのうち主たる加算の所定点数を前出の注射料に加算する。

注射「通則６」
イ　外来化学療法加算１
　(1)　15歳未満の患者の場合　670点
　(2)　15歳以上の患者の場合　450点
ロ　外来化学療法加算２
　(1)　15歳未満の患者の場合　640点
　(2)　15歳以上の患者の場合　370点
（「早見表」p.600）

また，(1)･(2)の詳細については，注射の「通則６」に関する通知に次のようにある。

「通則６」外来化学療法加算（通知）
(3)　外来化学療法加算は，次に掲げるいずれかの投与を行った場合に限り算定する。(略)
ア　関節リウマチ，クローン病，ベーチェット病，強直性脊椎炎，潰瘍性大腸炎，尋常性乾癬，関節症性乾癬，膿疱性乾癬又は乾癬性紅皮症の患者に対してインフリキシマブ製剤を投与した場合
イ　関節リウマチ，多関節に活動性を有する若年性特発性関節炎，全身型若年性特発性関節炎，キャッスルマン病又は成人スチル病の患者に対してトシリズマブ製剤を投与した場合
ウ　関節リウマチ又は多関節に活動性を有する若年性特発性関節炎の患者に対してアバタセプト製剤を投与した場合
エ　多発性硬化症の患者に対してナタリズマブ製剤を投与した場合
オ　全身性エリテマトーデスの患者に対してベリムマブを投与した場合
（令６保医発0305・４／「早見表」p.601）

レミケード（インフリキシマブ）は，(3)の「ア」に該当する。したがって，正しいレセプトは以下のとおり。

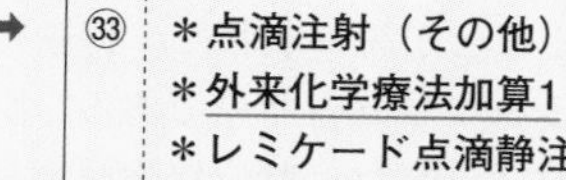

➡	㉝	＊点滴注射（その他） ＊外来化学療法加算1 ＊レミケード点滴静注用100　2瓶 　生食注〔大塚〕250mL　1袋	53×1 450×1 （点数省略）×1

患者に対して文書で説明し，外来化学療法室で施行しても，抗悪性腫瘍剤ではないために，医療現場から会計担当者へ連絡がされていない場合がないだろうか。今一度，確認してみることが必要である。

Q40 化学療法用注入ポンプの算定もれ

注射材料

条件 **出来高病院，外来**（2024年６月分，関連部分のみ抜粋）

〈病名〉直腸癌

〈内容〉

㉝	＊無菌製剤処理料1「ロ」(2回：3，24日)	45×2
	＊抗悪性腫瘍剤局所持続注入	165×2
	＊アバスチン点滴静注用100mg／4mL　2瓶	
	エルプラット点滴静注液100mg　20mL　1瓶	
	レボホリナート点滴静注用100mg　2瓶	
	レボホリナート点滴静注用25mg　3瓶	
	5-FU注250mg　3瓶	
	5-FU注1000mg　3瓶	（点数省略）×2

〈カルテ〉

注射オーダー
手技：抗がん剤CVリザーバー・シュアフューザー（2mL/h・100mL）
薬品：5-FU注250mg　5mL　200mg
　　　5-FU注1000mg　20mL　3000mg
　　　（生食36mL，総量100mL）
用法：１日1回
速度：点滴速度　2.2mL/h
交換：注入　46時間

A　B001-2-12外来腫瘍化学療法診療料を届け出ている病院の外来において，G003抗悪性腫瘍剤局所持続注入が実施された事例である。

手技からポート（皮下に埋め込む薬液注入装置。「リザーバー」ともいう）が設置されていることが想像でき，G020無菌製剤処理料１の算定は適切だと考えられる。

しかし，注射「通則４」精密持続点滴注射加算の算定がない。その実施の有無が点検のポイントとなるため，カルテを確認したところ，１時間当たり2.2mLで滴下していることが読み取れた。持続点滴に使用しているのはシュアフューザーである。シュアフューザーは種類によっては，特定保険医療材料料として算定できる。

外来化学療法室で確認したところ，「SFS-1002D」(ニプロ)であることがわかった。この品番の器材は，シュアフューザーＡと定義されていて，『材料価格基準「019」携帯型ディスポーザブル注入ポンプ (1) 化学療法用／3,180円』（告示58・令６.３.５）で算定でき，シュアフューザーが算定もれとなっていたことがわかった。

また，事例のように「エルプラット・レボホリナート・5-FU」を組み合わせて大腸癌の患者に実施する化学療法を「FOLFOX療法」と言う。カルテに「注入46時間」という記述があるとおり，5-FUを２日間持続静注（静脈内注射）するのが特徴である。

実施に当たっては，前述のポートを設置し，薬剤は携帯型ディスポーザブル注入ポンプからポートを経て徐々に静脈に注入する（**図表６-２**）。

患者はこの時間すべてを外来化学療法室で過ごすわけではない。来院後，薬剤をポートに注入して，数時間の観察後に帰宅可能となる。帰宅後はフューザーを使って薬液の持続注入を続け，次回の薬剤注入まで自宅で日常生活を送ることができる。

以上より，正しいレセプトは次のとおりとなる。

➡	㉝	＊無菌製剤処理料1「ロ」(2回：3，24日)	45×2
		＊抗悪性腫瘍剤局所持続注入	165×2
		＊**精密持続点滴注射加算**	80×2
		＊薬剤等　（点数省略）	×2
		＊**携帯型ディスポーザブル注入ポンプ・化学療法用〔シュアフューザー（SFS-1002D)〕(3,180円)**	318×2

図表 6 - 2　ポートからの抗がん剤注入の仕組み

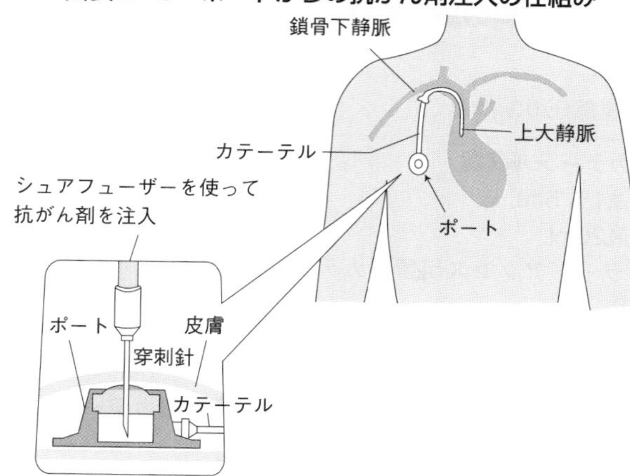

Q41　抗悪性腫瘍剤局所持続注入の請求もれ

G003

条件 **病院350床，入院，60歳の患者**（2024年６月分，関連部分のみ抜粋）

〈病名〉肝癌

〈内容〉

㉝	＊点滴注射（22日）	102×1
	＊ソルデム3A輸液　500mL　2袋 グラニセトロン静注液　3mg　1A 生理食塩液　100mL　1瓶 5-FU注　250mg　3瓶 生理食塩液　500mL　1瓶	（点数省略）
㊿	＊抗悪性腫瘍剤動脈，静脈又は腹腔内持続注入用植込型カテーテル設置「2」 四肢に設置した場合（21日）	16,250×1

〈カルテ〉

6/14	肝癌に対する化学療法目的にて入院。
6/21	局麻下にて肝動脈リザーバー留置実施。翌日，リザーバーよりケモ（化学療法）開始予定

A　肝癌の患者に対して，抗悪性腫瘍剤動脈内持続注入用植込型カテーテルを留置した事例である。

化学療法には，①抗癌剤を静脈から全身に注入する方法と，②病巣だけに局所注入する方法とがあり，後者を実施するためには抗悪性腫瘍剤動脈内持続注入用植込型カテーテル設置が行われ，設置後の抗癌剤はこのカテーテルを介して注入されることになる。

カテーテル設置については，K611抗悪性腫瘍剤動脈，静脈又は腹腔内持続注入用植込型カテーテル設置で算定する。なおこの際，使用したカテーテル等の材料料は別に算定できない。

次に，事例では設置後の抗癌剤使用時に点滴注射料のみを請求しているが，カテーテルから抗癌剤を注入する手技料として「G003　抗悪性腫瘍剤局所持続注入（１日につき）」が算定できる。動脈内注入薬剤を確認しながら，算定もれのないようにしていただきたい。

➡	㉝	＊抗悪性腫瘍剤局所持続注入（1日につき） 165×1

チェックポイント！

★　**カテーテルからの抗癌剤注入については，皮下植込型カテーテルアクセス等を用いて抗悪性腫瘍剤を動脈内，静脈内または腹腔内に局所持続注入した場合，G003抗悪性腫瘍剤局所持続注入（１日につき）165点が算定できる！**

★　**ただし，C108在宅悪性腫瘍等患者指導管理料の算定月では，薬剤料を除いてG003は算定できない（外来に限る）！**

Q42 カテーテルの挿入手技料の算定もれ

G005-2

〈病名〉急性腎不全
〈内容〉2024年6月分，関連部分のみ抜粋

㊵	＊血液透析カテーテル留置 ＊ロカイン注1% 5mL ＊生理食塩液20mL　（点数省略）×1 ＊緊急時ブラッドアクセス用留置カテーテル（ダブルルーメン以上・一般型 14,600円）　1,460×1

〈カルテ〉
6/10　9：20　急性腎不全で緊急血液透析
カテーテル挿入〔緊急時ブラッドアクセス用留置カテーテル（ダブル以上・一般型）〕
局麻：ロカイン注1％ 5mL
生理食塩液20mL

A　事例の血液透析カテーテル留置に手技料の算定がないので，カルテを確認した。

急性腎不全に対し，緊急時ブラッドアクセス用留置カテーテルを使用した血液透析が行われていた。血液透析とは，働かなくなった腎臓（腎不全）の機能を補うために，体外の人工腎臓で血液をろ過して老廃物を取り除く治療のことである。大量の血液を体外に循環させるために設ける人体のポイントをシャントという。緊急時ブラッドアクセス用留置カテーテルを血管内に挿入させて，代用する場合もある。シャント設置や緊急時ブラッドアクセス用留置カテーテル挿入には手技料が設定されているが，事例では算定がない。

留置カテーテルの種類により手技料が異なることから，分類を見てみた。

042 緊急時ブラッドアクセス用留置カテーテル
(1)　シングルルーメン
　①一般型　7,980円
　②交換用　1,870円
(2)　ダブルルーメン以上
　①一般型　14,600円
　②カフ型　42,400円　（「早見表」p.981）

(2)の②のカフ型を使用した場合は，G005-4カフ型緊急時ブラッドアクセス用留置カテーテル挿入2,500点を手技料として算定できる。

カフ型を使用すると，カテーテルに付属するカフが皮下で固定されて，抜け落ち防止や感染軽減に効果が発揮される。

特定保険医療材料「042」(2)②以外のカテーテルを使用した場合は，G005-2中心静脈注射用カテーテル挿入の通知(7)の準用規定により手技料を算定する。

中心静脈注射用カテーテル挿入
(7)　緊急時ブラッドアクセス用留置カテーテル（ただし，カフ型緊急時ブラッドアクセス用留置カテーテルを除く）を挿入した場合は，中心静脈注射用カテーテル挿入に準じて算定する。
（令6保医発0305・4／「早見表」p.605）

事例では一般型の使用であったため，準用規定の挿入手技料を算定する。

よって，正しいレセプトは以下のとおり。

➡	㉝	＊中心静脈注射用カテーテル挿入（緊急時ブラッドアクセス用留置カテーテル挿入）　1,400×1 ＊ロカイン注1% 5mL 生理食塩液20mL　（点数省略）×1 ＊緊急時ブラッドアクセス用留置カテーテル（ダブルルーメン以上・一般型 14,600円）　1,460×1

チェックポイント！
★　緊急時ブラッドアクセス用留置カテーテル挿入やシャント設置には手技料が設定されているのでチェックする！
★　手技料は留置カテーテルの種類により異なることから，使用している特定保険医療材料の分類を確認！

Q47　人工腎臓の導入期加算・障害者等加算の算定もれ　J038

条件 **入院**（2024年７月分，関連部分のみ抜粋）

〈病名〉Ⅱ型糖尿病性腎不全（インスリン施行中）

〈内容〉

㊵	＊人工腎臓「1」慢性維持透析を行った場合1「イ」4時間未満	1,876×1

〈カルテ〉

7/29	薬物コントロール不良につき，本日より透析開始（週に3回）

A　人工腎臓の算定上の問題の多くは，慢性維持透析の開始時にあたっての手技料算定及び導入期加算と障害者等加算の算定が可能かどうかということである。関連項目について通知等を見てみる。

人工腎臓
⑻「４」　その他の場合は次の場合に算定する。
　イ　透析導入期（導入後１月に限る）の患者
（令６保医発0305・４／**「早見表」p.705**）

J038　人工腎臓
注６　１から３までの場合にあっては，透析液，血液凝固阻止剤，生理食塩水及び別に厚生労働大臣が定める薬剤の費用は所定点数に含まれるものとする。
＊厚生労働大臣が定める薬剤
・エリスロポエチン
・ダルベポエチン
・エポエチンベータペゴル
・HIF-PH阻害剤　（**「早見表」p.703**）

J038「注２」導入期加算
「注２」の加算について，「イ」については，「導入期加算１」の施設基準，「ロ」については，「導入期加算２」の施設基準，「ハ」については，「導入期加算３」の施設基準の届出を行った医療機関において，それぞれ１日につき200点，410点又は810点を１月間に限り算定する。なお，「人工腎臓における導入期」とは継続して血液透析を実施する必要があると判断された場合の血液透析の開始日より１月間をいう。（令６保医発0305・４／**「早見表」p.705**）

J038「注３」障害者等加算
「注３」の加算については，次に掲げる状態の患者（中略）について算定する。
（ア～ウ、オ～ツ　略）
エ　透析中に頻回の検査，処置を必要とするインスリン注射を行っている糖尿病の患者
（令６保医発0305・４／**「早見表」p.706**）

障害者等加算の算定要件のなかには，主治医等に確認しなければ判断できないものもあるが，レセプトの傷病名，他の診療内容から判断できる場合もあるので，確認していただきたい。

事例では７月29日に透析が開始されているため，１月以内の透析導入期にあたる。手技料は「４」となり薬剤料も別途算定できる。また，インスリン投与中の患者であり障害者等加算も該当する。

よって，正しいレセプトは以下のとおりである。

➡	㊵	＊人工腎臓「4」その他の場合 ＊導入期加算1 ＊障害者等加算（エ） ＊（薬剤）：透析液 血液凝固阻止剤 生理食塩水 エリスロポエチン又はダルベポエチン又はエポエチンベータペゴル，又はHIF-PH阻害剤 （記載事項省略）　（点数省略）	1,580×1 200×1 140×1 ×1

Q48 人工腎臓障害者等加算の算定もれ

J038

条件 DPC対象病院，入院（2024年7月，関連部分のみ抜粋）
〈病名〉ミトコンドリア病（H27.7.1），慢性腎不全（H24.9.26），透析シャント狭窄（H30.7.31）
〈内容〉

㊵	＊人工腎臓（慢性維持透析1・4時間未満）	1,876×1
	＊人工腎臓用特定保険医療材料（回路を含む）	
	⑴ダイアライザーⅠa型	（点数省略）×1

A 事例は，ミトコンドリア病という指定難病の患者で特定医療費受給者証を受けており，診療録に受給者番号が登録されていた。慢性腎不全で人工透析を導入している。

指定難病とは，2015年1月施行の「難病の患者に対する医療等に関する法律（難病法）」にて定められた傷病のことである。前身の特定疾患治療研究事業の56疾患から2015年7月には306疾患に指定傷病数が増やされ，2024年6月現在，計341疾患が対象となっている。

2016年改定では，複数の診療報酬項目で難病法の患者を対象とする旨が追加された（**図表7－3**）。

> **J038　人工腎臓「注3」障害者等加算**
> ウ　難病の患者に対する医療等に関する法律第5条第1項に規定する指定難病（中略）に罹患しているものとして，都道府県知事から受給者証の交付を受けている者に限る。（中略）（腎疾患により受給者証を発行されているものを除く）
> （令6保医発0305・4／「**早見表**」p.706）

J038人工腎臓（人工透析）の「注3」障害者等加算の対象か否かは，担当する医師に確認する必要がある。

算定担当者は，障害者等加算のもれには気を付けていたものの，難病法の傷病であることをチェックしていなかったため，問合せもしていなかった。医師に算定要件の説明をしたところ，当該患者は算定要件を満たしていると判断された。よって正しいレセプトは次のとおりとなる。

➡	㊵	＊人工腎臓（慢性維持透析1・4時間未満） 障害者等加算	 2,016×1
		＊人工腎臓用特定保険医療材料（回路を含む） ⑴ダイアライザーⅠa型	 （点数省略）×1

難病法の傷病数は多く，チェックは容易ではない。だが，人工腎臓手技料の点数は切下げが著しいので，なるべくもれなく加算等を請求するために，対象となる症例を医師に確認し，事前に障害者等加算が請求可能か判断する必要がある。障害者等加算の対象患者を院内で周知して，算定もれ防止に取り組んでもらいたい。

図表7－3　算定要件に難病法が追加された診療報酬（一部抜粋）

診療報酬	区分	対象患者
A101療養病棟入院基本料	医療区分2の対象患者	⑴，⑵，⑶
B001「7」難病外来指導管理料	対象患者の見直し	⑴，⑵，⑶
C109在宅寝たきり患者処置指導管理料「注1」	「これに準ずる状態にあるもの」の対象患者の見直し	⑴，⑵ ※常時介護を要する状態に限る
J038人工腎臓「注3」障害者等加算	対象患者の見直し	⑴，⑵ ※腎疾患を除く

〔対象患者〕

⑴　難病法，特定医療費受給者証の交付若しくは支給認定に係る基準を満たすことを診断できる
⑵　特定疾患治療研究事業に掲げる疾患に罹患し，受給者証の交付を受けている
⑶　先天性血液凝固因子障害等治療研究事業に掲げる疾患に罹患し，受給者証の交付を受けている

チェックポイント！

★ **J038人工腎臓について，著しく人工腎臓が困難な障害者に対する「注3」障害者等加算は，保医発通知「ア」～「ツ」まで18の対象が規定され，難病法による指定難病患者も含まれる。対象となる症例を医師に確認し，事前に加算の請求が可能かどうかを判断し，算定もれを防止する！**

Q49 下肢末梢動脈疾患指導管理加算の算定もれ

J038「注10」

条件 DPC対象病院（200床規模），外来（2024年7月，関連部分のみ抜粋）

〈病名〉末期腎不全（H29.8.23）

〈内容〉

㊵	＊人工腎臓（慢性維持透析1）（4時間以上5時間未満） 透析液水質確保加算	2,046×13
	＊ダイアライザー〔Ⅰa型〕 1本 （商品の名称，材料価格は省略） （関連の施設基準届出済み）	（点数省略）×13

〈カルテ〉

2024年7月6日 医師記録
PAD（末梢動脈疾患）スクリーニング施行
[PADの兆候]
・足の冷感：なし，足のしびれ：なし
・間歇的跛行：なし，下肢の安静時の疼痛：なし
・足の潰瘍：なし，足の壊死：なし
[血管の触知]
・右鼠径：良好，右足背：良好
・左鼠径：良好，左足背：減弱
PADスクリーニング合計1点
左足背動脈の触知弱い。来月ABI予定。経過観察とする。
PADの兆候の項目に当てはまる症状が出現した時は，診察時に申し出るように患者に指導した。

A 透析患者の事例である。J038人工腎臓には種々の加算があるため，算定もれがないか点数表と施設基準の届出項目を再確認したところ，届出項目に「注10」下肢末梢動脈疾患指導管理加算（月１回に限り100点）があることに気がついた。

> **下肢末梢動脈疾患指導管理加算に関する施設基準**
> (1) 当該保険医療機関において慢性維持透析を実施している全ての患者に対し，下肢末梢動脈疾患に関するリスク評価を行っている。また，当該内容をもとに当該保険医療機関において慢性維持透析を実施している全ての患者に指導管理等を行い，臨床所見，検査実施日，検査結果及び指導内容等を診療録に記載している。
> （下線筆者）（「早見表」p.1403）

施設基準要件より，すべての慢性維持透析患者にリスク評価と指導管理を行うことが求められることから，念のため，診療録を確認してみた。

診療録より，やはり下肢末梢動脈疾患のリスク評価と指導管理が行われていた。本項目は月１回算定できる。以上より，次のとおりとなる。

➡	㊵	＊人工腎臓（慢性維持透析1）（4時間以上5時間未満） 透析液水質確保加算（人工腎臓） 下肢末梢動脈疾患指導管理加算	2,146×1
		＊人工腎臓（慢性維持透析1）（4時間以上5時間未満） 透析液水質確保加算（人工腎臓）	2,046×12
		＊ダイアライザー〔1a型〕1本 （商品の名称，材料価格は省略）	（点数省略）×13
		（関連の施設基準届出済み）	

透析患者における末梢動脈疾患の罹患率は一般と比べて高いが，症候が乏しく進行も速い疾患なので，壊死や安静時疼痛を伴う重症下肢虚血に進行した状態で発見され，すでに治療抵抗性となっていることが多いと言われる。

当該加算は，この重症化予防への取組みを評価したもので，施設基準では診療録への必要事項の記載を求めており，透析部門の医師，看護師と請求事務部門とがしっかりと要件を共有し，適切にもれなく算定するための連携が必要である。

チェックポイント！

★ **J038人工腎臓の加算は種類が多い。算定もれがないかどうか，施設基準の届出項目，点数表をよく確認することが必要！**

Q50 放射線治療用合成吸収性材料の算定もれ

J043-7，材料200

条件 DPC対象病院，300床，入院（2024年７月，関連部分のみ抜粋）

〈病名〉前立腺癌（C61）

〈内容〉

㊵	＊経会陰的放射線治療用材料局所注入	1,400×1

A 前立腺癌のため放射線治療を開始する予定の患者で，照射前にハイドロゲルスペーサーを挿入することになった事例である。「この処置はどの手技で算定できるのか」と医師から相談を受けた。前立腺癌の放射線治療では近接する直腸も照射されてしまうため，それを避けるための処置とのことで上記の処置手技が該当すると考えた。

J043-7　経会陰的放射線治療用材料局所注入

前立腺癌の放射線治療では前立腺と直腸が近接しているため，前立腺に放射線を照射すると直腸に放射線が照射され，その結果血便などの副作用が発生することがある。それを避けるため前立腺と直腸の間に会陰部からゲル状物質（SpaceOAR）を注入する。それにより直腸と前立腺の間には間隔ができるため，直腸の被ばくが避けられ放射線の副作用を軽減できる。

本項はその注入に際しての手技料である。（**図表7-4**）

（『臨床手技の完全解説2024-25年版』）

この処置にあたって使用するハイドロゲル〔200放射線治療用合成吸収性材料(1)ハイドロゲル型（196,000円）〕を処置材料として算定しており，DPCでは包括されてしまっていたため，改めて算定方法を確認した。

問　入院中の患者に対する放射線治療を行うにあたり，ハイドロゲル型の放射線治療用合成吸収性材料を使用した場合について，経会陰的放射線治療用材料局所注入を放射線治療の一連として行った場合，ハイドロゲル型の放射線治療用合成吸収性材料をM200特定保険医療材料として算定するのか。

答　算定する。　（令2.3.31／**「早見表」p.713**）

上記事務連絡より，ハイドロゲルを放射線治療用材料として80区分（その他）で算定できることがわかった。放射線治療はすべてDPC包括対象外として出来高算定できるため，正しいレセプトは次のとおりとなる。

➡	㊵	**＊経会陰的放射線治療用材料局所注入　1,400×1**
	㊿80	**＊放射線治療用合成吸収性材料（ハイドロゲル型）1個　19,600×1**

J043-7経会陰的放射線治療用材料局所注入は，2020年改定で新設された項目であり，当該病院ではこれまで算定がなかった。新規項目を算定する場合は，複数人で確認を行い，算定もれや算定誤りを防ぐことが必要である。

図表７-４　経会陰的放射線治療用材料局所注入

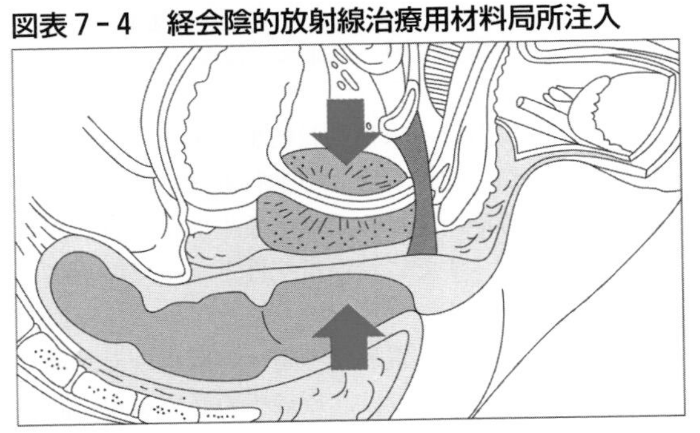

直腸は前立腺の真下にある。
下向きの矢印は前立腺，上向きの矢印は直腸

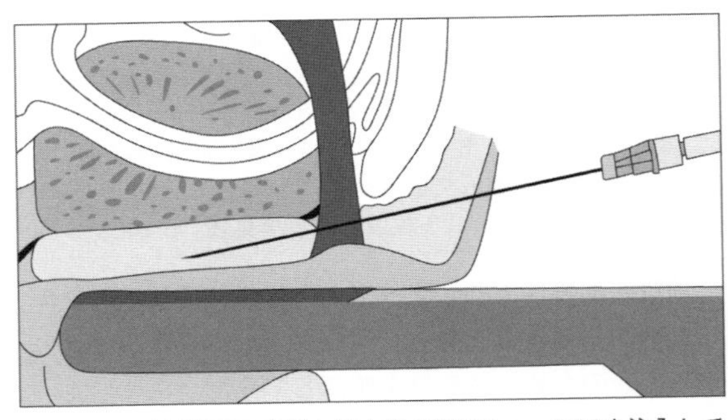

経直腸超音波誘導下に直腸と前立腺の間にSpaceOARを注入して前立腺と直腸の間の間隔をとる。

Q51　排痰誘発法の算定もれ

J115-2

条件 DPC対象病院（200床以上），外来（2024年６月，関連部分のみ抜粋）

〈病名〉肺結核疑い　（R６.６.26），急性気管支炎（R６.６.26）

〈内容〉

⑪	＊初診料	291×1
㊵	＊吸入	
	生理食塩液「NP」　5mL	（点数省略）×1
㊵	＊S－蛍光M	
	抗酸菌分離培養（液体培地）（酵素感受性蛍光センサー）	350×1

〈カルテ〉

2016年に陳旧性肺結核の診断で診察を受けた既往のある患者。5カ月前，咳が続くということで来院，臨床的に喘息が考えられたため，その治療に特化したかたちで2カ月程フォローしたところ，咳嗽は寛解した。その後は受診歴がなく，今回3カ月ぶりの受診。

胸部CT撮影にて右肺尖部粒状影と左肺の結節影がやや増大傾向にあり，肺結核または非定型抗酸菌症が疑われる。肺ラ音なし，痰出ない。痰検査をオーダー，排痰のための吸入を行う。

A　事例は，一見すると問題のないレセプトのようだが，処置が生食５mLのみの吸入である。それが治療となるのであろうかという疑問が浮かび，カルテを確認した。

記載内容から，今回の吸入は痰の出ない患者に対して行われる排痰誘発であったことが読み取れた。

排痰誘発の手技料が処置の項目にあったことを思い出し，算定要件の確認を行った。

> **J115-2　排痰誘発法（１日につき）**
> (1)　喀痰誘発法は，結核を疑う患者に対し，非能動型呼吸運動訓練装置を用いて患者の排痰を促し，培養検査等を実施した場合に１日につき算定する。
> (2)　患者の排痰を促し，培養検査等を目的としてネブライザ，超音波ネブライザ又は排痰誘発法を同一日に行った場合は，主たるものの所定点数のみにより算定する。
> （令６保医発0305・４／「早見表」p.722）

今回の吸入は排痰誘発を目的としており，「ラングフルート」という非能動型呼吸運動訓練装置に該当する機器も使用していたため，当該点数が算定できる。

よって，正しいレセプトは次のとおり。

➡	⑪	＊初診料	291×1
	㊵	＊排痰誘発法	44×1
		生理食塩液「NP」　5mL	（点数省略）×1
	㊵	＊S－蛍光M（以下略）	350×1

Q52　消炎鎮痛等処置の算定もれ

J119

条件 360床病院，外来，整形外科（2024年６月分，関連部分のみ抜粋）

〈病名〉腰痛症（2024.６.６），腰椎椎間板ヘルニア（2024.６.６）

〈内容〉

⑩	＊初診料	291×1
	＊外来診療料	76×2

A　事例では，A000初診料とA002外来診療料のみが請求されていた。病名には腰痛症とあったため，オーダーもれを疑い，担当者に確認したところ，手術目的で他院から紹介されていた患者が，待機期間中に，除痛のため，物理療法（赤外線治療）を実施していたことがわかった。物理療法とは，身体に物理的なエネルギー（電気や熱，牽引）を加えるもので，痛みなどに対して日常的に実施される療法。J118介達牽引やJ119消炎鎮痛等処置などで算定する。担当者に算定していない理由を尋ねたところ，「基本診療料に含まれるため算定していない」と回答。

J119　消炎鎮痛等処置
1　マッサージ等の手技による療法　35点
2　器具等による療法　35点
3　湿布処置　35点
〈通知〉
(2)「1」のマッサージ等の手技による療法とは，あんま，マッサージ及び指圧による療法をいう。また，「2」の器具等による療法とは，電気療法，赤外線治療，熱気浴，ホットパック，超音波療法，マイクロレーダー等による療法をいう。（下線筆者）　（令６保医発0305・４／「早見表」p.723）

A002　外来診療料
注６　第２章第３部検査及び第９部処置のうち次に掲げるものは，外来診療料に含まれるものとする。（略）
ツ　消炎鎮痛等処置　（「早見表」p.56）

A002外来診療料では，J119消炎鎮痛等処置が包括され別に算定はできないと規定されている。しかし，A000初診料には同様の規定はない。つまり，初診時にはJ119消炎鎮痛等処置を算定できるのである。しかし，計算担当者も技術者も物理療法は消炎鎮痛等処置として算定できることは知っていたが，「診療料に含まれるため当院では算定できない」と思い込んでいた。

この医療機関では，疼痛を伴う病名（関節痛等）にて受診する患者のうち，処置や手術の算定のない初診数は月平均140件以上にのぼっていた。個別点数としては低いが，実施件数としては数が多い。請求もれの視点から見ると，早急に手を打つべき項目に分類される。

計算担当者は，医療者側が行った医療行為を正しく起票（オーダー）し，事務側も正しい知識をもって請求もれをなくすよう心掛けるべきである。

正しいレセプトは以下のとおりとなる。

➡	⑪	＊初診料	291×1
	⑫	＊外来診療料	76×2
	㊵	＊消炎鎮痛等処置「2」	35×1

Q53　四肢ギプス包帯の部位による算定誤り

J122

〈病名〉左橈骨遠位端骨折
〈内容〉2024年７月分，関連部分のみ抜粋

㊵	＊四肢ギプス包帯（手指及び手，足）（片側）	490×1
⑳	＊左手関節X-P（デジタル）　2方向（電子媒体保存）	
	＊電子画像管理加算（単純撮影）	（点数省略）×1

〈カルテ〉
※平日，時間内に実施。
X-P上，転位が少ないため，ギプス固定にて保存的治療とする。

A　橈骨遠位端骨折に対して整復術を行わず，ギプス固定にて保存的治療を行った事例である。

橈骨遠位端骨折は，コーレス骨折とも呼ばれ，手関節のすぐそば（橈骨手根関節より３～４cm中枢側）に起こす骨折で，手のひらをついて転倒した場合によく起こる。

治療は骨折の転位（骨のズレ具合）が少ないとシーネ（副木）やギプスでの固定のみだが，転位が大きい場合は徒手または観血的整復術を行ったうえで固定する。

この事例でもJ122四肢ギプス包帯を巻いて固定しているが，巻いている範囲が問題になる。レセプトには手指および手の範囲とある。確かに手関節であれば，その範囲でも固定は可能ではある。しかし，四肢ギプス包帯は，原則として骨折した部位の上下の関節を固定する「２関節固定法」で用いられるものである。

この事例では，骨折部位が手関節のそばであるから，手関節と肘関節が２関節固定になると考えられる。医師に範囲を確認したところ，やはり手関節と肘関節の２関節固定であった。したがって，指から手の範囲ではなく，半肢の範囲となる。

正しい請求は以下のとおりとなる。

➡	㊵	＊四肢ギプス包帯（半肢）（片側）780×1
	⑳	＊左手関節X-P（デジタル）　2方向（電子媒体保存）
		電子画像管理加算（単純撮影）
		（点数省略）×1

Q54　ギプス料に対する時間外加算の算定もれ

J122

条件 病院150床，外来，25歳の患者，手術「通則12」，処置「通則５」の「イ」に係る届出なし（2024年７月分，関連部分のみ抜粋）

〈内容〉

㊵	＊四肢ギプス包帯〔半肢（片側）〕	780×1
(50)	＊骨折非観血的整復術（前腕）（時間外２）	2,856×1

〈カルテ〉

7/4　20：00来院
本日19：00頃，外出先より帰宅途中，自転車で転倒→左前腕をコーレス骨折
外来にて左前腕部の徒手整復後，ギプス包帯施行。

A　時間外に前腕骨骨折の徒手整復を行い，その後同部位にギプス包帯を施行した事例である。

ここで，時間外加算の算定方法について考えてみよう。手術の「通則12」には以下のような記載がある。

> **手術「通則12」**
> イ　別に厚生労働大臣が定める施設基準に適合しているものとして地方厚生局長等に届け出た保険医療機関において行われる場合
> (1)　休日加算１（略）
> (2)　時間外加算１（入院中の患者以外の患者に対して行われる場合に限る）（略）
> (3)　深夜加算１（略）
> (4)　（略）
> ロ　イ以外の保険医療機関において行われる場合
> (1)　休日加算２（略）
> (2)　時間外加算２（入院中の患者以外の患者に対して行われる場合に限る）（略）
> (3)　深夜加算２（略）
> (4)　（略）
> （「早見表」p.735）

上記より，手術に時間外加算２を算定しているのは，正しい。

なお，「通則12」の加算については，第１節手術料に定める手術にのみ適用され，第２節以下の輸血料・薬剤料・特定保険医療材料料は加算対象とはならない。

しかし，ギプス料についての時間外加算が算定されていない。処置の「通則５」には以下のように記載されている。

> **処置「通則５」**
> イ　処置の所定点数が1,000点以上の場合であって，別に厚生労働大臣が定める施設基準に適合しているものとして地方厚生局長等に届け出た保険医療機関において行われる場合
> (1)　休日加算１（略）
> (2)　時間外加算１（入院中の患者以外の患者に対して行われる場合に限る）（略）
> (3)　深夜加算１（略）
> (4)　（略）
> ロ　処置の所定点数が150点以上の場合であって，入院中の患者以外の患者に対して行われる場合（イに該当する場合を除く）
> (1)　休日加算２（略）
> (2)　時間外加算２（略）
> (3)　深夜加算２（略）
> (4)　（略）
> （「早見表」p.692）

今回のギプス処置料は150点以上であり，条件を満たしている。

よって，正しいレセプトを作成してみると以下のようになる。

➡	㊵	＊四肢ギプス包帯〔半肢（片側）〕<u>（時間外２）</u>	1,092×1
	(50)	＊骨折非観血的整復術（前腕）（時間外２）	2,856×1

Q55　手術料の「通則11」院内感染防止措置加算の算定もれ

手術「通則11」

条件 DPC対象病院（2024年６月分，関連部分のみ抜粋）

〈病名〉C220　肝細胞がん

〈内容〉【診断群分類番号】060050xx020xxx
【主傷病名】C220　肝細胞がん
【入院契機】C220　肝細胞がん
【併存傷病】B181　Ｂ型肝硬変

⑸⓪	＊肝切除術「2」亜区域切除（19日）　63,030×1 ＊閉鎖循環式全身麻酔「5」（その他） （19日／4時間40分） 硬膜外麻酔（頸・胸部）併施加算 （19日／4時間40分）　（点数省略）×1

〈カルテ〉 6/17　HBs抗原（＋）

A　事例では併存傷病にB型肝硬変とあり，全身麻酔下でK695肝切除術「２」亜区域切除が行われていた。そのため，手術「通則11」の加算が算定できるのではないかと考え，カルテと算定要件を確認した。

> **手術「通則11」**
> （前略）Ｂ型肝炎感染患者（HBs又はHBe抗原陽性のものに限る）（中略）に対して，区分番号L008に掲げるマスク又は気管内挿管による閉鎖循環式全身麻酔（中略）を伴う手術を行った場合は，1,000点を所定点数に加算する。　（「早見表」p.735）

カルテ内容からHBs抗原が陽性でもあり，通則11の主旨は，術者への感染防止措置の評価であり，算定要件を満たすと考える。

事例の医療機関では電子カルテを使用している。患者画面の感染症情報にはHBs抗原が（＋）と表示されており，同加算の選択肢も用意されていた。算定に至らなかった原因を調べると，意外なところに盲点があった。同加算の正式名称は，診療報酬点数表のどこにも記載されていない。電子カルテの多くが使用する「医科診療行為マスター」（診療報酬情報提供サービスのホームページ）には「院内感染防止措置加算」とあり，画面表示やレセプト印字にはこの名称が使われている。しかし，同加算がこの名称であることが周知されていなかったために，関連のない表示とみなされ算定につながっていなかった。

防止策として，以下の感染症が対象であることと，L002硬膜外麻酔およびL004脊椎麻酔も対象になることを院内周知した。

> **手術「通則11」加算対象疾病**
> ①　メチシリン耐性黄色ブドウ球菌（MRSA）感染症患者（感染症法による届出義務があるものに限る）
> ②　Ｂ型肝炎感染患者（HBs又はHBe抗原が陽性と認められたＢ型肝炎患者）
> ③　Ｃ型肝炎感染患者（HCV抗体定性・定量によってHCV抗体が陽性と認められたＣ型肝炎患者）
> ④　結核患者（微生物学的検査により結核菌を排菌していることが術前に確認された結核患者）

よって，正しいレセプトは以下のとおり。

➡	⑸⓪	＊肝切除術「2」亜区域切除（19日） 63,030×1 ＊<u>院内感染防止措置加算</u>　1,000×1 ＊閉鎖循環式全身麻酔5（その他） （19日／4時間40分） 硬膜外麻酔（頸・胸部）併施加算 （19日／4時間40分）　（点数省略）×1

Q56　同一皮切で行う複数手術の算定もれ　手術「通則14」

〈病名〉右卵巣腫瘍，癒着性イレウス
〈内容〉2024年６月分，関連部分のみ抜粋

⑸⓪	＊腸管癒着症手術（6日）　12,010×1 〔子宮附属器腫瘍摘出術（開腹）同時施行〕

〈カルテ〉 6/6　右卵巣腫瘍にて，開腹卵巣腫瘍摘出術を施行。開腹したところ，虫垂炎による癒着性イレウスを併発していた。緊急に手術追加が必要と診断し，卵巣腫瘍摘出術と併せて，虫垂切除術および腸管癒着症手術を施行した。

A　K714腸管癒着症手術（12,010点），K718虫垂切除術（6,740点），K888子宮附属器腫瘍摘出術（開腹）（17,080点）を同時に行った事例である。

請求担当者は診療録を確認し，「同一皮切で行い

得る範囲」の複数手術として，手術の「通則14」および関連通知を確認した。

> **手術「通則14」**
> 同一手術野又は同一病巣につき，２以上の手術を同時に行った場合の費用の算定は，主たる手術の所定点数のみにより算定する。（以下略）
> （「早見表」p.736）

> **「通則14」**
> ⑶　同一手術野又は同一病巣であっても，「複数手術に係る費用の特例（平成30年厚生労働省告示第72号）」に規定するものについては，主たる手術の所定点数に，従たる手術（１つに限る）の所定点数の100分の50に相当する額を加えた点数により算定する。（以下略）
> （令６保医発0305・４／「早見表」p.737）

「複数手術に係る費用の特例」を確認すると，K714腸管癒着症手術，K718虫垂切除術，K888子宮附属器腫瘍摘出術はどの組合せも該当しなかった。したがって，「主たる手術の所定点数のみ」の算定が適切と判断し上記算定を行った。

しかし，もう一度，点数表を読み直してみよう。「通則14」には，次の通知もある。

> **「通則14」**
> ⑵　（前略）「同一皮切により行い得る範囲」内にあっても，次に掲げる場合には，「同一手術野又は同一病巣」には該当せず，それぞれ所定点数を算定する。（略）
> ア　（前略）胃切除術（消化器系の手術）と子宮附属器腫瘍摘出術（開腹によるもの）（婦人科系の手術）の組み合わせ，（中略）腹腔鏡下胃切除術（消化器系の手術）と子宮附属器腫瘍摘出術（腹腔鏡によるもの）（婦人科系の手術）の組み合わせ等，相互に関連のない２手術を同時に行う場合（以下略）
> （令６保医発0305・１／「早見表」p.737）

傷病名や経過などからみて，K888子宮附属器腫瘍摘出術「１」（婦人科系の手術）とK714腸管癒着症手術（消化器系の手術）は，「相互に関連のない２手術」に該当するため，それぞれ算定できる。一方，K714腸管癒着症手術とK718虫垂切除術は「同一手術野又は同一病巣」として「主たる手術」で算定する。

「同一手術野又は同一病巣」の定義および「複数手術に係る費用の特例」については，請求担当者は比較的熟知し注意を払っていると思われるが，当事例のような手術の組合せの場合には算定もれとなりやすい。再度，点数表を確認されたい。

正しい請求は以下のとおりとなる。

➡	㊿	＊腸管癒着症手術（6日）	12,010×1
		＊子宮附属器腫瘍摘出術（両側）（開腹によるもの）	17,080×1

Q57　複数手術に係る費用の特例の算定誤り

手術「通則14」

条件　DPC対象病院，600床，入院（2024年６月，関連部分のみ抜粋）

〈病名〉胸部大動脈瘤（I712）

〈内容〉【診断群分類番号】050163xx03x1xx

㊿	＊ステントグラフト内挿術（胸部大動脈）（25日）	56,560×1
	＊血管移植術，バイパス移植手術（頭，頸部動脈）2以上の手術の50％併施加算（25日）	30,830×1

〈手術記録〉

> 手術日：2024/4/25
> 術式：胸部大動脈ステントグラフト内挿術（Zone2）
> 〈TEVAR（Zone2）〉
> Lt. CCA-SCA bypass※
>
> 症状詳記（関連部分抜粋）
> 2018年に急性大動脈解離を発症。フォローにて遠位弓部の50㎜超の拡大を認め，エントリー閉鎖目的にTEVARを施行した。小弯側がエントリーから左鎖骨下動脈まで15㎜程度しかなくZone2TEVARとした。若年でもあり，左鎖骨下動脈再建のため，左総頸動脈からバイパスを施行した。

※　左総頸動脈－鎖骨下動脈吻合術

A 突然の胸痛，背部痛があり近医を受診し，当院に紹介された患者の事例。急性B型大動脈解離を認め，降圧保存加療実施後，外来診療でフォローされていたが，近位下行の解離性動脈瘤を認め，50㎜以上に達したため手術介入の方針となった。

K561ステントグラフト内挿術「2」「イ」胸部大動脈とK614血管移植術，バイパス移植手術「4」頭，頸部動脈が請求されている。手術手技の内容に誤りがないかを確認するため，手術記録と症状詳記（上記）の確認を行った。

手術記録，症状詳記ともにレセプトの請求内容と合致していることが確認された。複数手術手技の算定条件を確認したところ，「複数手術に係る費用の特例」の「別表第1」（「早見表」p.738）に規定されており，主従の2つの手技料が算定可能である。手技料の点数を確認したところ，2022年診療報酬改定にて，K614血管移植術，バイパス移植術の「3」～「5」が変更されていた。「4」の頭，頸部動脈が55,050点→61,660点に増点されていたのである。「複数手術に係る費用の特例」では点数の高い方が主となるため，主従の入れ替えが必要であった。

よって，正しいレセプトは次のとおりとなる。

➡	(50)	＊血管移植術，バイパス移植手術（頭，頸部動脈）（25日）　61,660×1 ＊ステントグラフト内挿術（胸部大動脈瘤） 2以上の手術の50％併施加算（25日） 28,280×1

点数改定時にはこのような逆転現象が発生し得るため，改定による変更点の確認は必須である。

Q58 周術期口腔機能管理後手術加算の算定もれ

手術「通則17」

条件 DPC病院（2024年7月分，関連部分のみ抜粋）
〈病名〉大動脈弁狭窄症（I350）
〈内容〉【診断群分類番号】050080xx0111xx
【診療開始日】2024.5.9　【入院年月日】2024.6.21

(50)	＊弁置換術（1弁のもの）	85,500×1
	＊冠動脈，大動脈バイパス移植術（1吻合） 2以上の手術の50/100併施加算 超音波凝固切開装置等加算	43,080×1
	（実施日：2024.7.1）	

〈カルテ〉
6/28　歯科口腔外科
7/1に手術予定　「右上3　動揺軽度あり」
5/16実施の周術期口腔機能精査時と変わらず。
周術期に動揺悪化などあれば，状態に応じて抜歯等の処置が必要。

歯科衛生士記録（関連部分のみ抜粋）
・歯肉：n.p.（異常なし）
・補綴物周囲：残留セメント多量，除去実施
・下前歯部ブラッシング励行

A 労作時に前胸部の痛みを自覚したため受診したところ，手術加療が必要と判断され，弁置換術が施行された事例である。高額レセプトとなったため，手術手技料等に誤りがないか詳しく点検した。各記録を確認したが，特に問題はなかった。しかし，歯科口腔外科のカルテに上記の記載を見つけた。歯科口腔外科のレセプトは下記のとおりであった。

⑬	＊周術期口腔機能管理料（Ⅱ）（手術前）	500×1

特定の手術を行う際に歯科医師と連携した場合に算定できる周術期口腔機能管理後手術加算（**図表7－5**）の算定要件を確認した。

通則17「周術期口腔機能管理後手術加算」

歯科医師による周術期口腔機能管理の実施後1月以内に，別に厚生労働大臣が定める手術を実施した場合は，周術期口腔機能管理後手術加算として，200点を所定点数に加算する。

※対象手術は次のとおり。

(1) 全身麻酔下で行われた以下の手術

①K082人工関節置換術（股関節）

②K082-7人工股関節置換術（手術支援装置を用いるもの）若しくはK082-3人工関節再置換術

（股関節）
③「顔面・口腔・頸部」（K404 ～ K471）の悪性腫瘍手術
④「胸部」（K472 ～ K537-2）の悪性腫瘍手術
⑤「心・脈管」中，「心，心膜，肺動静脈，冠血管等」（K538 ～ K605-5），「リンパ管，リンパ節」（K625 ～ K628）
⑥「腹部」（K630 ～ K753）の悪性腫瘍手術
(2) K922造血幹細胞移植

事例では下線部の要件を満たしている。よって，正しいレセプトは以下のとおり。

➡	㊿	＊弁置換術（1弁のもの） 85,500×1 ＊周術期口腔機能管理後手術加算 200×1 （以下省略）

算定もれとなった要因を確認するため，入院請求担当者に問い合わせたところ，口腔機能管理計画を最初に策定したのが5月であり，手術の1カ月以上前となるので算定しなかったということであった。

しかし，算定要件には「口腔機能管理の実施後1月以内」とあり，管理の開始日を意味するものではない。手術前日にも指導を実施されており，算定には問題ないと説明した。

図表 7－5 周術期口腔機能管理の算定概念図

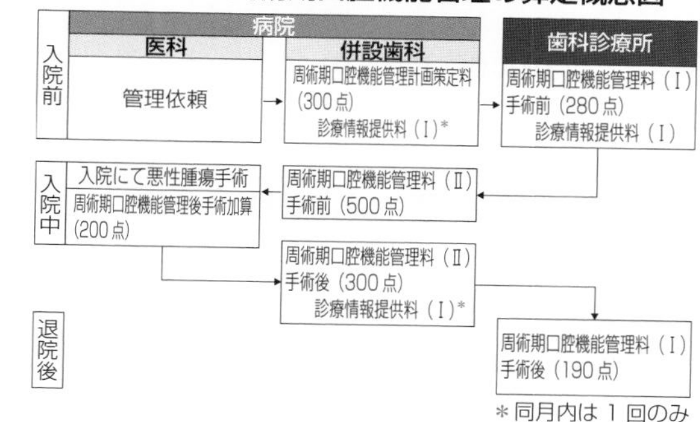

Q59 手術加算の算定もれ

手術「通則21」

条件 DPC対象病院，550床，入院（2024年6月，関連部分のみ抜粋）
〈病名〉非弁膜症性心房細動（Ⅰ489）
〈内容〉【診断群分類番号】050070xx03x0xx

㊿	＊経皮的カテーテル心筋焼灼術（心房中隔穿刺又は心外膜アプローチを伴うもの）（3日） 40,760×1 ＊心腔内超音波プローブ（再製造・標準型）（209,000円） 1個 （点数省略）×1 （その他，材料省略）

A 前医にて心房細動の診断となり，開胸手術の提案を行ったが患者が経過観察を希望され，セカンドオピニオンを受けた結果，低侵襲のアブレーション目的で当院に入院となった事例。

この手術（K595経皮的カテーテル心筋焼灼術）に使用する材料の1つに，168心腔内超音波プローブがある。その材料は3種類あり，そのうちの1つである「再製造・標準型」の製品について，今改定で加算が新設された。下記が新設された加算の内容となる。

第10部 手術 「通則」
21 別に厚生労働大臣が定める施設基準に適合しているものとして地方厚生局長等に届け出た保険医療機関において，再製造単回使用医療機器（特定保険医療材料に限る）を手術に使用した場合に，再製造単回使用医療機器使用加算として，当該特定保険医療材料の所定点数の100分の10に相当する点数を当該手術の所定点数に加算する。
（「早見表」p.745）

上記内容については，会計担当者に事前に説明を行っていたが，本事例で確認したところ，算定もれとなっていた。原因は，担当者がこれを手術手技ではなく，材料に対する加算だと勘違いしていて，材料のマスタに加算点数が組み込まれているものと誤認していたことであった。

この手術の症例は，複数の会計担当者が扱っている。そこで，ただちに，医事端末会計入力画面を示した手順書を配布した。経皮的カテーテル心筋焼灼術のマスタを入力する際に，手術の項目として再製造単回使用医療機器使用加算の加算コードも入力するように促す内容のものである。

早期に正しく請求ができているかを確認したことにより，算定もれを防止できた。点数改定の説明で新設項目等についてはきちんと説明をしたが，やはり医事端末への入力方法の説明が絶対必要であることを改めて感じた。

正しいレセプトは，以下のとおり。

➡	(50)	＊経皮的カテーテル心筋焼灼術（心房中隔穿刺又は心外膜アプローチを伴うもの） 再製造単回使用医療機器使用加算 （３日）　42,850×1 ＊心腔内超音波プローブ（再製造・標準型）（209,000円）１個 （点数省略）×1 （その他，材料省略）

Q60　創傷処理の算定誤り

K000

条件　**出来高病院，入院**（2024年７月分，関連部分のみ抜粋）

〈病名〉高エネルギー外傷〔2024.7.5〕，多発性打撲挫傷〔2024.7.5〕

〈内容〉【入院年月日】2024.7.5　【退院年月日】2024.7.19

㉛	＊破傷風トキソイド〔沈降〕0.5mL 2瓶	（点数省略）×1
㊵	＊創傷処置（100c㎡以上500c㎡未満）	60×1
	（手術の算定はなし）	

〈カルテ〉

バイクを運転中に転倒し受傷。救急車にて当院に搬入。

頭部に4cm程度の挫創あり，左上下肢にも擦過傷が数カ所あり。頭部挫創内には，小石等の異物が付着しており，1％キシロカイン注5mL局麻後，生食で洗浄，ブラッシングを行い5針ナート（縫合）。

左上下肢の擦過傷に対しては，デュオアクティブ（創傷被覆材）を貼付。予防的に破傷風トキソイドをim。

A　事例では，多発外傷に対する創傷処置のほか，薬剤料に破傷風トキソイドが算定されていた。単なる挫傷に対する処置のあとに，破傷風トキソイドを使用することは妥当なのだろうか。

破傷風トキソイドは，汚染創傷から感染する破傷風の発症予防のために投与される薬剤である。深部にいたる汚染創の場合に多く使用される。

深層部に及ぶ外傷が存在する可能性を考えて，カルテを確認したところ，頭部の汚染された挫創からの感染予防のために破傷風トキソイドが使用されていた。だとすれば，挫創のブラッシング処理と縫合に対して，K000創傷処理と「注３」デブリードマン加算が算定できる。

これらの情報が，一連の処置の起票やコンピュータへの登録のなかで創傷処置のなかに紛れ込んだこと，そして傷病名も「挫傷」であったことが，算定もれの原因である。

今回は，破傷風トキソイドがきっかけとなって事前に発見できたが，救急外来等の事例では，実施された処置行為等が確実に起票されているかを確認する必要がある。また，上記のようなワクチン投与のほか，抗生物質の全身投与（注射）が行われた場合にも治療内容の精査が必要である。

よって，正しいレセプトは次のとおり。

		〈病名〉高エネルギー外傷（2024.7.5） 多発性打撲挫傷（2024.7.5） 頭部挫創（2024.7.5）
➡	㉛	＊破傷風トキソイド〔沈降〕0.5mL　2瓶 （点数省略）×1
	㊵	＊創傷処置（100c㎡以上500c㎡未満）（5日）（左上・下肢）　60×1
	(50)	＊創傷処理（筋肉，臓器に達するもの・長径5cm未満） デブリードマン加算（頭部） （5日）　1,500×1

【破傷風】

さびた釘や汚染された物質などによって受けた刺傷，切り傷などにより地中に常在する破傷風菌が体内に侵入して増殖し，菌自体が作る毒素により，筋肉のこわばりやけいれんを引き起こすもの。年間症例数は少ないが，発症後の致死率は50％程度である。発症させないためには，受傷直後にワクチン投与などを行うことが必要である。

Q61　骨折観血的手術の算定誤り

K046

条件 DPC対象病院（2024年７月分，関連部分のみ抜粋）

〈病名〉右大腿骨頸部内側骨折（2024.7.4）

〈内容〉【入院年月日】2024.7.4　【退院年月日】2024.7.29

(50)	＊骨折観血的手術（大腿）	21,630×1
	＊固定用内副子（スクリュー）（圧迫調整固定用・両端ねじ型，大腿骨頸部用）	
		（点数省略）×1

A　大腿骨頸部骨折に対してK046骨折観血的手術が行われた事例である。

骨折観血的手術は，骨折部を手術して開き，直接整復と内固定を行う方法である。病名には大腿骨「頸部内側」骨折とあり，カルテや使用材料などから，手術料の算定項目の妥当性を確認した。

大腿骨頸部骨折については，股関節の関節包内部の骨折（内側骨折）と関節包外部の骨折（外側骨折）に分類される。事例では，病名も内側骨折と明記されており，関節包内部，つまり関節内の骨接合術と判断できる。カルテ内の手術記録でも，関節内の骨接合と明記されていた。

また，使用している材料も，固定用内副子（スクリュー）（圧迫調整固定用・両端ねじ型，大腿骨頸部用）（ハンソンピン）（**図表７-６**）であった。この材料は大転子部の末梢側である内側骨折で使用される材料の一つであり，手技料算定の確認時の参考になる。

骨折部が関節内にあり，関節包を開いた場合の手術は，K073関節内骨折観血的手術で算定する。

よって，正しいレセプトは以下のとおり。

➡	(50)	＊関節内骨折観血的手術（股）	20,760×1
		＊固定用内副子（スクリュー）（圧迫調整固定用・両端ねじ型，大腿骨頸部用）	
			（点数省略）×1

図表７-６　固定用内副子（スクリュー）（圧迫調整固定用·両端ねじ型,大腿骨頸部用）（ハンソンピン）使用事例

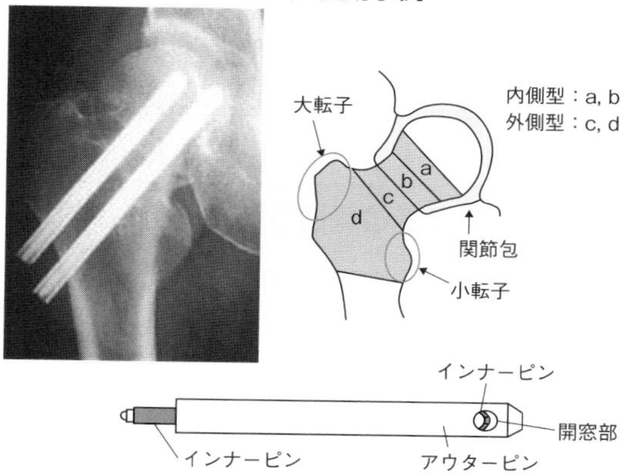

Q62　緊急整復固定加算の算定もれ

K046「注」

条件 DPC対象病院，500床，入院（2024年６月，関連部分のみ抜粋）

〈病名〉右大腿骨頸部骨折

〈内容〉【患者】1940年２月12日生（84歳）

⑬	＊二次性骨折予防継続管理料１	1,000×1
(50)	＊骨折観血的手術（大腿）（４日）	
	（手術薬剤，材料省略）	21,630×1

A　転倒による右大腿骨頸部骨折で緊急入院し，手術を施行した事例である。

B001「34」「イ」二次性骨折予防継続管理料１とK046骨折観血的手術「１」大腿を算定している。

二次性骨折予防継続管理料は2022年４月の診療報酬改定で，骨粗鬆症の治療により二次性骨折（再骨折）を予防する観点から新設された点数で，**図表７-７**のように地域の医療機関との連携が必要である。

次に，骨折観血的手術について点数表を確認した。

> **K046　骨折観血的手術**
>
> 注　大腿骨近位部の骨折に対して，骨折後48時間以内に整復固定を行った場合に，緊急整復固定加算として，4,000点を所定点数に加算する。
>
> （下線部筆者）（「**早見表**」p.752）

骨折観血的手術
(2) 「注」に規定する緊急整復固定加算は，75歳以上の大腿骨近位部骨折患者に対し，（中略）（一連の入院期間においてB001の「34」の「イ」二次性骨折予防継続管理料１を算定する場合に限る）に，１回に限り所定点数に加算する。（後略）
（下線部筆者）（令６保医発0305・４）

K046の「注」に加算（緊急整復固定加算）がある。
カルテを確認したところ，本例の骨折日時は４月２日７時35分で，手術は同日13時５分に行われていた。①患者の年齢，②傷病名，③骨折から手術までの時間，④二次性骨折予防継続管理料の算定――と，緊急整復固定加算のすべての要件を満たしていることが判明した（※施設基準の届出済）。
よって，正しいレセプトは次のとおり。

➡	⑬	＊二次性骨折予防継続管理料１　1,000×1
	㊿	＊骨折観血的手術（大腿）（４日） 緊急整復固定加算 骨折日時：4/5　7時35分 手術日時：4/5　13時5分 （手術薬剤，材料省略）　25,630×1

診療報酬改定では新型コロナ対策等，社会情勢を反映した内容が重点項目となり，脚光をあびる傾向にある。手術料はそれらに比べると目立たないが，点数変更を含め，実は大きく変わっていることが多い。改定直後には，算定する手術料を点数表で一読し，再確認することを推奨したい。

図表７-７　継続的な二次性骨折予防に係る評価の新設

➤ 大腿骨近位部骨折の患者に対して，関係学会のガイドラインに沿って継続的に骨粗鬆症の評価を行い，必要な治療等を実施した場合の評価を新設する。

（新）　二次性骨折予防継続管理料
- イ　二次性骨折予防継続管理料１　1,000点（入院中１回・手術治療を担う一般病棟において算定）
- ロ　二次性骨折予防継続管理料２　750点（入院中１回・リハビリテーション等を担う病棟において算定）
- ハ　二次性骨折予防継続管理料３　500点（１年を限度として月に１回・外来において算定）

〔厚生労働省「令和４年度診療報酬改定の概要　個別改定事項Ⅴ」（令和４年３月４日版）〕

Q63　脛骨近位骨切り術の算定もれ

K054-2

条件 DPC対象病院，400床規模，入院，整形外科（2024年７月，関連部分のみ抜粋）
〈病名〉左変形性膝関節症
〈内容〉【入院年月日】Ｒ６.７.12

㊿	＊骨切り術（前腕，下腿）（12日）　22,680×1 ＊骨端用プレート・生体用合金Ⅰ・標準型（固定用内副子・FE-1） （点数省略）×1 （その他の薬剤・材料省略）

〈手術記録〉

病名：左変形性膝関節症
術式：左高位脛骨骨切り術（medial open wedge HTO）※
HTO：高位脛骨骨切り術

※　HTOには「open（開大式）」と「close（閉鎖式）」の方法があり，本症例はopenであることが示されている（**図表７-８**）。また，medialは中央，wedgeは挿入の意。

A　変形性膝関節症に対し，脛骨への高位骨切り術を施行した事例である。上記の手術記録より，結論としては，新設された区分を知らず従来からの算定を繰り返していた。
手術記録の術式にある「高位」は，脛骨の膝に近い部位を指し，「近位（頭部に近い）」とも表現される（逆は「遠位」）。
脛骨の骨切り術には区分の新設（**図表７-９**）があった。事例は新設されたK054-2脛骨近位骨切り術が施行されたものであり，正しいレセプトは以下のとおりとなる。

➡	(50)	＊脛骨近位骨切り術（12日） 28,300×1 ＊骨端用プレート・生体用合金Ⅰ・標準型（固定用内副子・FE-1） （点数省略）×1 （その他の薬剤・材料省略）

K054-2とK054骨切り術「2」前腕，下腿では5,620点もの差があり，それが請求もれとなっていたのである。事例の病院では対策として，診療部門，手術部門，医事会計部門（入院会計）とで，本事例につき確認の打合せを行うとともに，請求事務に関するマニュアルに項目の追加を行った。

図表 7－8　HTO（近位脛骨骨切り術）の種類

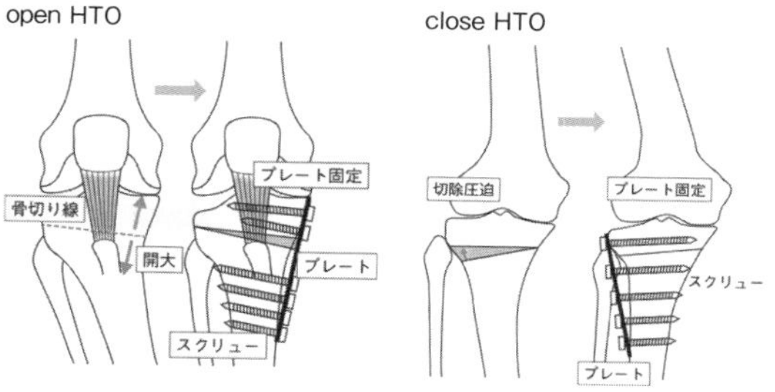

図表 7－9　骨切り術の新設区分

K054 骨切り術		
1	肩甲骨，上腕，大腿	28,210点
2	前腕，下腿	22,680点
3	鎖骨，膝蓋骨，手，足，指（手·足），その他	8,150点

→【新設】

K054-2 脛骨近位骨切り術	28,300点

※変形性膝関節症，膝関節骨壊死に対する脛骨近位（高位）骨切り術に適用

Q64　骨移植術の算定誤り

K059

条件 DPC対象病院（2024年６月分，関連部分のみ抜粋）
〈病名〉腰部脊柱管狭窄症（M4806）（2024.６.４）
〈内容〉【入院年月日】2024.６.25　【退院年月日】2024.７.23

(50)	＊脊椎固定術，椎弓切除術，椎弓形成術（28日）（後方椎体固定） 41,160×1 ＊骨移植術（自家骨移植） 16,830×1 ＊人工骨（汎用型，吸収型，顆粒・フィラー）1g （点数省略）×1

〈カルテ〉

6/28	腰部脊柱管狭窄症（L4/L5）に対して，後方椎体固定術を施行，腸骨より骨移植を行った。

A　事例では，腰部脊柱管狭窄症に対してK142脊椎固定術「３」後方椎体固定（**図表 7－10**）およびK059骨移植術が行われている。材料中に人工骨の使用があるが，骨移植術が「１」自家骨移植で算定されているため，カルテを確認した。

カルテ内の手術記録には，腸骨より骨採取を行い骨移植が行われたことのみが記入されていた。

そこで，材料の人工骨の算定を疑問に思い，医師に問い合せたところ，腸骨からの自家骨に加え，人工骨を使用していた手術であったことが確認できた。通知を見てみる。

> **骨移植術（軟骨移植術を含む）**
> (7)　自家骨又は非生体同種骨（凍結保存された死体骨を含む）移植に加え，人工骨移植を併せて行った場合は「3」により算定する。（以下略）
> （令６保医発0305・４／「**早見表**」**p.755**）

図表 7－10　椎体固定術

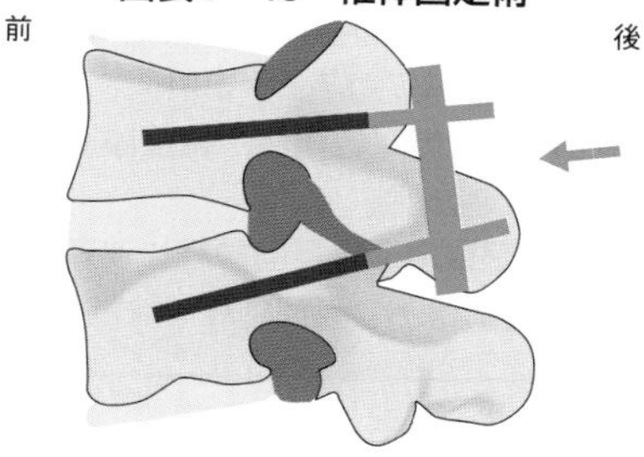

脊柱管狭窄により圧迫された部分の除圧と固定を行うもので，椎骨の横や後ろに骨（自家骨や人工骨）を置いて脊椎を安定させる方法。スクリューやプレートを使用して脊椎の安定性をさらに高める場合もある。

よって，「３」同種骨移植（非生体）で算定することとなる。なお，DPC/PDPSの分類は変わらない。

手術情報がオーダリングシステムで運用されている医療機関ではこのような誤りは起きにくいかもしれないが，紙伝票で運用している医療機関では，使用している材料と手術料区分が確認できるよう工夫する必要がある。

したがって，正しいレセプトは以下のとおり。

➡	(50)	＊脊椎固定術, 椎弓切除術, 椎弓形成術（後方椎体固定）（28日） 41,160×1 ＊骨移植術「3」（非生体）ロ その他の場合 21,050×1 ＊人工骨（汎用型, 吸収型, 顆粒・フィラー）1g （点数省略）×1

【同種骨移植】（特殊なもの）

(8) 同種骨移植（特殊なもの）は，腫瘍，感染，人工関節置換等に係る広範囲の骨及び靭帯組織の欠損に対して，日本組織移植学会が認定した組織バンクにおいて適切に採取，加工及び保存された非生体の同種骨及び靭帯組織を使用した場合に限り算定できる。なお，この場合，骨移植等を行った保険医療機関と骨移植等に用いた同種骨等を採取等した保険医療機関とが異なる場合の診療報酬の請求については，同種骨移植等を行った保険医療機関で行うものとし，当該診療報酬の分配は相互の合議に委ねる。

（令6保医発0305・4／**「早見表」p.755**）

Q65 神経移植術の算定もれ

K198

条件 **DPC対象病院**（2024年7月分，関連部分のみ抜粋）

〈病名〉 甲状腺癌（C73）

〈内容〉【診断群分類番号】100020xx010xxx

【入院年月日】2024.7.8

(50)	＊甲状腺悪性腫瘍手術「3」全摘及び亜全摘（頸部外側区域郭清を伴わないもの）（17日） 33,790×1 頸部郭清術併施加算（片側）（左頸部） 4,000×1 超音波凝固切開装置等加算（17日） 3,000×1 ＊閉鎖循環式全身麻酔「5」（9時間5分）（17日） 15,000×1

〈カルテ〉

〔麻酔記録の抜粋〕
予定手術：甲状腺切除（全摘），頸部郭清術
実施手術：甲状腺全摘術，左頸部郭清術，左反回神経再建
麻酔時間：11：00 ～ 20：05（9：05）
手術時間：11：40 ～ 19：30（7：50）

〔手術記録の抜粋〕
手術日：7/17，手術時間：11：40～19：30
術前診断：乳頭癌，術後診断：乳頭癌
甲状腺切除：全摘
特記事項：左反回神経に浸潤，合併切除を行った。
再建：あり，反回神経切除後，舌下神経の頸神経ワナにより神経再建を行った。

A 甲状腺癌，頸部リンパ節転移に対して手術を実施した事例である。通常の甲状腺手術に比べて麻酔時間が長いと感じたため，請求誤り等がないかを確認した。手術伝票とレセプトの整合性は確認できたが，麻酔時間の確認のため，麻酔記録とレセプトも照合した。

麻酔時間は請求内容と合致しているが，実施手術欄に「左反回神経再建」と記載されている。これが通常より時間がかかった理由と考えられたので，カルテの手術記録で治療行為の詳細を確認した。

神経再建の記述があり，執刀医に確認したところ，「神経移植術を実施しているので，請求してほしい」ということであった。K198神経移植術は手術の「通則14」により，同一手術野・同一病巣に併施しても所定点数が算定できる。

よって，正しい請求は以下のとおりとなる。

➡	(50)	＊甲状腺悪性腫瘍手術「3」全摘及び亜全摘（頸部外側区域郭清を伴わないもの）（反回神経合併切除併施）（17日） 33,790×1 頸部郭清術併施加算（片側）（左頸部） 4,000×1 超音波凝固切開装置等加算 3,000×1 ＊神経移植術（頸神経ワナによる反回神経再建）（17日） 23,520×1 ＊閉鎖循環式全身麻酔「5」（9時間5分）（17日） 15,000×1

病巣摘出後に再建術を伴う可能性のある場合は，併施算定が可能な手術をあらかじめリストアップしておくなどの注意が必要である。

【参考】頸神経ワナ
脊髄神経のC1，C2，C3からなり，オトガイ舌骨筋と舌骨下筋群を支配する輪状になった神経の部分のこと。

Q66　乳癌センチネルリンパ節生検加算の算定もれ　K476「注２」

〈診療開始日〉2024.3.4
〈続発症〉リンパ節転移
〈内容〉2024年６月分，関連部分のみ抜粋
【診断群分類番号】090010xx010xxx　乳房の悪性腫瘍

(50)	＊乳房部分切除術（腋窩部郭清を伴うもの）	42,350×1
(60)	＊術中迅速病理組織標本作製	1,990×1

A　事例では，リンパ節転移を伴う乳房の悪性腫瘍の患者の手術（K476乳腺悪性腫瘍手術「４」乳房部分切除術）に，術中迅速病理組織標本作製が算定されていた。K476には「乳癌センチネルリンパ節生検加算」があり，「触診及び画像診断の結果，腋窩リンパ節への転移が認められない乳がんにかかる手術の場合のみ算定する」との算定要件がある。

レセプトには続発症に「リンパ節転移」が記入されていた。リンパ節転移が確定しており，算定要件に合致しないと考えられたため，算定していなかったようである。そこでカルテの手術記録等を確認した。

手術記録には，色素注入のみによるセンチネルリンパ節の同定と同部位の迅速病理を行った結果，転移が見つかり，腋窩部（腋の下）郭清を行った旨の記述があった。

手術前の検査における腋窩リンパ節への転移の有無についての記載を確認したところ，画像診断文書に「腋窩リンパ節へ転移疑い」とあった。また，術前準備の項目では，術中の迅速病理が事前オーダーされ，手術同意文書には転移が疑われており，転移が確定した場合は腋窩郭清を行う旨の説明が行われていた。

よって，腋窩リンパ節への転移が事前確定していないことが明らかとなったことから，K476「注２」乳癌センチネルリンパ節生検加算２の算定要件を満たすこととなる。

なお，事例では「リンパ節転移」が確定病名とされていた。レセプト内容のみからは経過が読み取れずに査定の対象になるリスクが大きいと考え，医師と相談のうえで摘要欄にコメント対応を行った。正しいレセプトは以下のとおり。

➡	(50)	＊乳房部分切除術（腋窩部郭清を伴うもの） 42,350×1 ＊乳癌センチネルリンパ節生検加算2 3,000×1
	(60)	＊術中迅速病理組織標本作製 1,990×1 摘要欄：術中迅速病理にてリンパ節転移が確定され，腋窩郭清を行った。

【参考：センチネルリンパ節とは】
センチネルリンパ節とは，がん細胞がリンパ液の流れに乗って最初に到達し，真っ先に転移を起こすリンパ節のことである。見張りリンパ節や前哨リンパ節などとも表現される。乳がんでは，腋窩にある10から30個ほどのリンパ節のどれかがセンチネルリンパ節となる（**図表7-11**）。

乳がん手術における大きなリスクは，腋窩リンパ節郭清によるリンパの流れの障害から引き起こされるリンパ浮腫（異常なむくみ）などによって，術後のＱＯＬ（生活の質）が大きく左右されることである。そのため，できる限りリンパ節郭清を行わないことが奨励されている。発症した乳がんにかかるセンチネルリンパ節を同定して乳がんの転移がなければ，その先の腋窩リンパ節にも転移がない確率が高いことから，後遺症の危険を冒してま

でも郭清を行うことが無意味と考えられるからである。
ただし，センチネルリンパ節が同定できなかった場合や同リンパ節に乳がんの転移が見つかった場合は，他の腋窩リンパ節にも転移がある可能性が高いとして郭清が行われる。

図表 7 - 11　センチネルリンパ節（厚生労働省資料）

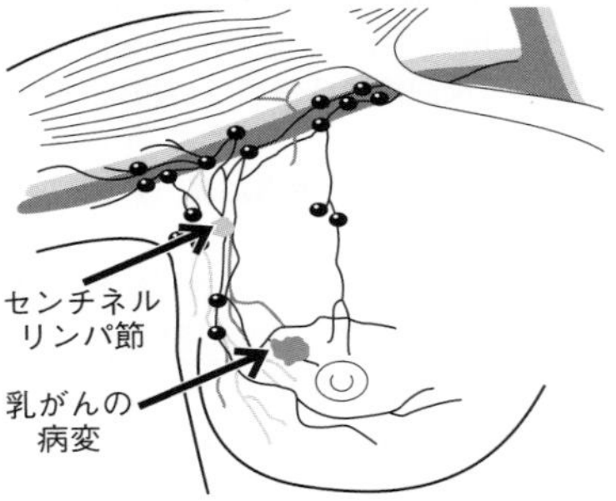

Q67　経皮的膿胸ドレナージ術の算定もれ　K496-5

条件 DPC対象病院，400床規模，入院（2024年６月，関連部分のみ抜粋）

〈病名〉膿胸（R６.６.10）（緊急入院）

〈内容〉

㉝	＊点滴注射 セフトリアキソンNa静注用1g「ファイザー」1瓶 生理食塩液「ヒカリ」500mL 1瓶	（点数省略）×1
㊵	＊持続的胸腔ドレナージ（開始日）	825×1
	＊キシロカイン注ポリアンプ2% 10mL 1管 （材料省略）	（点数省略）×1
(60)	＊（内容省略）	

A　事例は，膿胸（**図表 7 - 12**）で緊急入院し，抗生剤投与，ドレナージ処置※を行った患者のレセプトである。

筆者もレセプト点検をしていた経験があり，膿胸の患者のレセプトは幾度となく点検したことがある。もちろんドレナージを行っている患者のレセプトも然りであり，その際は現算定のとおり，J019持続的胸腔ドレナージを算定していた。

しかし，2020年診療報酬改定時に呼吸器外科医と話をしていて，膿胸に対するドレナージに手技料が新設されたと話題にあがっていたことを思い出した。

早見表を確認すると，たしかにK496-5経皮的膿胸ドレナージ術（5,400点）が設定されていることがわかった。

よって，正しいレセプトは以下のとおり。

➡	㉝	＊点滴注射 セフトリアキソンNa静注用1g「ファイザー」1瓶 生理食塩液「ヒカリ」500mL 1瓶	（点数省略）×1
	㊿	＊経皮的膿胸ドレナージ術	5,400×1
		＊キシロカイン注ポリアンプ2% 10mL 1管 （材料省略）	（点数省略）×1
	(60)	＊（内容省略）	

診療報酬改定時にすべての新設項目や変更点を把握するのはむずかしいが，医師や看護師等の医療者は専門分野の情報をいち早くチェックしているため，医療者との会話の記憶からヒントを得ることも多々ある。こういったコミュニケーションを日頃からとることも大切だと感じさせられた事例であった。

※　ドレーンやカテーテル等の管を用いて，血液，膿，滲出液，消化液などを体外に誘導し，排出すること。

図表 7 - 12　膿胸とは

胸膜に細菌感染症が起こり胸腔に膿が貯留した状態

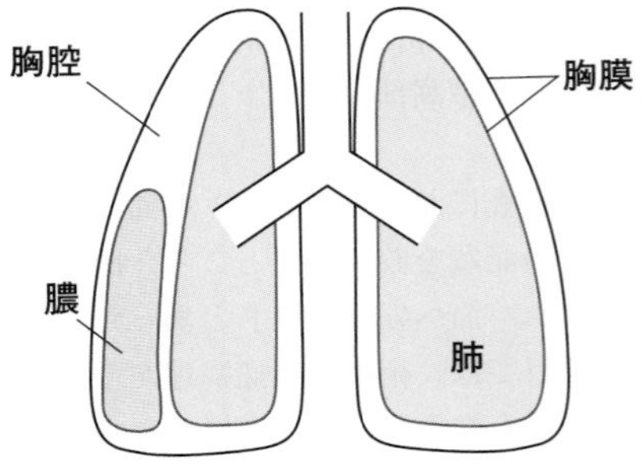

Q68 経皮的血管形成術用穿刺部止血材料の算定もれ

K549，材料107

条件 **DPC対象病院，入院，関連する施設基準あり**（2024年９月，関連部分のみ抜粋）
〈病名〉労作性狭心症（I208）
〈内容〉【診断群分類番号】050050xx0200xx
【入院年月日】R６.９.12 【退院日】R６.９.16

⑸⓪	＊経皮的冠動脈ステント留置術（その他のもの）（13日） ＊冠動脈ステントセット（一般型）1本 （その他の手術薬剤，材料等省略）	21,680×1 （点数省略）×1

〈カルテ〉
9月13日ステント留置術実施。経皮的血管形成術用穿刺部止血材料を留置して手技終了。翌日退院予定だったが，カテーテル挿入部の血腫が認められ，血腫軽快後の9月16日に退院となった。

A 労作性狭心症に対して，K549経皮的冠動脈ステント留置術「３」その他のものが行われた症例である。カルテを確認すると上記の記載があった。

後日，「経皮的血管形成術用穿刺部止血材料がレセプト請求されていない」と，医師から算定担当者に連絡があった。これに対し，算定担当者は「材料伝票には記載があったが，手術の翌々日までに退院した場合のみ算定可なので請求しなかった」と説明した。

しかし，改めて107経皮的血管形成術用穿刺部止血材料の算定要件を確認したところ，2022年度診療報酬改定にて，退院日に関係なく算定できるようになっていた（**図表７-13**）。

よって正しいレセプトは次のとおり。

➡	⑸⓪	＊経皮的冠動脈ステント留置術（その他のもの）（13日） 21,680×1 ＊冠動脈ステントセット（一般型）1本 （点数省略）×1 ＊経皮的血管形成術用穿刺部止血材料1個 2,840×1 （その他の手術薬剤，材料等省略）

この算定もれの原因として，医師は業者からの事前説明で算定要件の変更点を把握していたが，医事課の算定担当者まで情報が共有されていなかったという問題があった。対策として，今後は算定に関する情報は医事課にも共有してもらうように医師に依頼した。医事課では診療報酬改定時に，基本診療料と特掲診療料だけでなく，材料の算定要件についても変更点がないか確認を徹底することとした。

なお，本材料を使用する医療上の必要性について，レセプトの摘要欄に記載が必要なので，ご留意願いたい。

図表７-13 107経皮的血管形成術用穿刺部止血材料の算定要件の変更点（抜粋）

類別	改定前	改定後
類別「医療用品（4）整形用品」 一般的名称「吸収性局所止血材」若しくは「コラーゲン使用吸収性局所止血材」	患者が手術の翌々日までに帰宅した場合に限り1セットについてのみ算定できる。ただし，手術後1週間以内に入院した場合は算定できない。	患者の早期離床を目的とした大腿動脈穿刺部位の止血を行う場合に，1セットについてのみ算定できる。

（下線部筆者）

Q69 経皮的カテーテル心筋焼灼術の算定誤り K595「1」

条件 手術「通則5」の施設基準を満たす病院（2024年６月分，関連部分のみ抜粋）

〈病名〉発作性心房細動（主）（2015.2.7）

〈内容〉

(50)	＊経皮的カテーテル心筋焼灼術（その他のもの）（３日） 34,370×1 ＊血管造影用シースイントロデューサーセット (1)一般用　1本，(3)選択的導入用　1本 ＊経皮的カテーテル心筋焼灼術用カテーテル(1)熱アブレーション用・④体外式ペーシング機能付き　1本 （点数省略）×1

A 事例では，発作性心房細動にカテーテルアブレーションが実施されていた。心臓の異常な刺激伝道路（電気の流れる道筋）を焼き切る経皮的カテーテル心筋焼灼術用カテーテル（熱アブレーション用・体外ペーシング機能付き）の使用から算定に問題なしと判断したが，症状詳記から手術手技算定誤りを発見した。

> **【症状詳記】**（抜粋）
> 肺静脈隔離アブレーション目的に，ブロッケンブロー手技により，ガイドシースを左房に挿入した。

心臓の拍動を司る電気の流れを制御しているのは右心房にある洞結節という部分で，電気は「洞結節→心房（筋肉）→房室結節→心室（筋肉）」の順に流れる。最近，心房細動の原因となる異常な電気的刺激は，肺でガス交換された血液が戻ってくる肺静脈から発生して左心房へ伝わることが医学的に解明されている。

症状詳記の「肺静脈隔離アブレーション」とは，下大静脈から血流に沿って右心房にカテーテルを運び，心室中隔を針で穿刺し左心房に到達（この手技をブロッケンブローと呼ぶ）させて，アブレーションカテーテルで異常な電気的刺激の発生源を焼き切るものである（**図表7-14**）。K595経皮的カテーテル心筋焼灼術は「1」心房中隔穿刺又は心外膜アプローチを伴うもの（下線部筆者）と設定されている。

図表7-14　肺静脈隔離アブレーション

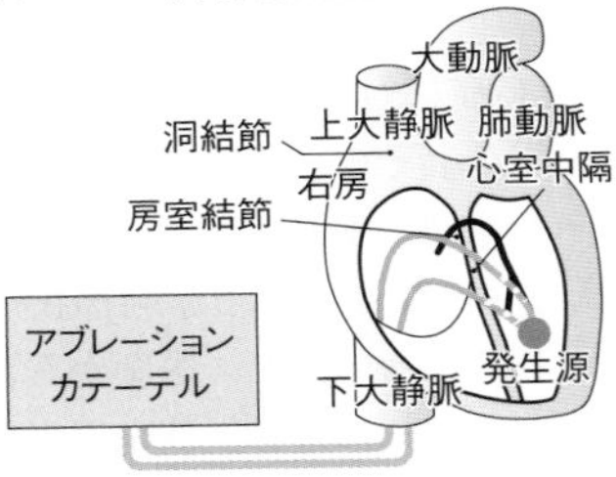

さらに，「血管造影用シースイントロデューサーセット(3)選択的導入用（ガイディングカテーテルを兼ねるもの）」の機能区分の定義には，「主として，心房・心室の検査において使用する（以下，省略）」とある。心房細動にこの材料が使用された場合は，算定誤りに注意されたい。

よって，正しいレセプトは以下のとおり。

➡	(50)	＊経皮的カテーテル心筋焼灼術（心房中隔穿刺又は心外膜アプローチを伴うもの）（3日） 40,760×1

なお，事例では心房中隔を穿刺する針（ニードル）は特定保険医療材料に該当しなかったが，材料価格基準177心房中隔穿刺針（54,100円）で請求できるものもあるので，注意していただきたい。

Q70 抗悪性腫瘍剤動脈，静脈又は腹腔内持続注入用植込型カテーテル設置の算定誤り K611

条件 出来高病院，180床（2024年７月分，関連部分のみ抜粋）

〈病名〉右乳癌（2024.7.8），転移性肝癌（2024.7.22）

〈内容〉

㉚	＊抗悪性腫瘍剤局所持続注入	165×1
(50)	＊中心静脈注射用植込型カテーテル設置（四肢）（22日）	10,500×1

〈カルテ〉

7/22	右上腕CVポート設置。ケモ開始

A　乳癌を発症し，化学療法の実施を目的に入院した事例である。レセプトを見ると，K618中心静脈注射用植込型カテーテル設置の算定はあるが，G005中心静脈注射の算定が見当たらないため，カルテを確認した。

「CVポート設置」（**図表7-15**）と記載があり，皮下に植え込んで使用される中心静脈カテーテルを設置していることがわかった。

さらに「ケモ（化学療法）開始」とあり，抗がん剤の持続注入を実施していることもわかる。CVポート設置は抗悪性腫瘍剤の持続注入のためであったと考えられる。医師に確認したところ，ポートを設置したが，やはり中心静脈注射ではなく抗悪性腫瘍剤注入用であり，その薬剤をポートに注入したと説明された。

つまり，この事例の場合はK611抗悪性腫瘍剤動脈，静脈又は腹腔内持続注入用植込型カテーテル設置が正しい算定となる。

なお，「疼痛の制御を目的として設置した場合」も算定できるので留意されたい。

よって，正しいレセプトは以下のとおり。

➡	㉚	**＊抗悪性腫瘍剤局所持続注入　165×1**
	(50)	**＊<u>抗悪性腫瘍剤動脈，静脈又は腹腔内持続注入用植込型カテーテル設置</u>（四肢）（22日）　16,250×1**

チェックポイント！

★　**植込型カテーテルの設置は，その目的，使用方法が中心静脈注射か，抗悪性腫瘍剤の注入であるかによって算定項目・点数が異なってくるため，カルテや医師から確認する！**

図表7-15　植込型ポート設置

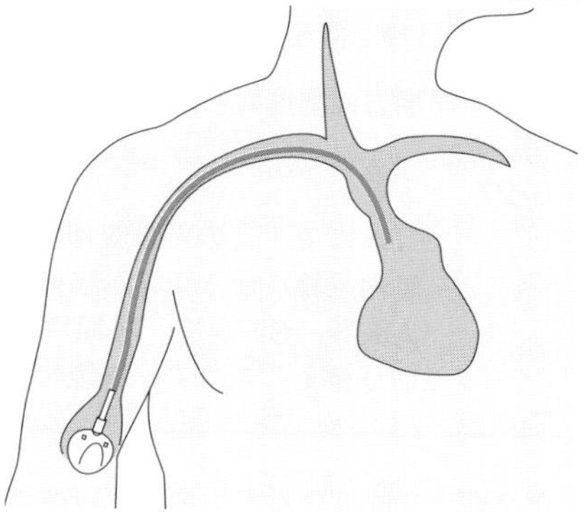

Q71　植込型カテーテル抜去術の算定もれ　K618

条件　DPC病院，入院（2024年7月分，関連部分のみ抜粋）

〈病名〉直腸癌術後再発（C20）

〈内容〉【診断群分類番号】060040xx9700xx

【入院年月日】2024.6.25

(50)	＊中心静脈注射用植込型カテーテル設置（四肢に設置した場合）（右上腕部）（8日）　10,500×1

〈医師記録〉

7/1	発熱の原因は植込みポート部の感染と特定。 透視下で同カテーテル抜去。データ再検し問題なければ，再度設置を検討。

A　直腸癌術後で入退院を繰り返している患者の事例である。倦怠感が強く，肝機能が悪化したため緊急入院となった。患者は以前から在宅で中心静脈栄養を行っており，カテーテルは再設置だと思われたので，治療経過の確認を行うことにした。

DPCレセプトでは詳細な内容が確認できないため，医師記録を見てみると，7月1日に鎖骨下ポート留置部に対して，造影剤を使用した画像診断が行われていた。

血管造影の伝票には，造影以外に特段の記載はなかった。カテーテル抜去に関する算定方法を確認する。

K618　中心静脈注射用植込型カテーテル設置

(5)　中心静脈注射用植込型カテーテル抜去の際の費用はK000創傷処理の「1」筋肉，臓器に達するもの（長径5cm未満）で算定する。

（令6保医発0305・4／**「早見表」p.802**）

上記(5)により，抜去の費用はK000創傷処理で算定できる。放射線部門がこの通知の内容を認識していなかったため，算定もれとなった。
よって，正しいレセプトは以下のとおり。

➡	(50)	＊創傷処理「1」筋肉，臓器に達するもの（長径5cm未満） 1,400×1 （1日，鎖骨下植込ポート抜去術） ＊中心静脈注射用植込型カテーテル設置（四肢に設置した場合）（右上腕部） （8日） 10,500×1

なお，K611抗悪性腫瘍剤動脈，静脈又は腹腔内持続注入用植込型カテーテル設置にも同様の通知があることに注意されたい。

Q72　内視鏡用粘膜下注入材の算定もれ

K653「2」

〈病名〉早期胃癌
〈内容〉2024年６月分，関連部分のみ抜粋

(50)	＊早期悪性腫瘍胃粘膜下層剥離術（27日）	18,370×1

〈カルテ〉

6/27　入院
健診にて，胃の再検査指示。6/20精査目的で来院するも，GIF（上部消化管内視鏡）から切除へ移行の可能性があるため，入院しての施行とした。
入院後，GIF実施。早期胃癌と判明。ESD（内視鏡的粘膜下層剥離術）に切り替え，ムコアップ隆起にて切除した。

A　事例では早期悪性腫瘍に対して粘膜下層剥離術（K653内視鏡的胃，十二指腸ポリープ・粘膜切除術「2」）を「ムコアップ」を使用して行っていた。
「ムコアップ」はヒアルロン酸ナトリウム製剤であり，特定保険医療材料の内視鏡用粘膜下注入材に該当する。

> 147　内視鏡用粘膜下注入材　5,270円
> **【内視鏡用粘膜下注入材の定義】**
> (2)　内視鏡的粘膜切除術を施行する際に病変部位の粘膜下層に注入することにより，その部位に滞留して粘膜層と筋層との間を解離し，粘膜層の隆起を維持して病変部位の切除又は剥離の操作性を向上させるヒアルロン酸ナトリウム溶液，アルギン酸ナトリウム溶液，ペプチド水溶液又はリン酸化プルランナトリウム溶液である。
> （「早見表」p.1022）

内視鏡用粘膜下注入材として注入するヒアルロン酸ナトリウム製剤は，従来の生理食塩水や50％ブドウ糖溶液などに比べて，高く急峻な隆起を長時間維持できるため，より安全で確実な手術操作が可能となる。算定担当者もムコアップに気付いて調べたが，薬価基準に収載がないために算定できないものと誤解してしまった。
また，ムコアップ採用の情報が算定担当者まで伝わっていなかったことも算定もれの一因であった。
新規採用の薬剤および特定保険医療材料について，購入部署から算定担当者までの連絡方法を改善し，類似の請求もれを防がれたい。
正しいレセプトは次のとおりとなる。

➡	(50)	＊早期悪性腫瘍胃粘膜下層剥離術（27日） 18,370×1 ＊内視鏡用粘膜下注入材（5,270円） 527×1

図表７-16　ムコアップの粘膜隆起作用（他溶液との比較）

粘膜層と筋層との間の充分なセーフティーマージン
長時間の隆起保持：ウサギ胃粘膜下に各溶液を投与し，30分後の粘膜隆起高を測定した。

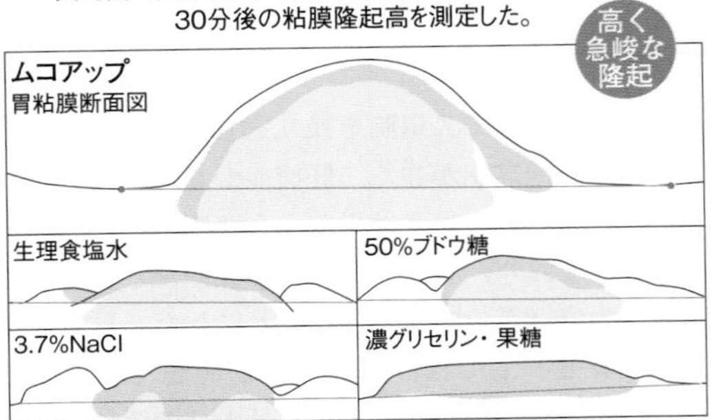

※生化学工業株式会社データより

Q73　内視鏡的胆道結石除去術の算定誤り

K685「1」

条件 DPC対象病院（300床規模），入院，消化器内科（2024年６月，関連部分のみ抜粋）
〈病名〉総胆管結石性胆管炎（K803）
〈内容〉【診断群分類番号】060340xx03x00x
【入院年月日】R６.６.13／緊急入院

⑸⓪	＊内視鏡的胆道結石除去術（胆道砕石術を伴うもの）（17日）　14,300×1 ＊胆道結石カテ・採石バスケット1本 胆道結石カテ・砕石バスケ・全ディスポ1本 （他の手術薬剤，手術材料省略）　（点数省略）△×1

〈内視鏡レポート〉

ERCPにて結石を確認。EST後，採石を試みるも不可，トラペゾイドにて砕石した。（以下略）

A　総胆管結石性胆管炎に対して，内視鏡的胆道手術を実施した事例である。使用材料から，胆道結石を砕石していることがわかるため，医事課担当者はK685内視鏡的胆道結石除去術「１」胆道砕石術を伴うもので算定している。

内視鏡レポートをもとに治療内容と算定内容の確認を行った。

胆道結石を採石する場合，EST（十二指腸乳頭部切開）（**図表７-17**）もしくはEPBD（十二指腸乳頭部拡張）を伴う方法が主流である。当該手術でもESTを実施していた。

ERCP（胆管・膵管造影法）関連手術には**図表７-18**のようにいくつか種類があり，それぞれ点数が異なる。当然ながら併施の場合は，主たるもののみの算定となる。そのため，今回の手術はK687内視鏡的乳頭切開術「２」胆道砕石術を伴うもの（24,550点）が妥当である。

よって，正しいレセプトは以下のとおりとなる。

➡	⑸⓪	＊内視鏡的乳頭切開術「2」胆道砕石術を伴うもの（17日）　24,550×1

当該病院では，内視鏡的手術はすべて内視鏡検査（D308胃・十二指腸ファイバースコピー）でオーダーされており，医事課で手技を入力し直しているとのことだった。診療録記載の観点からも，術式のオーダー入力は医師が行うのが望ましい。また，ERCPのみで終了した際には，D308胃・十二指腸ファイバースコピーの所定点数に「注１」胆管・膵管造影法加算（600点）も忘れずに算定されたい。

図表７-17　EST（内視鏡的乳頭切開術）

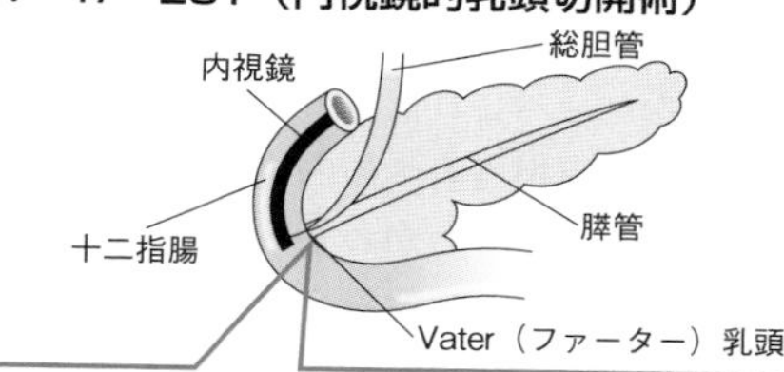

EST用ナイフ（電気メス）を挿入し，Vater乳頭を切り開いて出口を広げることによって結石除去などができる

図表７-18　ERCP関連手術一覧（点数の高い順番）

Kコード	手術名称	点数
K687「2」	内視鏡的乳頭切開術（胆道砕石術を伴う）	24,550
K685「1」	内視鏡的胆道結石除去術（胆道砕石術を伴う）	14,300
K686	内視鏡的胆道拡張術	13,820
K688	内視鏡的胆道ステント留置術	11,540
K687「1」	内視鏡的乳頭切開術（乳頭括約筋切開のみ）	11,270
K682-3	内視鏡的経鼻胆管ドレナージ術	10,800
K685「2」	内視鏡的胆道結石除去術（その他のもの）	9,980

Q74　内視鏡的乳頭切開術における算定誤り

K687

条件 **病院200床，入院**（2024年７月分，関連部分のみ抜粋）

〈病名〉 胆のう癌疑い（2024.6.28）

〈内容〉【入院年月日】2024.7.5　【退院年月日】2024.7.11

⑥⓪	＊EF-胃・十二指腸 胆管・膵管造影法加算	1,740×1

〈カルテ〉

○**内視鏡経過記録**

内視鏡挿入。造影カテーテルを十二指腸乳頭部より挿入。

造影を開始。胆管，膵管を造影し検査終了。内視鏡抜去。

○**内視鏡実施記録**

ERCPカテーテル　造影剤

内視鏡用薬剤（詳細省略）

（材料シールの貼付）

ディスポーザブル3ルーメン，パピロトームV-System

A　事例は，胆のう癌の疑いによる胆管・膵管造影法（ERCP）目的の入院であった。検査時にはERCP後の急性膵炎発症の対処目的で，抗生剤，タンパク分解酵素阻害剤が投与されていた。他に確認することがあったのでカルテを見たところ，内視鏡経過記録に上記のような記載があった。

内視鏡下でERCPカテーテルを使用した胆管・膵管造影法であり，算定上の問題はないように思えた。よく確認すると「パピロトーム」のシールが貼付されているが，算定担当者への内視鏡伝票のなかには同材料の記述がないことがわかった。同材料は，内視鏡とガイドワイヤーを組み合わせて，高周波電流による経内視鏡的十二指腸乳頭切開術に使用されるものである。同切開術における「パピトロミーナイフ」はよく知られているが，この「パピロトーム」も同じ目的で使用されるものである。

よって，正しいレセプトは次のとおり。

➡	⑤⓪	＊内視鏡的乳頭切開術「1」乳頭括約筋切開のみのもの	11,270×1

なお，DPC/PDPSの場合，コーディングが「手術なし」から「手術あり」に変更となるので，注意が必要である。

【内視鏡的逆行性胆管膵管造影法（ERCP）】

胆管および膵管の出口であるファーター乳頭から細いプラスチックカニューレ（チューブ）を胆管または膵管に挿入してそこから造影剤を注入し，胆管および膵管の形状を観察する検査である。

【内視鏡的乳頭括約筋切開術】

胆管にガイドワイヤーを留置し，ファーター乳頭のオッディ括約筋を切開して胆管の入口を拡張する。排膿や膵胆管にチューブ等を挿入する場合に実施される（**図表７-19**）。

図表７-19　十二指腸乳頭部（ファーター乳頭）

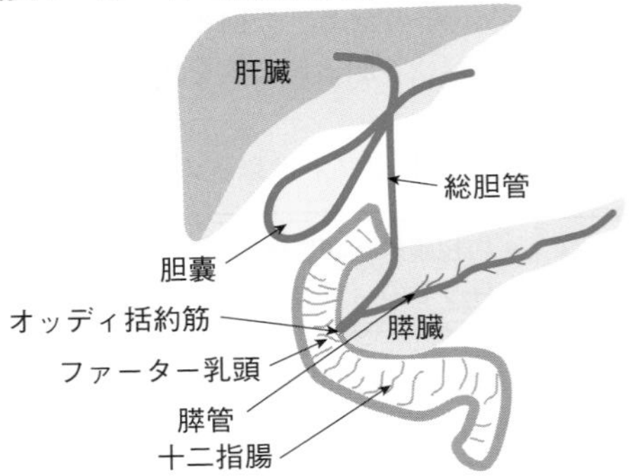

事例は出来高レセプトであるが，DPC対象病院の場合であっても，反復帝王切開以外に，既往帝切後妊娠（ICD-10：O342）等の傷病名で請求される。請求もれのないように確認をされたい。

以上より，正しいレセプトは以下のとおりとなる。

➡	㊿	＊帝王切開術（選択帝王切開） 複雑加算（帝王切開）（８日）22,140×1

図表７-27　妊娠子宮の断面図

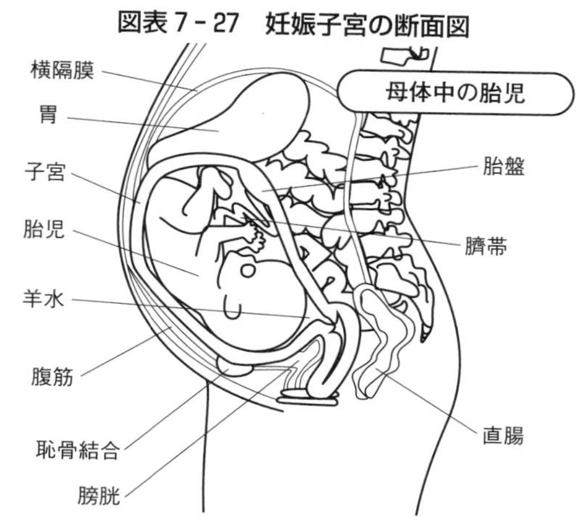

（出典：https://gazogyararigzsvg.blogspot.com/2021/04/219722.html?9）

Q80　分娩時の縫合術の算定もれ

K896

条件　**出来高病院，入院**（2024年７月分，関連部分のみ抜粋）

〈病名〉微弱陣痛（2024.７.５），会陰腟壁裂創（2024.７.５），重症妊娠高血圧症（2024.６.10）

〈内容〉【入院年月日】2024.７.５　【退院年月日】2024.７.12

㊿	＊吸引娩出術（５日） ＊硬膜外麻酔（腰部）（2時間まで）（５日）	2,550×1 800×1

〈カルテ〉

破水で入院後，自然陣痛が発来したが，陣痛微弱となり，促進開始。児心音低下，回旋異常あり，吸引分娩。母親の産道裂創部は6時方向から円蓋まで及んでおり，第3度。創痛強い。硬膜外麻酔施行し，ナート（以下省略）。

A　自然分娩中に陣痛が微弱になったため，K893吸引娩出術に移行した事例である。硬膜外麻酔の算定があるため，カルテ内容を確認した。

すると，出産時に生じた裂創が腟円蓋まで達しており，硬膜外麻酔での鎮痛に加えて，ナート（縫合）が行われていた。保険診療では，「裂傷が筋層に及ぶもの（第２度）までは分娩料に含まれる」とされている。事例は第３度であるため，分娩料とは別に診療報酬が請求できる。事例の場合は，K896会陰（腟壁）裂創縫合術（分娩時）「３」腟円蓋に及ぶもの（4,320点）を算定する。

【分娩時腟裂傷の深度】

第１度：裂傷は皮膚および皮下などの表層組織のみ
第２度：裂傷は会陰の筋層に及ぶが，肛門括約筋は侵されない
第３度：裂傷は肛門括約筋ないし直腸壁に及ぶ
第４度：第３度の裂傷に，さらに肛門粘膜および直腸粘膜の損傷が加わる

注：第３度以上の深さの場合，直ちに適切な処理を行わないと後遺症が残る。（2002年日本産婦人科医会）

通常の算定パターンと異なり，見慣れない麻酔等がある場合は，必ずカルテなどを確認して，もれているものはないかを確認することが重要である。

なお，両手術は同一手術野ではないので，それぞれ算定が可能だ。

よって，正しいレセプトは以下のとおり。

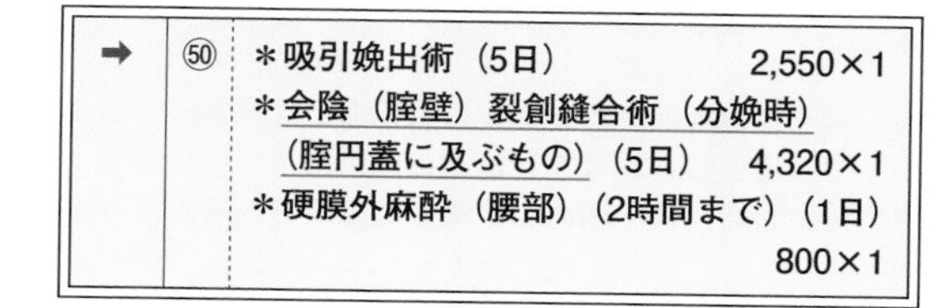

➡	㊿	＊吸引娩出術（5日）　2,550×1 ＊会陰（腟壁）裂創縫合術（分娩時） （腟円蓋に及ぶもの）（5日）　4,320×1 ＊硬膜外麻酔（腰部）（2時間まで）（1日） 800×1

Q81　輸血手技料の算定もれ

K920「5」

条件 DPC対象病院，500床規模，入院（2024年７月，関連部分のみ抜粋）

〈病名〉僧帽弁閉鎖不全症（I340），慢性腎不全（N189）

〈内容〉【診断群分類番号】050080xx0101xx

(50)	＊弁形成術（1弁のもの）（僧帽弁）（12日）	79,860×1
	＊周術期口腔機能管理後手術加算	200×1
	＊輸血管理料Ⅰ	220×1
	＊術中術後自己血回収術（濃縮及び洗浄を行うもの）	5,500×1

A　事例は，僧帽弁閉鎖不全症で手術加療が必要となり，入院となったものである。手技料，医療材料に問題はなかったが，心臓手術につき，念のため手術記録や麻酔記録との突合を行うことにした。

手術記録にはセルセーバー（血液ろ過回収装置）使用の記録があり，K923術中術後自己血回収術と整合性が取れた。レセプトにはその他の輸血関連請求がなく，摘要欄にも補記などはなかった。

次に，麻酔記録にて自己血使用量の記載欄を確認したところ，自己血の保存液を指す「自己血CPD」の使用が確認できたが，レセプトにはそれに関する算定がないことに気付いた。

【麻酔記録】（関連部分のみ抜粋）

自己血使用量（麻酔科管理）

［製剤の種類と使用量］	自己血CPD	400mL
	セルセーバー血	475mL
	ポンプ返血	862mL

外来レセプトにもK920「３」自己血貯血の算定はなく，カルテも確認したが自己血貯血は見当たらなかった。麻酔科医に自己血をいつ貯血したのかを問い合わせたところ，手術日の麻酔開始後すぐに希釈式自己血輸血を実施したと説明を受けた。

K920　輸血

5　希釈式自己血輸血

イ　6歳以上の患者の場合（200mLごとに）　1,000点

(1)　希釈式自己血輸血は，当該保険医療機関において手術を行う際，麻酔導入後から執刀までの間に自己血の採血を行った後に，採血量に見合った量の代用血漿の輸液を行い，手術時に予め採血しておいた自己血を輸血した場合に算定できる。

（令６保医発0305・４／「早見表」p.844）

K920「５」は2016年改定で設けられた項目であり，伝票に入力欄が整備されていなかったため，自己血の欄に血液量のみが記載されていた。新技術実施の記録・連絡がなかったために計算担当者が算定に反映できなかったのである。

医事は改定による新設項目について，院内実施の有無を確認したうえで，その時点で実施がなくても，初めて実施された場合に連絡をもらえるよう診療側と約束しておく必要があった。

正しいレセプトは以下のとおりとなる。

➡	(50)	＊弁形成術（1弁のもの）（僧帽弁）（12日）	79,860×1
		＊周術期口腔機能管理後手術加算	200×1
		＊輸血管理料Ⅰ	220×1
		＊術中術後自己血回収術（濃縮及び洗浄を行うもの）	5,500×1
		＊希釈式自己血輸血「イ」6歳以上（400mL）	2,000×1

図表７-28　自己血輸血術（希釈法と回収法）

希釈法：全身麻酔が開始された後自己血を採血し，その後に輸液を行い，患者さんの体内の血液を薄める方法。

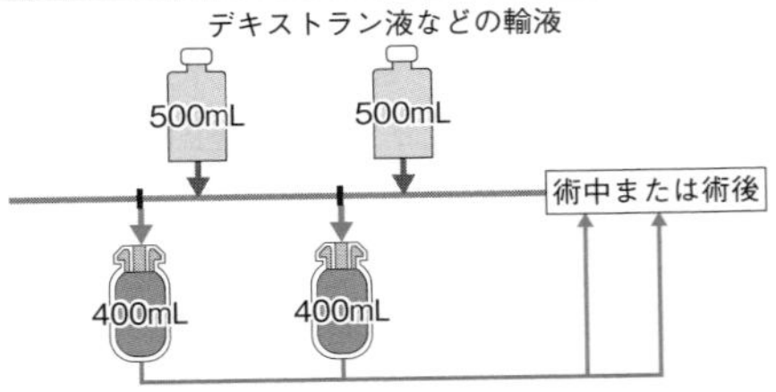

回収法：手術中や手術後に出血した血液を回収し患者さんに戻す方法。

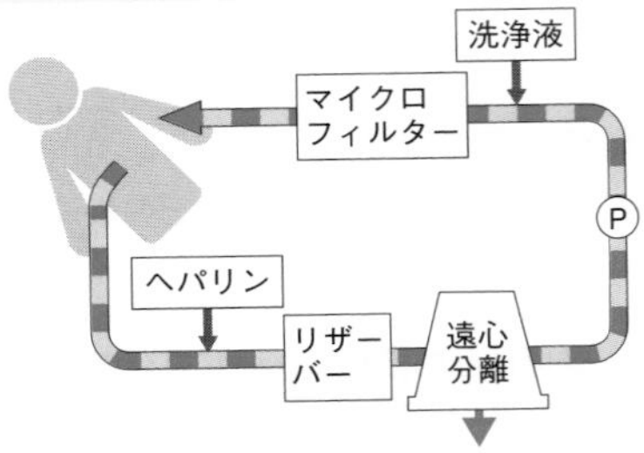

（出典：日本自己血輸血学会）

Q82　輸血の検査加算（不規則抗体検査加算）の算定もれ

K920「注6」

条件 DPC対象病院（500床），外来（2024年7月，関連部分のみ抜粋）
〈病名〉骨髄異形成症候群（H24.4.18）
〈内容〉【患者】75歳　男性

⑫	＊外来診療料	76×1
㊿	＊保存血液輸血（2回目以降）400mL	700×1
	＊血液交叉試験加算（1回）	30×1
	＊間接クームス検査加算（1回）	47×1
	＊照射赤血球液-LR「日赤」血液400mL に由来する赤血球　1袋	（点数省略）×1

〈カルテ〉
＃骨髄異形成症候群
貧血進行により7/4～7/21まで入院。
7/7，14，20にMAP輸血施行。
7/29　本日，退院後の初回外来。Hb値は横ばい。輸血施行。

A　骨髄異形成症候群で，何度も輸血している外来患者の事例である。K920「注６」不規則抗体検査加算（197点）の算定がないため，カルテを確認した。

カルテを確認すると７/21まで入院しており，入院の会計情報を確認したところ，７/７，14，20に不規則抗体検査加算を算定していた。そこで改めて点数表を確認した。

> **K920　輸血**
> 注６　不規則抗体検査の費用として（中略）1月につき197点を所定点数に加算する。ただし，頻回に輸血を行う場合にあっては，1週間に1回に限り，197点を所定点数に加算する。
> （下線筆者）（「**早見表**」**p.843**）

> **「注６」の頻回に輸血を行う場合**
> 週１回以上，当該月で３週以上にわたり行われるものである。
> （下線筆者）（令６保医発0305・４／「**早見表**」**p.844**）

上記下線部の要件は満たしており，不規則抗体検査加算は７/29の外来でも算定可能である。

以上より，正しいレセプトは次のとおりとなる（追加部分のみ抜粋）。

➡	㊿	＊不規則抗体検査加算（頻回輸血）　197×1

本事例のように算定要件が複雑な場合は，算定もれに注意が必要である。また，今回とは逆に，月初で外来診療，途中から入院診療という事例もあるため，特に血液疾患症例ではカルテで輸血予定を確認することが必要である。

Q83　輸血の検査加算（血液交叉試験加算等）の算定もれ

K920「注8」

条件 DPC対象病院（200床以上），外来，輸血管理料Ⅰ適正使用加算届出済（2024年６月分，関連部分のみ抜粋）
〈病名〉（1）高血圧症（2009.11.15），（2）うっ血性心不全（2010.1.18），（3）悪性貧血（2024.6.5）
〈内容〉患者：71歳・女性

⑫	＊外来診療料	76×3
㊿	＊輸血管理料Ⅰ（適正使用加算）	340×1
	＊保存血液輸血（2回目以降）（560mL）	1,050×1
	＊照射赤血球液-LR「日赤」血液400mLに由来する赤血球　2袋	（点数省略）×1

A　外来で輸血を繰り返している患者の事例である。カルテに輸血に伴う文書説明の記載がないため，２回目以降で算定しているが，K920輸血「注」加算（**図表７-29**）の算定がない。

輸血といえども臓器移植の一つである。血液型の適合性を誤った輸血を行うと，血管内で赤血球が破壊（凝集）され重大事故につながる。そのため，輸血の前にABO血液型の判定が必要である。また，輸血のつど，輸血パックごと（同一供血者を除く）に血液を直接混ぜ合わせて凝集の有無を観察する交叉（適合）試験（クロスマッチ）が行われる。この検査で凝集しないことが確認されてはじめて輸血が行われる。

さらに，輸血前に患者の血液に不規則抗体が含まれていないかを調べる間接クームス試験が行われることがある。輸血の繰り返しや妊娠の場合などは，血液中に不規則抗体（抗A抗体，抗B抗体以外の赤血球に反応して凝集を来たす抗体で，数百種類ある）が出現し，まれに血液型が同じで交叉試験が合格であっても，凝集を来たす場合があるからである（**図表7-30**）。一度検査を行えばよいわけではなく，疑いがある場合には，安全性を確認するためにそのつど実施される。

事例では輸血が繰り返されており，不規則抗体が出現している可能性があるので，間接クームス試験を選択したことがカルテに記載されていた。よって，間接クームス検査加算，血液交叉試験加算が算定できる。また，もし不規則抗体検査も実施されていれば，頻回に輸血を行う場合に該当するので，さらにK920「注６」不規則抗体検査加算を週１回算定することができる。

なお，DPC対象病院でも，この輸血料の「注」加算は出来高算定ができる。よって，正しいレセプトは次のとおり。

➡	⑫	＊外来診療料	76×3
	(50)	＊輸血管理料Ⅰ（適正使用加算）	340×1
		＊保存血液輸血（2回目以降）（560mL）	1,050×1
		＊間接クームス検査加算（2回）	94×1
		＊血液交叉試験加算（2回）	60×1
		＊照射赤血球液-LR「日赤」血液400mLに由来する赤血球2袋（点数省略）	×1

図表7-29　K920輸血料の検査加算（輸血に伴って行った場合）

注５　血液型検査（ABO式およびRh式）（54点）
６　不規則抗体検査（１月につき）（197点）：頻回に輸血を行う場合，１週間に１回に限り。
７　HLA型適合血小板輸血に伴って行ったHLA型クラスⅠ（A，B，C）又はクラスⅡ（DR，DQ，DP）の費用（一連につき）（1,000点または1,400点）
８　血液交叉試験，間接クームス検査又はコンピュータクロスマッチ加算（１回につき）（30点，47点又は30点）

図表7-30　ABO型輸血と凝集

A型	←	O型
↓	↙	↓
AB型	←	B型

ABO型輸血では矢印の方向に輸血が可能。逆方向に輸血する場合および矢印方向であっても不規則抗体が反応してしまう場合には，凝集を来たすため輸血はできない。

チェックポイント！
★ **繰り返す輸血の場合でも，安全性を確認するために，そのつど検査を行うことがある。輸血に伴う注加算の算定もれに注意する！**

Q84　術中術後自己血回収術の算定誤り　K923

条件　DPC対象病院，入院（2024年６月，関連部分のみ抜粋）
〈病名〉　腹部大動脈瘤（I714）
〈内容〉

(50)	＊大動脈瘤切除術〔腹部大動脈（その他のもの）〕	52,000×1
	＊術中術後自己血回収術（濾過）	3,500×1

A　K923術中術後自己血回収術は，2018年改定で，自己血回収セットの機能によって「１」濃縮及び洗浄を行うもの（5,500点）と「２」濾過を行うもの（3,500点）の２区分に細分化された項目。本事例では，「２」にて算定が行われていたので，念のためこの病院の手術室の臨床工学技士に確認してみると，同院ではかなり以前から，濃縮・洗浄のできる自己血回収キットしか購入しておらず，全例において洗浄・濃縮処理を実施しているという。

したがって，正しいレセプトは以下のとおり。

➡	㊿	＊大動脈瘤切除術〔腹部大動脈（その他のもの）〕 52,000×1 ＊術中術後自己血回収術（濃縮及び洗浄） 5,500×1

「濾過を行うもの」が術野から回収した血液を単に濾過器（輸血フィルター）で濾過する（微小凝集塊を取り除く）だけの技術であるのに対して，「濃縮及び洗浄によるもの」は回収血から脂肪球，細菌，溶血成分を90％以上除去できる装置で，処理に時間や労力，高価な材料を必要とする。これらの時間・労力・材料費用に相応の評価として，高い点数が設定されたのである。日本自己血輸血学会も「濃縮及び洗浄によるもの」を第一選択として推奨しており（**図表7－31**），現に多くの医療機関で実施されている。

この病院では，手術室看護師が電子カルテシステムに手術実施情報を入力すると医事会計システムに伝達される仕組みであったが，改定後に両システム間の連携の設定を整備していなかったため，この誤りが発見されるまで全例に算定誤りを起こしていた。改定で区分の組換えが行われた項目については，システム間の連携について確認が必要と痛感した事例であった。

図表7－31　術中術後自己血回収術の概要

区分	濃縮及び洗浄によるもの	濾過を行うもの
技術の概要	回収血から脂肪球，細菌，溶血成分を90％以上除去できる	出血を回収し，回収血を単に濾過器（輸血フィルター）で濾過する。脂肪球，細菌，溶血成分を除去できない危険性がある
技術難易度	多くの時間・労力が必要	労力を必要としない
外保連試案　技術度・所要時間	技術度C・120分	技術度C・60分
外保連試案点数…①	9,763.8点	2,481.9点
材料費用	高価な自己血回収キットが必要	自己血回収装置が安価
別途請求が認められていない必要材料の価格（定価）…②	50,970円	30,970円
①＋②	14,860.8点	5,578.9点
日本自己血輸血学会回収式自己血輸血実施基準（2012）	安全性の観点から第一選択	
普及性	現状6万件（再評価後予想8万件）	現状2万件（再評価後予想1.5万件）

中医協医療技術評価分科会（平成29年10月23日）の医療技術再評価提案書に基づく

Q85　脊髄誘発電位測定等加算の算定もれ

K930

条件 DPC対象病院（2024年６月分，関連部分のみ抜粋）
〈**病名**〉左耳下腺腫瘍（D110）
〈**内容**〉【診断群分類番号】030150xx97xxxx
【入院年月日】2024.6.10

㊿	＊耳下腺腫瘍摘出術（左）「１」耳下腺浅葉摘出術（11日） 27,210×1

A 左耳下腺腫瘍に対する手術目的で入院した事例である。通常業務として，術式に対する手術伝票との整合性を確認したが問題なかった。次に手術記録を確認した。

【手術記録の抜粋】（関連部分のみ抜粋）
手術日　：6/11
術式　　：左耳下腺腫瘍浅葉切除
手術時間：9:35 ～ 11:55
出血量　：30cc
コメント：左耳下部をＳ字切開施行。顔面神経を同定し，腫瘍を確認した。（中略）念のために周囲の耳下腺組織も追加切除した。
　腫瘍は上行枝と下行枝の間にはさまれており，細頬筋枝は腫瘍の深部にあったが，温存可能であった。NIMにて温存を確認し，止血を確認した。

ＮＩＭ（Nerve Integrity Monitor：誘発筋電計）に伴う医療材料が使用されていたが，レセプトでは請求されていなかった。手術伝票の医療材料シールを確認したところ,「保険適用外」との記載があった。

念のため，K457耳下腺腫瘍摘出術の算定要件を確認すると，K930脊髄誘発電位測定等加算「１」が算定できるとあったため，K930の通知を確認した。

> (1) 神経モニタリングについては，本区分により加算する。（令６保医発0305・４／**「早見表」p.849**）

この医療材料の添付文書を確認したところ，神経モニタリングを行える機種であった。当該材料メーカーにも確認したところ，K930脊髄誘発電位測定等加算が算定可能な材料であると回答があった。

よって，正しい請求は以下のとおりとなる。

➡	⑸⓪	＊耳下腺腫瘍摘出術（左）「１」耳下腺浅葉摘出術 27,210×１ ＊脊髄誘発電位測定等加算「１」3,630×１（８日）

請求誤りを防止するため，手術伝票に「NIM使用」のチェックボックスを追加した。

また，医療材料シールの記載内容については，「保険適用外」から，手術医療機器等加算が算定可能なほかの医療材料と同様に「技術評価」と変更して，請求もれの防止対策とした。

Q86 手術医療機器等加算の算定もれ

K939

条件 DPC対象病院，600床，入院（2024年１月，関連部分のみ抜粋）

〈病名〉錐体斜台部髄膜腫（D320）

〈内容〉【診断群分類番号】010010xx03x00x

⑸⓪	＊広範囲頭蓋底腫瘍切除・再建術（9日）	216,230×1
	＊脊髄誘発電位測定等加算	3,630×1

〈手術記録〉

手術日：2024/1/9

術式　：広範囲頭蓋底腫瘍摘出術（前方経錐体骨法）

（3）　Spinal drainage※1から（中略）次にGSPN※2をNIM※3で同定し（中略）

（10）　骨弁をチタンプレートで固定，皮下にドレーンを置いて，皮膚・皮下を型どおり閉創した。（以下略）

※1　Spinal drainage（腰椎ドレナージ）
※2　Greater superficial petrosal nerve（大浅錐体神経）
※3　Nerve integrity monitor（筋収縮を指標に運動神経の同定を行う機器）

A　左錐体斜台部髄膜腫の手術目的で入院となった事例である。この病院では年に１～２件程度の実施数であるため，手技の内容に誤りがないか，手術記録の確認を行った。

手術手技は手術記録に記載があり，問題はない。NIMの記載があるが，それに対してはK930脊髄誘発電位測定等加算「１」を算定できている。K151-2広範囲頭蓋底腫瘍切除・再建術は非常に高額であるため脳神経外科部長にも確認を行ったところ，「手技料は問題がないが，ナビゲーションシステムを使用していないか確認するように」と指示を受けた。

ナビゲーションシステムを使用していれば，K939画像等手術支援加算「１」を算定できる。ところが，手術記録にも伝票にも使用の記載はなかった。そこで手術室に確認したところ，「ナビゲーションシステムは使用していたが，手術伝票への記載がもれてしまった」とのことであった。よって，正しいレセプトは次のとおり。

➡	⑸⓪	＊広範囲頭蓋底腫瘍切除・再建術（9日） 216,230×1 ＊脊髄誘発電位測定等加算 3,630×1 ＊画像等手術支援加算（ナビゲーションによるもの） 2,000×1

今後，同様に手術伝票に記載もれがあった場合にナビゲーションシステムの使用を確認する方法がないか，手術室のクラークや看護師に相談を行った。その結果，ナビゲーションシステムを使用する場合，保険適用外の材料だが「ディスポーザブルパッシブマーカー」を使用するので，その材料シールの確認により算定もれを防止することとなった。

手術伝票に添付する材料シール

ディスポーザブルパッシブマーカー
8801075/8801075　　償還：
材料区分：一般材料

Q87　術中血管等描出撮影加算の算定もれ

K939-2

条件 DPC対象病院（500床規模），入院（2024年8月，関連部分のみ抜粋）
〈病名〉【最資源病名】直腸癌（C20）
〈内容〉

(50)	＊腹腔鏡下直腸切除・切断術（低位前方切除術）（5日） 超音波凝固切開装置等加算 自動縫合器加算（1個），自動吻合器加算（1個）	94,930×1

〈カルテ〉
〈2024年8月5日手術記録〉
直腸癌に対して腹腔鏡下低位前方切除術を施行。（中略）ICG（インドシアニングリーン）蛍光法にて，腸管切離予定部分までICG蛍光発色を確認。十分な血流があることを確認し，予定どおりの切離ラインで腸管切離。（以下略）
〈手術時使用薬剤〉　ジアグノグリーン注射用25mg　1瓶（他の医薬品は省略）

A　算定もれがないか確認のため，診療録の手術記録等を確認すると，上記のように記載されていた。

ジアグノグリーン注射用（一般名：インドシアニングリーン）を用いた術中の血管評価の技術料として，K939-2術中血管等描出撮影加算がある。

> **術中血管等描出撮影加算**
> 術中血管等描出撮影加算は脳神経外科手術，冠動脈血行再建術，K017遊離皮弁術（顕微鏡下血管柄付きのもの）の「1」，K476-3動脈（皮）弁及び筋（皮）弁を用いた乳房再建術（乳房切除術），K695肝切除術の「2」から「7」まで，K695-2腹腔鏡下肝切除術の「2」から「6」まで又はK803膀胱悪性腫瘍手術の「6」においてインドシアニングリーン若しくはアミノレブリン酸塩酸塩を用いて，蛍光測定等により血管や腫瘍等を確認した際又は手術において消化管の血流を確認した際に算定する。（以下略）
> （下線筆者）（令６保医発0305・４／「早見表」p.852）

消化管外科の手術では，腸管吻合部の縫合不全防止のために，切離吻合予定部の血流評価をICG蛍光法により行うことが増えている。当該加算は，もともと脳神経外科手術のみを対象としていたが，2018年度の改定で対象が拡大され，消化管の血流確認もその一つとなった。

なお，本事例では，ジアグノグリーン注射用の薬剤料も算定されていなかったが，効能効果には「血管及び組織の血流評価」と記載されているため，薬剤料も算定できる。正しいレセプトは次のとおり。

➡	(50)	＊腹腔鏡下直腸切除・切断術（低位前方切除術）（5日） 超音波凝固切開装置等加算 自動縫合器加算（1個） 自動吻合器加算（1個） 術中血管等描出撮影加算	95,430×1
		＊ジアグノグリーン注射用25mg　1瓶 （他の医薬品及び点数は省略）	△×1

Q88　人工肛門・人工膀胱造設術前処置加算の算定もれ

K939-3

条件 DPC対象病院，200床以上（2024年６月，関連部分のみ抜粋）
〈病名〉直腸がん（R６.３.25）
〈内容〉

(50)	＊直腸切除・切断術（切除術）（7日）	42,850×1

〈カルテ〉
2024年６月６日【術前診察】明日，直腸切除＋人工肛門造設術を予定。
WOCナース※と一緒に，ストマサイトマーキング実施。

※　皮膚・排泄ケア認定看護師。創傷（Wound），ストーマ（Ostomy），失禁（Continence）にかかわる専門の知識や技術を有すると認定された看護師のこと。

〈カルテ〉
2024年６月７日【術後診察】人工肛門造設予定であったが，ストマ造設は行わず。

A　事例では直腸がんの手術（K740直腸切除・切断術）が実施された。直腸がんの手術においては，消化管ストーマ〔人工肛門（**図表７－32**）〕を造設するケースが多い。

【ストーマ（stoma ストマ）】

腹壁につくる排泄口のことで，腸や尿管を腹壁の外に引き出してつくられる。消化管ストーマ（人工肛門）と尿路ストーマ（人工膀胱）がある。排泄物は自分の意思と関係なく，外に付けられたストーマ器具に排泄される。

直腸がんの手術で直腸と肛門を切除する場合，あるいは大腸が閉塞して便が通過できない場合に，大腸や回腸（小腸）を用いて，便の排泄口である消化管ストーマをつくる。

そのため，今回もその造設が行われているのではないかと疑ってカルテを確認した。

カルテ記載より，WOCナースとともにマーキングの実施があることが確認でき，K939−3 人工肛門・人工膀胱造設術前処置加算の算定要件を満たしていることがわかった。

しかし，翌日のカルテを確認すると，実際には人工肛門造設が行われていなかった。

人工肛門造設術前処置を行っているにもかかわらず，実際に人工肛門造設が行われなかった場合の算定は可能なのであろうか。事務連絡（平24.8.9）より，複数手術に係る取り扱い等で人工肛門造設術の手技料が算定できない場合でも，加算については算定できることはわかっていたが，人工肛門が造設されなかった場合の算定には確信がなかった。そこで地方厚生局へ問い合わせたところ，「実際に造設が行われなかった場合においても，前処置を評価した点数であるため，算定できる」との回答を得た。

よって正しいレセプトは以下のとおりとなる。

➡	(50)	＊直腸切除・切断術（切除術）（7日） 42,850×1 ＊人工肛門・人工膀胱造設術前処置加算 450×1

疑義解釈通知のみでは不明な点について，地方厚生局に問い合わせることで算定もれが防止できた事例であった。

図表 7 - 32　直腸切除術と人工肛門の造設

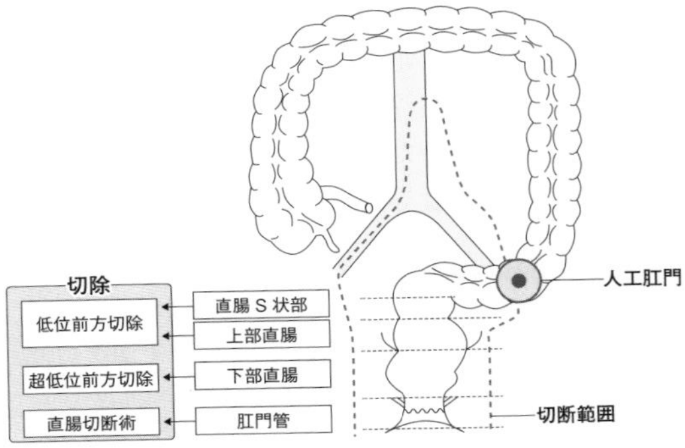

Q89　胃瘻造設時嚥下機能評価加算の算定もれ

K939-5

条件 **DPC対象病院，300床規模，入院，手術「通則16」に関する施設基準の届出あり**（2024年６月，関連部分のみ抜粋）

〈病名〉 脳梗塞後遺症（I69.3），嚥下障害（R13）

〈内容〉【患者】70歳，女性　【入院年月日】Ｒ６.６.24

(50)	＊胃瘻造設術（経皮的内視鏡下胃瘻造設術）	6,070×1

〈カルテ〉

前回誤嚥性肺炎にて入院中，耳鼻科を受診し，VFにて嚥下障害が認められたため今回胃瘻造設目的で入院となった。

A　前回入院中に嚥下障害が認められたため，胃瘻造設目的で入院となった患者の事例である。

「VF」は嚥下造影検査の略語である。嚥下造影検査とは，バリウムなどの造影剤を混ぜた食事をエックス線透視下で食べて，透視像を記録しながら観察することで誤嚥や食道からの逆流がないかを確認するものだ。

今回，レセプト点検にてK939-5胃瘻造設時嚥下機能評価加算の算定もれに気が付いた。

胃瘻造設時嚥下機能評価加算

(1)　胃瘻造設前に嚥下造影又は内視鏡下嚥下機能検査による嚥下機能評価を実施し，その結果に基づき，(中略) 胃瘻造設術を実施した場合に算定する。

(4)　嚥下機能評価の結果及び患者又はその家族等に対する説明の要点を診療録に記載する。

(5)　嚥下造影又は内視鏡下嚥下機能検査の実施日を診療報酬明細書の摘要欄に記載する。

（下線部筆者）（令６保医発0305・４）

計算担当者に確認したところ，当該加算は知っていたが，「VF」の意味がわからず算定がもれたことが判明した。

正しいレセプトは以下のとおりとなる。

➡	⑸⓪	＊胃瘻造設術（経皮的内視鏡下胃瘻造設術） 6,070×1 ＊胃瘻造設時嚥下機能評価加算　2,500×1 嚥下造影又は内視鏡下嚥下機能検査実施年月日 （胃瘻造設時嚥下機能評価加算）； R6.6.11

なお，胃瘻造設術や胃瘻造設時嚥下機能評価加算は，施設基準要件を満たさない医療機関では100分の80に減算となるため注意が必要である。当該医療機関では，施設基準の届出をしていたものの，加算の算定運用フローが決まっておらず，計算者の判断に委ねていたため算定もれが発生していた。

内科と耳鼻科の医師に相談し，嚥下機能検査実施時には「評価の結果および患者又はその家族等に対する説明の要点」を診療録に記載してもらうこととした。また，胃瘻造設時には看護師から医師へ加算算定に該当するかどうかを確認し，該当する場合はオーダーを入力してもらうこととした。算定が医事課だけの判断に頼らないよう，各部署が協力して適正な請求を心掛けたい。

Q90　切開創局所陰圧閉鎖処置機器加算の算定もれ　K939-9

条件　DPC対象病院，600床，入院，特定集中治療室管理料2届出あり（2024年９月，関連部分のみ抜粋）

〈病名〉直腸癌（R６.８.16），２型糖尿病（R６.８.16）

〈内容〉

⑸⓪	＊直腸切除・切断術（切除術） 人工肛門造設加算 （薬剤・材料省略） （点数省略）×1 ※特定集中治療室管理料2を算定している

〈カルテ〉

腫瘍を含めてRs部を切除，その後に直腸間膜を処理した。（中略）生食5Lで腹腔内を洗浄，ドレーン留置，術前のストマサイトマーキングに沿って単孔式人工肛門を造設。DMありSSI予防にPREVENAを貼付し閉創手術を終了した。　（下線部筆者）

A　2024年８月に直腸癌と診断され，同年９月に手術を行った事例である。術式はK740直腸切除・切断術「１」切除術となっていたが，当該術式は腫瘍の位置，切除部位によって点数が異なる（**図表７-33**）ため，算定の妥当性を手術記録で確認した。

手術記録に「PREVENA」という材料が明記されており，気になったため調べたところ（**図表７-34**），同材料の使用によって，2022年の診療報酬改定で新設されたK939-9切開創局所陰圧閉鎖処置機器加算が算定できることがわかった。本例の患者が算定要件に該当するか確認したところ，もともと２型糖尿病があり，術前に測定したHbA1cも10.5％（NGSP値）と要件を満たしていた。

図表７-33　K740直腸切除・切断術の分類

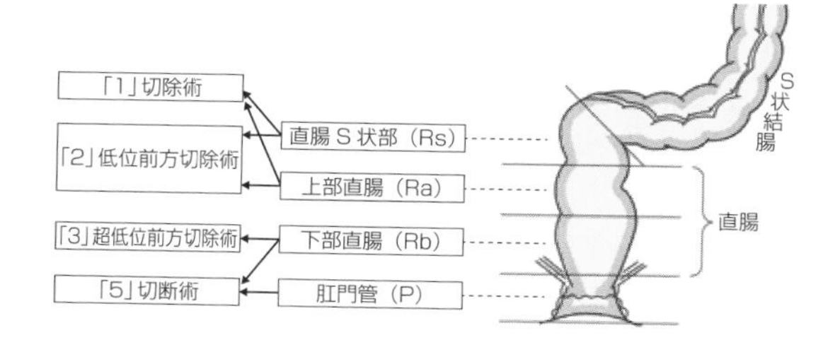

図表７-34　PREVENAの使用に係る加算

K939-9 切開創局所陰圧閉鎖処置機器加算　5,190点

手術部位感染（Surgical Site Infession：SSI）によるリスクの高い患者の縫合創に対して装置（PREVENA 切開創管理システム：下図）を用いてリスクを軽減させる。

《保険請求》

■算定対象となる患者は，A301 特定集中治療室管理料（中略）を算定する患者であって，次に掲げる患者である。なお，次に掲げる患者のいずれに該当するかを診療報酬明細書の概要欄に詳細に記載する。

ア　（略）

イ　糖尿病患者のうち，ヘモグロビンA1c（HbA1c）がJDS値で6.6%以上（NGSP値で7.0%以上）の者

ウ～ク　（略）

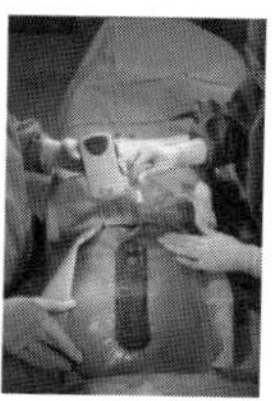

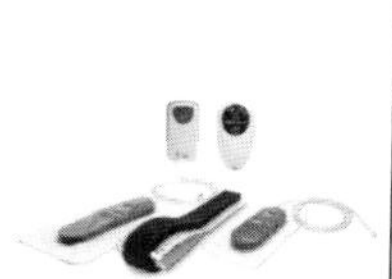

（画像提供：スリーエム ジャパン株式会社）

〔『手術術式の完全解説2024-25年版』（医学通信社）より〕

よって，正しいレセプトは以下のとおりとなる。

➡	㊿	＊直腸切除・切断術（切除術） 人工肛門造設加算 （薬剤・材料省略）　（点数省略）×1 ＊<u>切開創局所陰圧閉鎖処置機器加算</u> 5,190×1

算定もれについて担当医師に確認したところ，電子カルテへの入力忘れであったことが判明した。新設された手術医療機器等加算は，材料名称からは算定可能かどうか判断しにくいことが多いため注意が必要である。

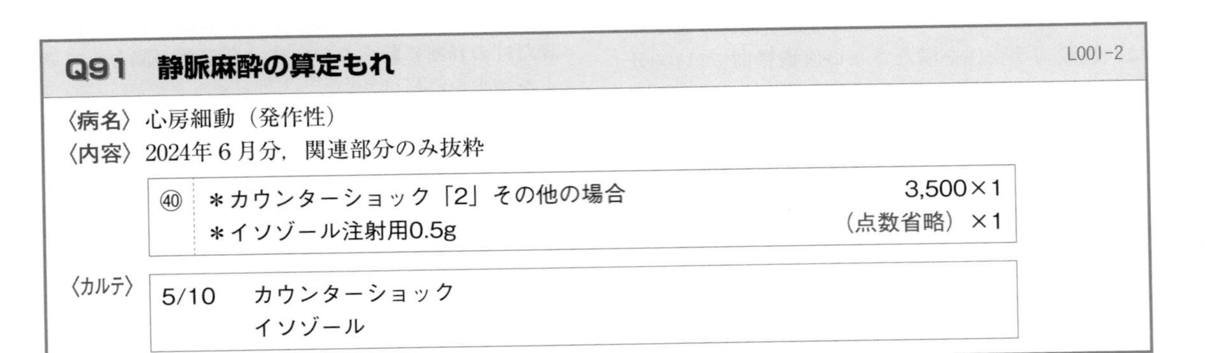

Q91　静脈麻酔の算定もれ

L001-2

〈病名〉心房細動（発作性）

〈内容〉2024年６月分，関連部分のみ抜粋

㊵	＊カウンターショック「2」その他の場合 ＊イソゾール注射用0.5g	3,500×1 （点数省略）×1

〈カルテ〉

5/10	カウンターショック イソゾール

A　心房細動：電気刺激が心房のさまざまな場所で発生し，心房の中をぐるぐる回り，心房が痙攣状態となる（**図表７-35**）。

今回の事例は，オーダリングでJ047カウンターショック（略称DC）とイソゾールが入力されたため，医事担当者がカウンターショックの手技と処置薬剤としてイソゾールを算定した事例である。

イソゾールはL001-2静脈麻酔に用いる全身麻酔剤である。カウンターショック以外にも，ペースメーカー移植術，心臓カテーテル法など静脈麻酔の用途は幅広い。なお，静脈麻酔で用いる薬剤には，他にケタラール，ラボナール，プロポフォールなどがある。また，通知にも，以下のようにある。

> **【静脈麻酔】**
> (1)　静脈麻酔とは，静脈注射用麻酔剤を用いた全身麻酔であり，意識消失を伴うものをいう。
> (2)　「1」は，静脈麻酔の実施の下，検査，画像診断，処置又は手術が行われた場合であって，麻酔の実施時間が10分未満の場合に算定する。
> （令６保医発0305・４／**「早見表」p.857**）

よって，正しいレセプトは以下のとおり。

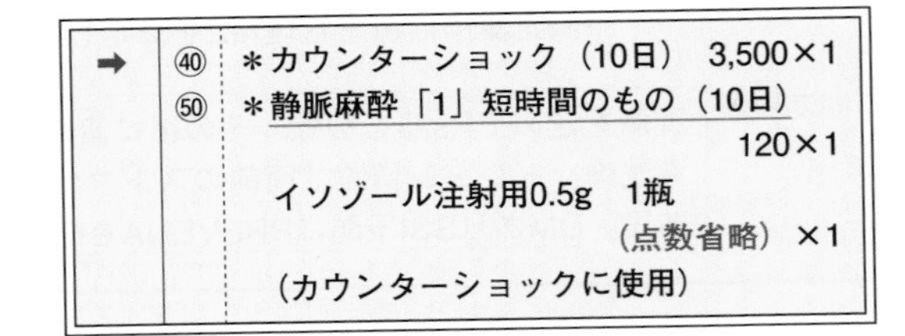

➡	㊵ ㊿	＊カウンターショック（10日）　3,500×1 ＊<u>静脈麻酔「1」短時間のもの（10日）</u> 120×1 イソゾール注射用0.5g　1瓶 （点数省略）×1 （カウンターショックに使用）

図表７-35　刺激伝導系と心房細動

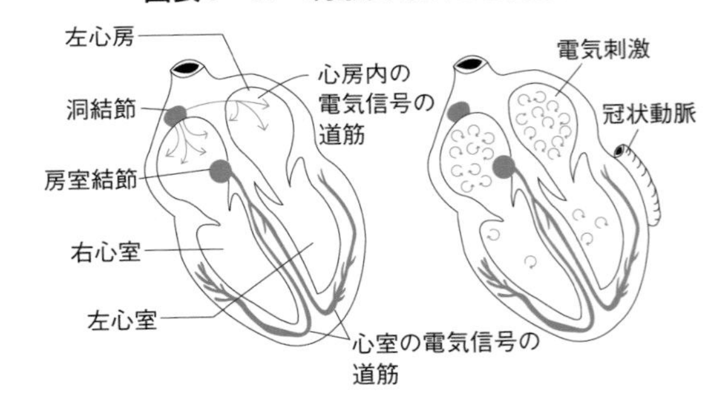

Q92　麻酔手技（脊椎麻酔・硬膜外麻酔）の算定誤り　L002，L004

条件 DPC対象病院（600床規模），入院，整形外科（2024年６月，関連部分のみ抜粋）
〈病名〉左一側性原発性股関節症（M161）
〈内容〉【診断群分類番号】07040xxx01xxxx
【入院年月日】Ｒ６.６.10　予定入院

(50)	＊人工関節置換術（股）（13日）	（点数省略）×1
(54)	＊脊椎麻酔（3時間11分）（13日） 【硬膜外麻酔（腰部）併施】 マーカイン注脊麻用0.5％等比重　4mL　1管	1,234×1

A　事例は，左一側性原発性股関節症に対して，K082人工関節置換術「１」肩，股，膝を実施した症例である。麻酔記録を確認したところ，手術にあたり，L004脊椎麻酔とL002硬膜外麻酔「２」腰部を併施していた（**図表７-36**）。

> **第11部　麻酔**
> 通則４　同一の目的のために２以上の麻酔を行った場合の麻酔料及び神経ブロック料は，主たる麻酔の所定点数のみにより算定する。

上記「通則４」より，医事課担当者は，L004脊椎麻酔（850点）とL002硬膜外麻酔「２」腰部（800点）を併施した場合，主たる麻酔のみを算定すると考え，点数の高い脊椎麻酔を算定したものと考えられる。

しかし，今回の症例は，麻酔時間が３時間を超える症例であり，麻酔手技には麻酔管理時間加算が加算される。

> **L002　硬膜外麻酔**
> 注　実施時間が２時間を超えた場合は，麻酔管理時間加算として，30分又はその端数を増すごとに，それぞれ750点，400点，170点を所定点数に加算する。
> （下線筆者）（「早見表」p.857）

> **L004　脊椎麻酔**
> 注　実施時間が２時間を超えた場合は，麻酔管理時間加算として，30分又はその端数を増すごとに，128点を所定点数に加算する。
> （下線筆者）（「早見表」p.857）

L002硬膜外麻酔「２」腰部を３時間11分実施した場合の点数は，基礎点数（800点）＋加算点数（400点×３＝1,200点）＝2,000点。一方，L004脊椎麻酔を３時間11分実施した場合の点数は，基礎点数（850点）＋加算点数（128点×３＝384点）＝1,234点となり，硬膜外麻酔が脊椎麻酔を上回る。「主たる点数」は注の加算を含む点数であることから，主たる麻酔は，L002硬膜外麻酔「２」腰部となる。

また，硬膜外麻酔および脊椎麻酔の麻酔時間は，麻酔剤を注入した時点から手術等の終了した時間までであることも合わせてご留意いただきたい。

よって，正しいレセプトは以下のとおりとなる。

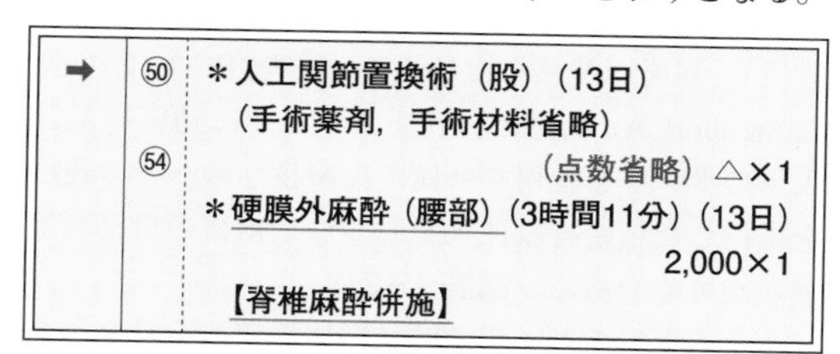

➡	(50)	＊人工関節置換術（股）（13日） （手術薬剤，手術材料省略）
	(54)	（点数省略）△×1 ＊硬膜外麻酔（腰部）（3時間11分）（13日） 2,000×1 【脊椎麻酔併施】

図表７-36　脊椎麻酔（脊髄くも膜下麻酔）と硬膜外麻酔

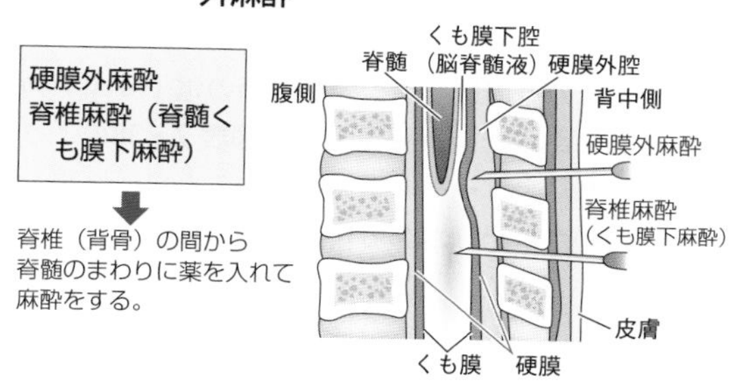

Q93　硬膜外麻酔における局所麻酔剤の持続的注入の算定もれ

L003

条件 DPC対象病院，入院（2024年7月，関連部分のみ抜粋）

〈病名〉Ｓ状結腸癌

〈内容〉分類番号：060035xx010x0x

入院日：Ｒ６.７.23

手術・処置等：腹腔鏡下結腸悪性腫瘍切除術（Ｒ６.７.24）

⑭	＊硬膜外麻酔後における局所麻酔剤の持続的注入（25〜26日）	80×2

〈カルテ〉

患者全身麻酔下，硬膜外麻酔下に半砕石位にて手術開始
【術式】腹腔鏡下結腸悪性腫瘍手術（Ｒ６.７.24）
【麻酔】閉鎖循環式全身麻酔４（腹腔鏡下）
閉鎖循環式全身麻酔５（その他）
硬膜外麻酔併用
硬膜外麻酔後，麻酔剤持続注入

A　事例では，手術目的で入院した患者のＳ状結腸癌に対してK719-3腹腔鏡下結腸悪性腫瘍切除術を実施。その後，術後疼痛管理のため，持続注入ポンプを使用し，L003硬膜外麻酔後における局所麻酔剤の持続的注入を実施した。この持続的注入は３日間行われたが，２日間しか請求できておらず，１日分の請求もれが生じていた。

硬膜外麻酔では，硬膜外腔に硬膜外カテーテルを設置し，局所麻酔薬を投与する。また，PCA（Patient Controlled Analgesia）ポンプのように精密持続注入用のポンプを使用すれば，持続投与のベース速度を維持した精密持続注入をしつつ，術後の自己調節鎮痛が可能である（**図表７-37**）。

カルテを見ると，手術時に閉鎖循環式全身麻酔と硬膜外麻酔を併施しており，硬膜外麻酔は，術後もそのまま持続投与されていることが確認でき，算定要件は問題ない。

請求もれの原因は，手術翌日以降の電子カルテのオーダーにあった。持続注入は，**図表７-38**のように看護師が注入オーダーを発行することで，医事システムに80点が記録されるが，最終日の３日目に記録されていたのが，「抜去」のオーダーだけだったのである。

算定担当者は，オーダーにミスがないと思い込んでカルテの内容点検を徹底せず，請求もれに気がつかなかった。このように，機械的にオーダーが発行されるわけではなく，人がオーダーしないとカルテに記載が残らないものについては，算定担当者がその特性や医学的な必要性を理解したうえで，電子カルテの確認をもらさず実施することが重要である。よって，正しいレセプトは以下のとおり。

➡	⑭	＊硬膜外麻酔後における局所麻酔剤の持続的注入（25〜27日）　80×3

図表７-37　PCA使用時と通常の麻酔投与の違い

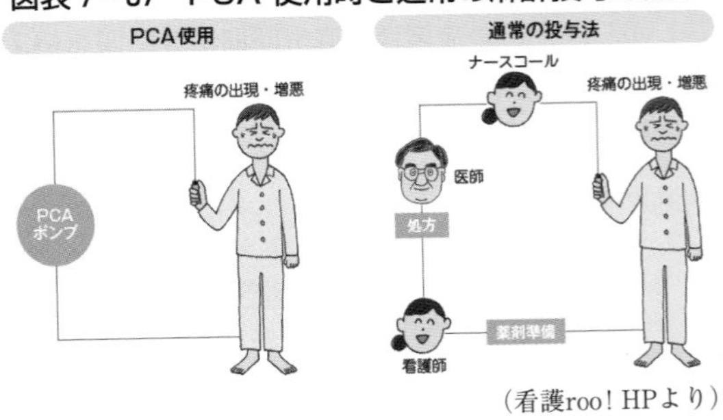

（看護roo! HPより）

図表７-38　電子カルテのオーダーもれ

	１日目	２日目	３日目
〈電子カルテ〉	注入オーダー	注入オーダー	注入オーダー（もれ） 抜去オーダー
〈医事システム〉	80点	80点	コメント

Q94　閉鎖循環式全身麻酔の区分誤り①

L008「2」

条件 DPC対象病院（500床規模），入院（2024年６月，関連部分のみ抜粋）
〈病名〉左下葉肺癌（C343）
〈内容〉【併存症】間質性肺炎
【診断群分類番号】040040xx97x00x　【入院年月日】Ｒ６.６.10　【診療実日数】12日

(54)	＊閉鎖循環式全身麻酔2（分離肺換気）295分	（点数省略）×1
	＊閉鎖循環式全身麻酔5（その他）10分	（点数省略）×1

〈詳記〉
2024年６月11日に左下葉肺癌に対して，左下葉切除術を実施。サージセルで止血を行っている。肺瘻にはネオベールで対応している。術中に換気不良による低酸素血症が発症したため，ジェットベンチレーションが必要となった。

A　高血圧症と脂質異常症でクリニック通院中，胸部異常陰影を指摘。当院で精密検査実施後に肺癌と確定され，手術実施となった事例である。高額レセプトとなったため，症状詳記が作成された。そこで，詳記内容とレセプトの整合性を確認した。

低酸素血症が術中に発症しているとのことで，病名をレセプトに追記してもらった。また，「ジェットベンチレーション」について麻酔科医師に質問したところ，ジェット流を使用する人工呼吸の方法で，高頻度換気法※と組み合わせて行われるものであると教えていただいた。麻酔記録（高頻度換気時間［10：05～11：30］）からも，分離肺換気に高頻度換気法が併施されていたことが確認できた。

点数表で全身麻酔の項目を確認してみる。

> **L008　マスク又は気管内挿管による閉鎖循環式全身麻酔**
> 1　人工心肺を用い低体温で行う心臓手術（中略）又は分離肺換気及び高頻度換気法が併施される麻酔の場合　（下線筆者）（『早見表』p.858）

よって，正しいレセプトは以下のとおりとなる。

➡	(54)	（上書き部分への追加）後発症：低酸素血症	
		＊閉鎖循環式全身麻酔1（分離肺換気及び高頻度換気法併施）85分	（点数省略）△×1
		＊閉鎖循環式全身麻酔2（分離肺換気）210分	（点数省略）△×1
		＊閉鎖循環式全身麻酔5（その他）10分	（点数省略）△×1

算定誤りの原因は麻酔科医から手術室クラークへの伝達不備だったので，お互いに注意していただくこととした。

> ※　**高頻度換気法とは**
> 高頻度換気法とは，高頻度人工呼吸（HFPPV）が可能な人工呼吸器を使用して行う麻酔法であるが（呼吸回数60回／分以上），現行では一部の手術で補助的にジェットベンチレーターによる高頻度ジェット人工呼吸が行われるのみである。適応となる手術は限られており，主として分離肺換気時の呼吸補助としての使用や，耳鼻咽喉科領域の喉頭微細手術において使用されている。必ずしもすべての対象手術で必要なわけではないので，診療上の必要理由を記したほうがよい。
> 〔『臨床手技の完全解説　2024-25年版』（医学通信社，p.268）より〕

Q95　閉鎖循環式全身麻酔の区分誤り②

L008「4」

〈病名〉右肩腱板断裂（2024.６.６），右肩打撲（2024.６.６）
〈内容〉2024年６月分，関連部分のみ抜粋　【入院年月日】2024.６.６

(50)	＊関節鏡下肩腱板断裂手術（簡単）（右）（７日）	27,040×1
	＊麻酔管理料（Ⅱ）（閉鎖循環式全身麻酔）	450×1
	＊閉鎖循環式全身麻酔5「ロ」（2時間35分）（７日）	7,200×1

〈カルテ〉

6/7	右上側臥位で全身麻酔開始，右手を挙上して固定。関節鏡を挿入，肩関節唇損傷と腱板の3cmほどの断裂を確認。修復に入る。

A 転倒して右肩打撲と肩腱板断裂を負った事例である。疼痛と可動域制限が著しいために，閉鎖循環式全身麻酔下で，K080-4関節鏡下肩腱板断裂手術が行われた。肩腱板は関節内の上部に位置しているため，通常，手術は側臥位で行われる。そのため，L008マスク又は気管内挿管による閉鎖循環式全身麻酔の算定区分は「4」側臥位ではないかと思い，カルテを確認した。

すると，手術記録に，側臥位で全身麻酔が開始された記述があり，麻酔記録も同様であった。記録がしっかりとしている医療機関であったため，原因を探ってみた。すると，電子カルテの実施記録では，「閉鎖循環式全身麻酔」のみの表示となっており，側臥位の表示がなかった。計算担当者はそれをそのまま会計へ取り込んだため，このような区分誤りとなった。システム側の連携不備の原因を探るとともに，計算担当者には全身麻酔の加算について再度説明し，疑問に思ったことの調整が取れるような仕組みを作り，対策とした。

よって，正しいレセプトは以下のとおり。

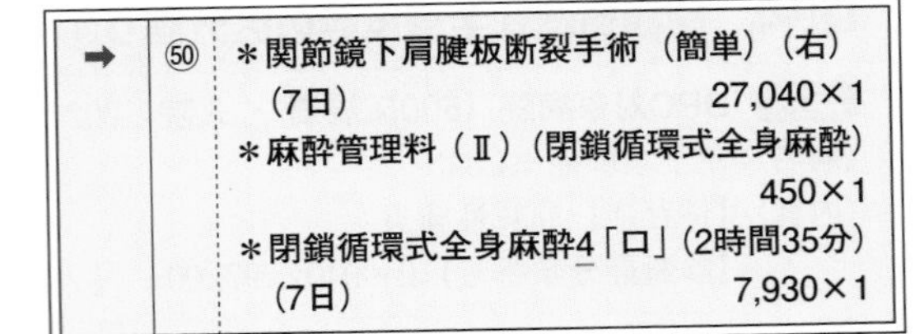
➡ ㊿ ＊関節鏡下肩腱板断裂手術（簡単）（右）（7日） 27,040×1
＊麻酔管理料（Ⅱ）（閉鎖循環式全身麻酔） 450×1
＊閉鎖循環式全身麻酔4「ロ」（2時間35分）（7日） 7,930×1

なお，肩腱板断裂（**図表7－39**）は外傷のほかに，加齢によっても引き起こされる（五十肩など）。加齢が原因の場合は，手術の前に温存療法が行われ，症状が長期にわたり改善しない場合に手術適応となる。

図表7－39　肩腱板断裂の例

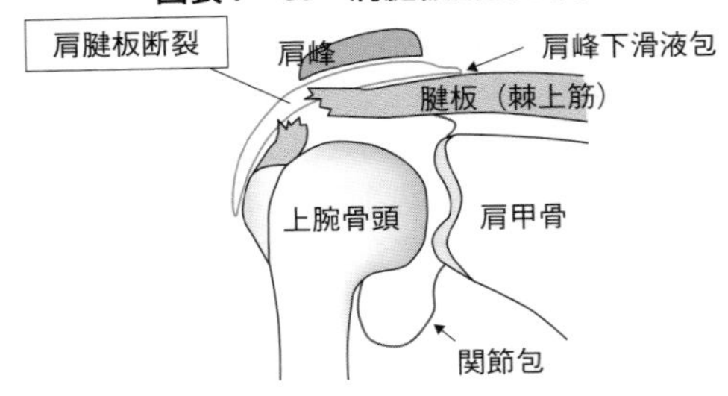

Q96　神経ブロック併施加算の算定誤り

L008「注9」

条件 DPC対象病院，500床規模，入院（2024年6月，関連部分のみ抜粋）

〈病名〉左大腿骨頸部骨折，高尿酸血症

〈内容〉

㊴ ＊閉鎖循環式全身麻酔5「ロ」（その他）（3時間35分）
神経ブロック併施加算「ロ」（イ以外の場合）
（その他の薬剤等省略） （点数省略）×1

A 自宅で伸びをする運動をしていたところ，ふらついて転倒。それ以降，左大腿部に疼痛出現し歩行困難となった症例。レセプト点検を実施した際，手術時の麻酔に対するL008「注9」神経ブロック併施加算について疑義が生じた。

このレセプトでは神経ブロック併施加算「ロ」イ以外の場合で算定されている。2022年度の診療報酬改定前には，全身麻酔に対する神経ブロック併施加算は1項目しかなかったが，改定で「イ」と「ロ」に分かれたため，「ロ」での算定で正しいか確認することとした。

まずはL008閉鎖循環式全身麻酔「注9」神経ブロック併施加算の内容を確認した。

> **L008　マスク又は気管内挿管による閉鎖循環式全身麻酔**
> 注9　（中略）
> イ　別に厚生労働大臣が定める患者に対して行う場合　450点
> ロ　イ以外の場合　45点

麻酔科の医師に相談したところ，改定により高い点数が新設されたことは把握していたため，高い点数の算定要件を医師とともに確認してみた。

> **「注9」神経ブロック併施加算**
> 神経ブロックを超音波ガイド下に併せて行った場合は，「注9」に掲げる点数を所定点数に加算する。この際，硬膜外麻酔の適応となる手術（開胸，開腹，関節置換手術等）を受ける患者であって，当該患者の併存疾患や状態等（中略）を踏まえ，硬膜外麻酔の代替として神経ブロックを行う医学的必要性があるものに対して実施する場合は「イ」に掲げる点数を，それ以外の患者（中略）は「ロ」に掲げる点数を，それぞれ所定点数に加算する。なお，「イ」の加算を算定する場合は，硬膜外麻酔の代替として神経ブロックを行う医学的必要性を，診療報酬明細書の摘要欄に記載する。
> （下線筆者）（令6保医発0305・4）

麻酔科医によると，「整形外科で行う人工関節置換術の術後には抗凝固療法を実施することが多いため，硬膜外麻酔カテーテルを挿入することにより硬膜外血種発症のリスクが高くなる。よって安全性を考慮して神経ブロックを選択する」とのことだった。

これにより，神経ブロックを行う医学的必要性が確認できたため，「イ」で算定できることが判明したのである。

正しいレセプトは以下のとおりとなる。

➡	(54)	＊閉鎖循環式全身麻酔5「ロ」（その他） （3時間35分） 神経ブロック併施加算「イ」（別に厚生労働大臣が定める患者に対して行う場合） （その他の薬剤等省略）（点数省略）×1 医学的必要性：硬膜外カテーテル挿入による硬膜外血腫発生の抑制（術後，抗凝固療法実施予定）

点数改定時は，新設項目の算定可否について，臨床的な側面の判断が事務担当者ではできないことが多いため，医療従事者に積極的に情報提供を行い，算定もれや誤りの防止に努める必要がある。

Q97　術中脳灌流モニタリング加算の算定もれ

L008「注11」

条件　DPC対象病院，800床規模，入院，胸部外科（2024年6月，関連部分のみ抜粋）

〈病名〉大動脈弁狭窄症（I350）

〈内容〉

	分類番号：050080xx0102xx 診断群分類区分：（省略） 入院年月日：R6.6.3／診療実日数：20日／予定入院	
(50)	＊弁置換術（1弁），冠動脈，大動脈バイパス移殖術 （1吻合）（併施），人工心肺（4日）	（点数省略）×1
	＊閉鎖循環式全身麻酔「2」「イ」 閉鎖循環式全身麻酔「3」「イ」 閉鎖循環式全身麻酔「5」「イ」（4日） 術中経食道心エコー連続監視加算	（点数省略）×1

A　レセプト内容の確認を依頼された病院での事例である。その結果，L008マスク又は気管内挿管による閉鎖循環式全身麻酔の「注11」術中脳灌流モニタリング加算（1,000点）の算定もれを発見した。点数表の記載を確認する。

> **L008　マスク又は気管内挿管による閉鎖循環式全身麻酔**
>
> 注11　（中略）K609に掲げる動脈血栓内膜摘出術（内頸動脈に限る），（中略）又は人工心肺を用いる心臓血管手術において，術中に非侵襲的に脳灌流のモニタリングを実施した場合に，術中脳灌流モニタリング加算として，1,000点を所定点数に加算する。
>
> （下線筆者）（「早見表」p.859）

> **「注11」術中脳灌流モニタリング加算**
>
> 近赤外光を用いて非侵襲的かつ連続的に脳灌流のモニタリングを実施した場合に算定できる。
>
> （下線筆者）（令6保医発0305・4／「早見表」p.861）

術中脳灌流モニタリング加算は，心臓血管領域で人工心肺の算定があるものが対象である（脳神経外科領域では対象手術が実施されていること）。ポイントは，「近赤外光を用いて非侵襲的かつ連続的に脳灌流のモニタリングを実施」しているかどうかだ。これさえ確認できれば，100％算定できる。早速，麻酔科医師と臨床工学室（臨床工学技士）に確認を行ったところ，ともに「以前から測定している」との回答であった。

ここで，脳灌流モニタリングについて，2017年10月に中医協に示された資料を確認したい（**図表7-40〜42**）。

図表7-40　近赤外線脳酸素モニター

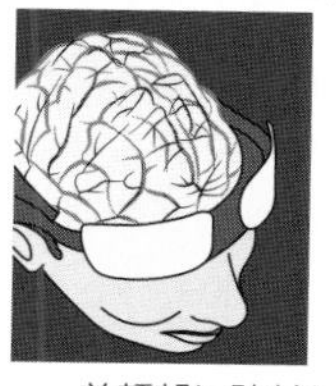

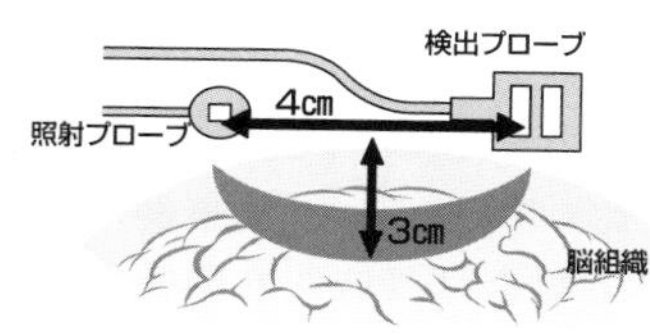

前額部に貼付したセンサーで脳局所酸素飽和度を測定

図表 7-41　医療技術評価提案書

保険収載が必要な理由	頸動脈内膜剥離術及び心臓血管外科手術では，術中に脳灌流の異常が発生（脳梗塞発生2～3%）する場合が多く，術後脳障害の発生率は一般手術と比較すると高率である。（中略）術中に近赤外線脳酸素モニターにより異常を早期に発見し，原因に対応することで，脳障害発生を予防できる。

（日本心臓血管麻酔学会より）

また，使用に当たっては「心臓血管麻酔における近赤外線脳酸素モニターの使用指針」もある。ガイドラインに則って実施されるような取組みについて，後から点数をつけるのも最近の診療報酬改定の特徴である。

以上より，正しいレセプトは以下のとおりとなる。

➡	㊿	（変更部分のみ） ＊閉鎖循環式全身麻酔「2」「イ」 閉鎖循環式全身麻酔「3」「イ」 閉鎖循環式全身麻酔「5」「イ」（4日） 術中経食道心エコー連続監視加算 術中脳灌流モニタリング加算 （点数省略）×1

図表 7-42　術中脳灌流モニタリングに使用する医療機器

医療機器の名称	製造販売元	認証番号
無侵襲混合血酸素飽和度監視システム　INVOS5100C	コヴェディエンジャパン株式会社	223AABZX00011000
FORE-SITE ELITE　オキシメーター	CAS Medical Systems社（選任製造販売業者：センチュリーメディカル株式会社）	226ADBZI00143000
ニロモニタNIRO-200NX	浜松ホトニクス株式会社	221AFBZX00122000
SenSmart™　酸素飽和度モニター X-100	テルモ株式会社	228AABZX00053
無侵襲組織酸素飽和度モニター TOS-OR，機能検査オキシメータ	フジタ医療器械	224AFBZX00022000
マシモルートモニタ 03モジュール，脳オキシメータ	マシモジャパン株式会社	22600BXZ00344000

（平成29年10月23日　平成29年度第1回診療報酬調査専門組織・医療技術評価分科会資料より）

Q98　長時間麻酔管理加算の算定もれ

L009「注4」

条件 **DPC対象病院，600床，入院，形成外科，麻酔管理料（Ⅰ）届出あり**（2024年7月，関連部分のみ抜粋）

〈病名〉鼻翼基底細胞癌（C443）

〈内容〉

	分類番号：080006xx01x0xx 入院日：R6.7.11／診療実日数：16日／入院時年齢：72歳 手術・処置等：K0172遊離皮弁術（顕微鏡下血管柄付き）（その他） K013-2 2全層植皮術（25cm²以上100cm²未満） K007 2皮膚悪性腫瘍切除術（単純切除） （実施日はいずれもR6.7.12）
㊹	＊麻酔管理料（Ⅰ）（閉鎖循環式全身麻酔）（12日）　（点数省略）×1 ＊マスク又は気管内挿管による閉鎖循環式全身麻酔5（その他） （イ以外の場合）（13時間54分）（12日）　（点数省略）×1

A 事例は，形成外科における13時間を超える長時間手術である。ポイントはL009麻酔管理料（Ⅰ）への加算の存在だ。

長時間にわたる麻酔管理は患者への負担が大きく，より厳重な管理が必要であり，かつ麻酔実施者にかかる負担も大きいことから，長時間麻酔に係る評価として，閉鎖循環式全身麻酔の実施時間が８時間を超える場合に長時間麻酔管理加算（L009「注４」7,500点）が設定されている。

算定対象術式等（**図表 7-43**）には，K017遊離皮弁術が含まれるため，今回の事例では，同加算が算定できる。

形成外科会計担当者に確認すると，そもそもこのような加算が算定できることについて認識がなかったという。担当者は，院内のジョブローテーションで昨年４月より内科系診療科から形成外科へ担当が変わったが，引継ぎの際に前任者からは何も聞いていないとのことだった。

事例の病院では，同院での算定対象術式について，毎月，手術室と医事課が連携してリストを作成し，

栓症などに多く行われるもので，検査側の負担が大きいことがわかる。改めて事例のレセプトを見ると，深部静脈血栓症に対しての超音波検査であるため，D215「２」「ロ（２）」下肢血管での算定が妥当ではないかと想像し，カルテの検査レポートを確認することにした。

レポートには，深部静脈（体表より深く，筋肉に囲まれた静脈）である大腿静脈，膝窩静脈，後脛骨静脈，腓骨静脈，ヒラメ静脈，腓腹静脈，表在静脈（体表に近く，筋肉の外側に位置する静脈），交通枝（深部静脈と表在静脈をつなぐ静脈）（深部静脈の解剖は**図表８－６**のとおり）の血栓や拡張を記録するフォーマットが用意されており，明らかに深部静脈血栓症の評価目的であることがわかった。

なお，事例において下肢血管で算定できていなかった理由は，検査システムと医事システムの連携不備であることがわかった。新たに450点として評価された点数であり，その背景には検査者の負担や近年注目される深部静脈血栓症への有効性があるため，もらさず算定したい。

よって，正しいレセプトは以下のとおり。

→	⑹⓪	＊超音波検査「2」断層撮影法（心臓超音波を除く） 「ロ」（2）下肢血管 パルスドプラ法加算　600×1

図表８－６　右下肢深部静脈の走行

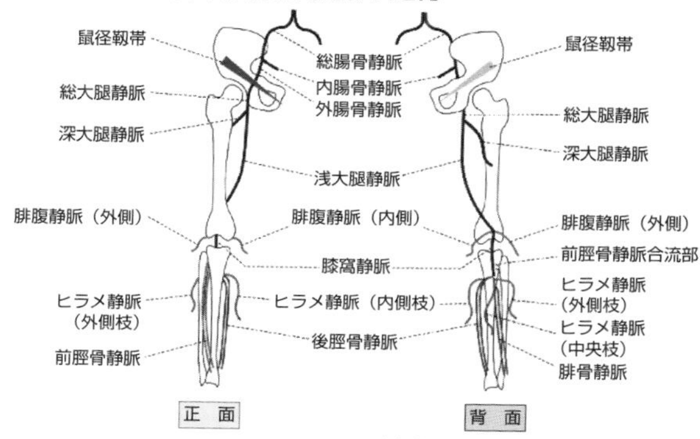

（出典：循環器画像技術研究会HP）

チェックポイント！

★　**下肢血管に対する超音波検査は，乳腺，甲状腺，頸動脈，運動器など他の臓器の超音波検査と比較して時間がかかる。そのため，2018年改定において，D215超音波検査「２断層撮影法」の「ロ　その他の場合」（２）下肢血管として点数が独立した。臨床においては深部静脈血栓症のスクリーニング検査・精密検査として行われることが多いので，もらさず算定する！**

Q105　負荷心エコー法の算定もれ

D215「3」「ホ」

条件　**DPC対象病院（200床以上）**（2024年７月分，関連部分のみ抜粋）

〈病名〉不安定狭心症（2008.１.30）
冠動脈ステント留置後（2023.７.22）

〈内容〉

⑫	＊外来診療料	76×1
⑹⓪	＊心臓超音波検査（経胸壁心エコー法）	880×1

〈カルテ〉

2023年７月に，不安定狭心症にて冠動脈狭窄部にステントを留置。３カ月ごとのフォローを継続中。１年経過後の心筋血流評価のため，エルゴメーター負荷後に心エコー実施。特筆すべき異常なし。

A　事例では，不安定狭心症と冠動脈ステント留置後の傷病名に対して経胸壁心エコーが施行されていた。一見すると問題のないレセプトのように見える。しかし，ステント留置後１年を経過して経胸壁心エコーのみの実施のため，ほかの検査を実施していないか，カルテを確認した。

カルテ内容から，冠動脈ステント留置の定期フォローと１年目の評価として，サイクルエルゴメーターで運動負荷を与えた心エコー検査が行われていたことがわかった。

サイクルエルゴメーターを使用した心エコー検査は，D215超音波検査「３」心臓超音波検査「ホ」負荷心エコー法にて算定できる。

【参考】負荷心エコーとは

負荷心エコーは，心筋虚血の状況を評価して冠動脈疾患を診断するために行う。運動負荷と薬物負荷があり，臨床的には診断率が高い運動負荷がよく用いられ，運動負荷が困難な事例に薬物負荷が用いられる。

運動負荷を用いる場合は，トレッドミル（ルームランナー）またはサイクリングマシン（サイクルエ

> ルゴメーター：自転車こぎ）を利用して負荷を加える。運動負荷量によって心拍数がピークレベルに到達したときに，心臓の超音波画像を撮影して，心筋に十分な血液と酸素が送られているかを判定する。
> （『循環器超音波検査の適応と判読ガイドライン2010年改訂版』より改変）

カルテの内容から算定可能と判断し，医師に確認したところ，「電子カルテでサイクルエルゴメーター使用による負荷心エコーのオーダーができないため，通常の心エコーを入力している」との回答があった。

医師は画面に表示される項目のみが算定可能と判断して，コメントを付与しておらず，請求担当者のほうも，入力がないことを理由に当院では負荷心エコーは行われていないと理解していた。

そこで，さかのぼってレセプトを調べたところ，数回前の診療報酬改定から負荷心エコーが算定されておらず，大きな請求もれとなっていた。

対応として，電子カルテのマスタを改修し，医師に入力してもらえるよう周知した。診療報酬改定後には，算定されていない報酬項目はないか，定期的に確認する機会を設けることと，電子カルテマスタの随時メンテナンスを実施する大切さを再認識させられる事例であった。

よって，正しいレセプトは以下のとおり。

➡	⑫	＊外来診療料	76×1
	⑥⓪	＊心臓超音波検査（負荷心エコー法）	2,010×1

Q106　ヘッドアップティルト試験の算定もれ　D225-4

条件　300床病院，外来，ヘッドアップティルト試験施設基準届出あり
（2024年６月分，関連部分のみ抜粋）

〈病名〉失神，神経調節性失神（疑い）

〈内容〉

⑫	＊外来診療料	76×1
⑥⓪	＊呼吸心拍監視（算定開始日：6.10）（１時間以内）	50×1

A　事例の医療機関では，紙カルテから電子カルテの移行に伴って医事システムも変更となった。新たにマスターを設定してオーダー入力のための説明を院内で行った際に，看護師から「ヘッドアップティルト試験とは何のことですか？」と質問があった。

そのため，D225-4ヘッドアップティルト試験（**図表８-７**）の概要を，下記の解説や留意事項通知を基に説明した。

> **D225-4　ヘッドアップティルト試験**
> **【目的】**失神発作，一過性意識障害の原因究明の目的で，特に神経調節性失神を診断する目的で行う。
> **【方法】**被験者をティルトテーブルに寝かせ，水平仰臥位の状態からテーブルを受動的に60度～90度立たせる。同傾斜を保った状態で，数十分から数時間程度，被験者の意識状態，血圧，心拍数を監視する。（後略）
> （医学通信社『最新　検査・画像診断事典』）

なお，ヘッドアップティルト試験は，医師が行った場合に限り算定する。また，単に臥位・立位・座位時の血圧等を測定するだけのものは当該検査に該当せず，算定できない扱いである。

説明を聞いた看護師は，「その検査なら，以前から血圧測定やモニター監視をしながら，循環器科の医師が行っている」と言うので，詳しく尋ねたところ，「血圧測定（基本診療料に含まれ算定不可）」と「呼吸心拍監視」のみオーダーされていたということが確認できた。

この医療機関では，ヘッドアップティルト試験の施設基準を届け出ていた。しかし，算定条件等の共有ができていなかったため，誰にも気づかれずに数回前の診療報酬改定から算定されていなかったのである。そのため，システムの変更とともに，確実にオーダーできるよう改善した。

したがって，正しいレセプトは以下のとおりとなる。

➡	⑫	＊外来診療料	76×1
	⑥⓪	＊呼吸心拍監視（算定開始日：6.10）（１時間以内）	50×1
		＊ヘッドアップティルト試験	1,030×1

施設基準を届け出たあとは，届け出た施設基準の算定件数を確認することにより，算定もれに気づける場合がある。定期的または継続的にチェックすべき内容である。

図表8－7　ヘッドアップティルト試験

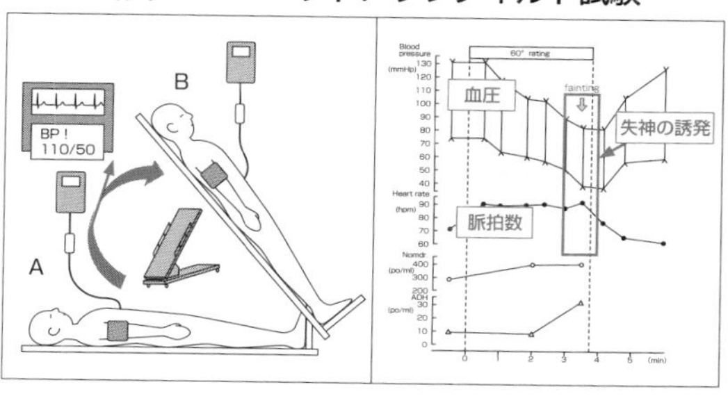

①Aの仰臥位からBの60～80度起立状態へ徐々に被験者を起こし，25～45分観察する。
②血圧，脈拍，症状を観察し徐脈，血圧低下，意識消失の有無を観察する。　（医学通信社『臨床手技の完全解説』）

チェックポイント！

★ D225-4ヘッドアップティルト試験は，神経発作があり，他の原因が特定されずに神経調節性失神が疑われる患者に対し，医師が行った場合に限り算定できる。失神発作，一過性意識障害の原因究明目的で行われるため，チェックして，算定もれを防ぐ！

★ 自施設の届け出ている施設基準と算定件数を定期的・継続的に確認して算定もれを防ぐことが必要！

Q107　筋電図検査（誘発筋電図）・複数神経加算の算定もれ

D 239「注１」

条件　**一般病院500床，外来**（2024年６月分，関連部分のみ抜粋）

〈病名〉筋委縮性側索硬化症の疑い（2024.6.3）

〈内容〉

⑥⓪	＊筋電図検査「２」誘発筋電図 （神経伝導速度測定を含む）３神経　500×１

〈カルテ〉

ALS鑑別目的：神経伝導検査（四肢）。
神経伝導は正常。筋萎縮＋。

A　筋委縮性側索硬化症（ALS）の診断時に，D239「２」誘発筋電図を算定した事例である。

ALSでは通常，同項に含まれる神経伝導速度測定が８神経以上行われる。同検査は，算定限度が1,050点（150点×７神経）に制限されているが，事例では３神経のみの算定であったため，カルテを確認した。

検査結果を見ると，四肢の主要神経ごとに感覚神経と運動神経の測定結果が記載されていた。

D239に関する保医発通知では，「混合神経について，感覚神経及び運動神経（**図表8－8**）をそれぞれ測定した場合には，それぞれを１神経と数える。また，左右の神経は，それぞれを１神経として数える」とされている。つまり，事例では合計８神経以上の測定が行われたと考えられる。

医師からも，各主要神経の感覚神経と運動神経を測定したことが確認できた〔正中神経（MCV，SCV），尺骨神経（MCV，SCV），橈骨神経（MCV，SCV），腓骨神経（MCV，SCV），脛骨神経（MCV），腓腹神経（SCV）の10神経〕〔MCV：運動神経伝達速度，SCV：感覚（知覚）神経伝達速度〕。

【筋委縮性側索硬化症（ALS）】

ほぼ突発的に筋肉を動かす神経（運動ニューロン）すべてに障害が発生し，脳からの命令が伝わらず，筋肉を動かせなくなる疾患。結果として数年で筋肉そのものが機能を失う。呼吸筋の代わりに人工呼吸器の使用が必要となる。その一方で，体の感覚や知能，視力や聴力，内臓機能などはすべて保たれる。国の難病にも指定されている。

【神経伝導速度測定】

末梢神経の損傷・障害の部位を電気的に検索する検査。神経伝導の異常を感覚神経と運動神経それぞれの神経線維に沿って２カ所以上で電気刺激をして，画面上で波形(活動電位)が現れるのを確認する。その発現時差から，伝わる速度(伝導速度)を調べる。通常，腕では正中神経か尺骨神経で運動･感覚神経線維を調べ，足では後脛骨神経で運動神経線維,腓腹神経で感覚神経線維,腓骨神経で運動･感覚神経線

図表8－8　正中神経（運動神経線維）伝導速度

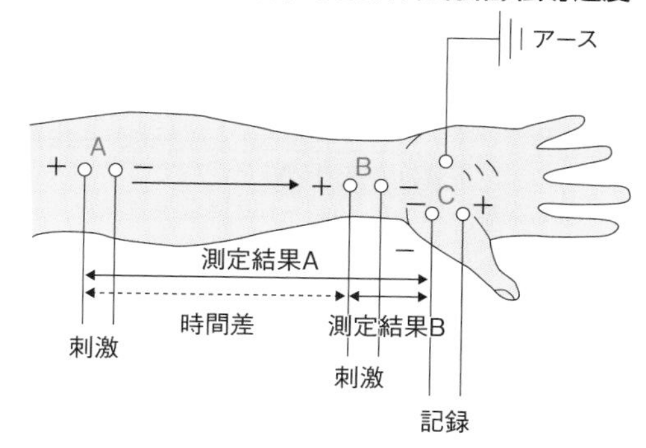

測定結果A－測定結果Bが時間差となる。
AをBに徐々に近づけると障害部位も特定できる

維を調べる。痛みを誘発するため，医師の熟練操作を必要とする。結果解析にも専門的知識を要する。

請求もれの原因は，神経数の診療報酬上の数え方についての診療側の認識のずれであった。数え方の周知とオーダー画面の改修を行った。

正しいレセプトは次のとおりとなる。

➡	⑥⓪	＊筋電図検査「２」誘発筋電図 正中神経（MCV，SCV），尺骨神経（MCV, SCV），橈骨神経（MCV, SCV），腓骨神経（MCV，SCV），脛骨神経（MCV），腓腹神経（SCV）10神経 1,250×1

Q108　小児矯正視力検査加算の算定もれ

D261「注」

条件 DPC対象病院，500床，外来，眼科（2024年６月，関連部分のみ抜粋）

〈病名〉弱視

〈内容〉【患者】５歳　女性

⑫	＊外来診療料，乳幼児加算	114×1
⑥⓪	＊屈折検査（６歳未満）	69×1

〈カルテ〉医師記録より抜粋

6/17　＃屈折性弱視
本日，屈折，視力検査を施行。眼鏡処方は年末ぐらいを予定。

検査
病理

A　弱視で眼科外来を定期受診しており，今回，D261屈折検査「１」６歳未満の場合を施行した事例である。特段問題はなさそうだが，カルテを確認した。同日にD263矯正視力検査も実施しているが，算定がないため，告示と通知を確認した。

D261　屈折検査
注　１について，弱視又は不同視と診断された患者に対して，眼鏡処方箋の交付を行わずに矯正視力検査を実施した場合には，小児矯正視力検査加算として，35点を所定点数に加算する。（以下省略）
（下線筆者）

D261　屈折検査
(3)　屈折検査とD263矯正視力検査を併施した場合は，屈折異常の疑いがあるとして初めて検査を行った場合又は眼鏡処方箋を交付した場合に限り併せて算定できる。ただし，本区分「１」については，弱視又は不同視が疑われる場合に限り，3月に１回（中略）に限り，D263矯正視力検査を併せて算定できる。（令６保医発0305・４）（下線筆者）

患者はすでに弱視と診断されており，眼鏡処方箋の交付もないため，D263矯正視力検査は算定できないが，D261「注」小児矯正視力検査加算は算定可能である。よって正しいレセプトは次のとおり。

➡	⑫	＊外来診療料	114×1
	⑥⓪	＊屈折検査（６歳未満） 小児矯正視力検査加算	104×1

眼科を標榜している医療機関では，本例のような算定もれが発生していないか，留意されたい。

【参考】弱視と近視の違い

弱視も近視も「低い視力」という点では同じである。弱視は見る力が発達していない。それに対し，近視は見る力は発達しているが，近い距離にピントがずれているため遠くがぼやけてしまう。視力が低いため，眼鏡やコンタクトレンズを用いて視力の回復を図るが，弱視では眼鏡などによる視力の回復は一般的に困難となる。

図表８－９のように，視覚の発達は３歳頃にピークを迎え，６歳頃には終わる。弱視などの視力不良がある場合，それまでに治療を開始すれば視力の改善が期待できるため，幼児期の視力検査で早期チェックをすることが重要である。

図表８－９　年齢と視力の関係

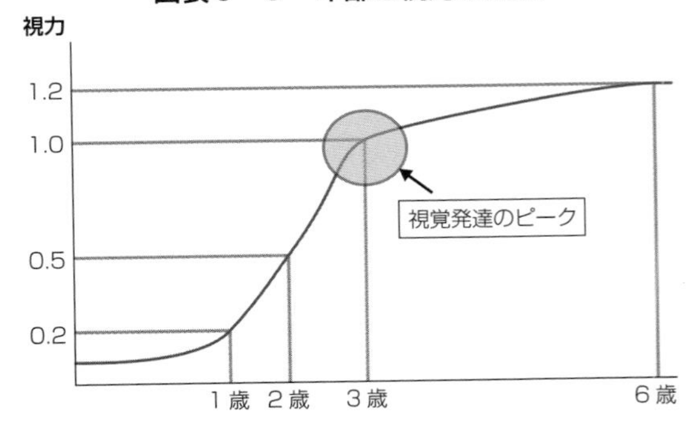

Q109　認知機能検査その他の心理検査の算定もれ

D285

条件 **出来高病院（360床），入院，内科**（2024年６月，関連部分のみ抜粋）

〈病名〉尿路感染症，認知症の疑い

〈内容〉【今回入院年月日】R６.６.14　【診療実日数】５日

⑦⓪	＊脳CT撮影（16列以上64列未満） 電子画像管理加算（コンピュータ撮影）　（点数省略）×1 ＊コンピューター断層診断　（点数省略）×1

〈カルテ〉

尿路感染症を疑う発熱にて緊急入院。入院時より理解力，判断力，記銘力の低下が顕著であったため，精神科医へ依頼し，MMSE施行（15：30～16：10）。認知症認定看護師とともに面談を実施した。
MMSE：12点/30点（以下省略）

A　事例では，入院患者に認知症の疑いがあり，MMSE（ミニメンタルステート検査）が実施された。

MMSEとは，認知機能の状態を測定できるスクリーニングテスト（**図表８-10**）で，世界的に使われている認知症の検査方法である。認知症のスクリーニング検査として知られているものとしては，ほかに「HDS-R（改訂 長谷川式簡易知能評価スケール）」（**図表８-11**）があり，HDS-Rを実施している医療機関も少なくない。

MMSEやHDS-Rを実施している複数の医療機関で，D285認知機能検査その他の心理検査「１」操作が容易なものの算定もれが散見されている。2018年の診療報酬改定以前はこれらが「基本診療料に含まれるものであり，別に算定できない」と規定されていたためである。

2018年改定では施行頻度の高い認知機能検査の評価の見直しがあり，D285「１」の算定対象に「M-CHAT，STAI-C状態・特性不安検査（児童用），DSRS-C，長谷川式知能評価スケール，MMSE，前頭葉評価バッテリー，ストループテスト及びMoCA-J」が追加され，MMSEやHDS-Rでも請求可能となった。事例の病院では，その情報が医師に伝わっておらず，正しくオーダ入力されていなかったため算定もれとなっていた。

よって，正しいレセプトは以下のとおりとなる。

➡	⑥⓪	＊**認知機能検査その他の心理検査** １操作が容易なもの　80×1 イ簡易なもの
	⑦⓪	＊脳CT撮影（16列以上64列未満） 電子画像管理加算(コンピュータ撮影)　（点数省略）×1 ＊コンピューター断層診断　（点数省略）×1

参照　2024年６月現在の検査一覧

「イ」簡易なもの	MAS 不安尺度	MEDE 多面的初期認知症判定検査	AQ 日本語版
	日本語版 LSAS-J	M-CHAT	長谷川式知能評価スケール
	MMSE		
「ロ」その他のもの	CAS 不安測定検査	SDS うつ性自己評価尺度	CES-D うつ病（抑うつ状態）自己評価尺度
	HDRS ハミルトンうつ病症状評価尺度	STAI 状態・特性不安検査	POMS
	POMS2	IES-R	PDS
	TK 式診断的新親子関係検査	CMI 健康調査票	GHQ 精神健康評価票
	ブルドン抹消検査	WHO QOL26	COGNISTAT
	SIB	Coghealth（医師，看護師又は臨床心理技術者が検査に立ち会った場合に限る）	NPI
	BEHAVE-AD	音読検査（特異的読字障害を対象にしたものに限る）	WURS
	MCMI- Ⅱ	MOCI 邦訳版	DES- Ⅱ
	EAT-26	STAI-C 状態・特性不安検査（児童用）	DSRS-C
	前頭葉評価バッテリー	ストループテスト	MoCA-J
	Clinical Dementia Rating（CDR）		

診療報酬改定時には新設点数や施設基準等の対応に重点を置いてしまうが，既存点数の算定要件変更についても対応もれのないようにご留意願いたい。

図表 8 - 10　MMSE評価表

Mini-Mental State Examination（MMSE）

得点：30点満点

検査日：　　年　月　日　曜日　施設名：

被験者：　　男・女　生年月日：明・大・昭　年　月　日　歳

プロフィールは事前または事後に記入します。　検査者：

	質問と注意点	回答	得点
1（5点）時間の見当識	「今日は何日ですか」 ＊最初の質問で、被験者の回答に複数の項目が含まれていてもよい。その場合、該当する項目の質問は省く。	日	0　1
	「今年は何年ですか」	年	0　1
	「今の季節は何ですか」		0　1
	「今日は何曜日ですか」	曜日	0　1
	「今月は何月ですか」	月	0　1
2（5点）場所の見当識	「ここは都道府県でいうと何ですか」		0　1
	「ここは何市（＊町・村・区など）ですか」		0　1
	「ここはどこですか」（＊回答が地名の場合、この施設の名前は何ですか、と質問をかえる。正答は建物名のみ）		0　1
	「ここは何階ですか」	階	0　1
	「ここは何地方ですか」		0　1
	「今から私がいう言葉を覚えてくり返し言ってください。『さくら、ねこ、電車』はい、どうぞ」		
7（1点）文の復唱	「今から私がいう文を覚えてくり返し言ってください。『みんなで力を合わせて綱を引きます』」＊口頭でゆっくり、はっきりと言い、くり返させる。1回で正確に答えられた場合1点を与える。		0　1
8（3点）口頭指示	＊紙を机に置いた状態で教示を始める。「今から私がいう通りにしてください。右手にこの紙を持ってください。それを半分に折りたたんでください。そして私にください」＊各段階毎に正しく作業した場合に1点ずつ与える。合計3点満点。		0 1 2 3
9（1点）書字指示	「この文を読んで、この通りにしてください」＊被験者は音読でも黙読でもかまわない。実際に目を閉じれば1点を与える。	裏面に質問有	0　1
10（1点）自発書字	「この部分に何か文章を書いてください。どんな文章でもかまいません」＊テスターが例文を与えてはならない。意味のある文章ならば正答とする。（＊名詞のみは誤答、状態などを示す四字熟語は正答）	裏面に質問有	0　1
11（1点）図形模写	「この図形を正確にそのまま書き写してください」＊模写は角が10個あり、2つの五角形が交差していることが正答の条件。手指のふるえなどはかまわない。	裏面に質問有	0　1

図表 8 - 11　HDS-R

改訂　長谷川式簡易知能評価スケール（HDS-R）

（検査日：　　年　　月　　日）　　（検査者：　　）

氏名：	生年月日：	年齢：　　歳
性別：　男　／　女	教育年数（年数で記入）：　　年	検査場所：
DIAG：	（備考）	

			得点
1	お歳はいくつですか？（2年までの誤差は正解）		0　1
2	今日は何年の何月何日ですか？何曜日ですか？（年月日、曜日が正解でそれぞれ1点ずつ）	年	0　1
		月	0　1
		日	0　1
		曜日	0　1
3	私たちが今いるところは、どこですか？（自発的にできれば2点、5秒おいて家ですか？病院ですか？施設ですか？の中から正しい選択をすれば1点）		0　1　2
4	これから言う3つの言葉を言ってみてください。またあとで聞きますのでよく覚えておいてください。		0　1
			0　1
8	これから5つの品物を見せます。それを隠しますので、なにがあったか言ってください。（時計、鍵、タバコ、ペン、硬貨 など必ず相互に無関係なもの）		0　1　2 3　4　5
9	知っている野菜の名前をできるだけ多く言ってください。（答えた野菜の名前を右の欄に記入する。途中で詰まり、約10秒間待っても出ない場合には、そこで打ち切る。）0～5＝0点、6～1点、7＝2点、8＝3点、9＝10点、10＝5点		0　1　2 3　4　5
		合計得点	

Q110　内分泌負荷試験の算定もれ

D287

条件　DPC対象病院（200床以上），外来（2024年6月分，関連部分のみ抜粋）

〈病名〉小腸腫瘍（2019.10.11），甲状腺腫瘍（2019.10.14），先端巨大症の疑い（2024.6.21）

〈内容〉

⑫	＊外来診療料	76×3
㉜	＊静脈内注射（外来）	37×1
	＊生理食塩液PL「フソー」20mL　2A ヘパリンNa注5千単位／5mL「モチダ」 5,000単位　1瓶（残量廃棄） ヒトCRH静注用100μg「タナベ」（溶解液付）　1瓶 LH-RH注0.1 mg「タナベ」1A	（点数省略）×1

〈カルテ〉

6/21　先端巨大症疑い
予約検査。著変なし。LH-RHとCRHの負荷試験施行。

A　ホルモン剤が算定されている事例である。薬剤の算定方法に疑問をもったため，カルテを確認した。

先端巨大症とは，脳下垂体に腫瘍ができるなどして成長ホルモンの分泌が異常となり，顔や手足に独特な変化が見られる疾患である。脳下垂体機能障害として，指定難病（54）の対象疾患にもなっている。

事例では，この疾患を疑い，負荷試験が実施されていた。

それぞれの薬剤の添付文書には，LH-RH注は「下垂体LH分泌機能検査薬」，ヒトCRH静注は「視床下部・下垂体・副腎皮質系ホルモン分泌機能検査薬」とあるため，2種類の内分泌検査が行われたことがわかる。

したがって，本事例ではD287 内分泌負荷試験が算定できる。LH-RH注は同負荷試験「1」「ロ」ゴナドトロピンの区分で，ヒトCRH静注は「1」「ホ」副腎皮質刺激ホルモンの区分で算定する。

さらに，関連告示・通知を確認する。

D287　内分泌負荷試験
注2　負荷試験に伴って行った注射，採血及び検体測定の費用は，採血回数及び測定回数にかかわらず，所定点数に含まれるものとする。（後略）

〈通知〉
(1) 各負荷試験については，測定回数及び負荷する薬剤の種類にかかわらず，一連のものとして月1回に限り所定点数を算定する。(中略)
　なお，「1」の下垂体前葉負荷試験及び「5」の副腎皮質負荷試験以外のものについては，測定するホルモンの種類にかかわらず，一連のものとして算定する。
(下線筆者)(令6保医発0305・4／「早見表」p.540)

したがって，静脈内注射の費用は算定できない。また，原則，ホルモンの種類ごとの算定はできないが，「1」下垂体前葉負荷試験の「イ」～「ホ」については，それぞれ算定できる。

よって，正しいレセプトは以下のとおり。

➡	⑫	＊外来診療料　74×3
	⑥⓪	＊内分泌負荷試験「1」ロ　1,600×1 ＊内分泌負荷試験「1」ホ　1,200×1 ＊生理食塩液PL「フソー」20mL　2A ヘパリンNa注5千単位／5mL「モチダ」5,000単位　1瓶（残量廃棄） ヒトCRH静注用100μg「タナベ」（溶解液付）1瓶 LH-RH注0.1mg「タナベ」1A （点数省略）×1

この事例では，検査用の注射だが，外来で行うことから，医師が注射の画面で登録していた。対策として，画面の改修を行い，検査でオーダーできるようにした。

Q111 胃・十二指腸ファイバースコピーの算定もれ

D308

条件 DPC対象病院（2024年6月，関連部分のみ抜粋）

〈病名〉膵癌疑い

〈内容〉【診断群分類番号】06007xxx9910xx
【入院年月日】R6.6.17

⑥⓪	＊超音波内視鏡下穿刺吸引生検法（EUS-FNA）　4,800×1 ＊内視鏡下生検法（1臓器）　310×1

〈カルテ〉
膵頭部にモザイク様の腫瘤1.3cmを観察したため，FNAを2回施行。次に拡張膵管を穿刺し，一部組織を採取。さらに膵管造影し，数珠状に拡張した膵管が造影された。造影剤を回収し終了した。

A D414-2超音波内視鏡下穿刺吸引生検法（**図表8-12**）とD414内視鏡下生検法を併算定したところ，どちらも第4節診断穿刺・検体採取料の内視鏡下生検法であるため，D414が査定された。

査定を受け，改めてD414-2の通知を確認すると次のとおりとなっている。

超音波内視鏡下穿刺吸引生検法（EUS-FNA）
(2) 採取部位に応じて，内視鏡検査のうち主たるものの所定点数を併せて算定する。ただし，内視鏡検査「通則1」に掲げる超音波内視鏡検査加算は所定点数に含まれ，算定できない。
(下線筆者)(令6保医発0305・4／「早見表」p.550)

通知の内容より，別途，ファイバースコピーの所定点数が算定可能なことがわかった。

上部消化管内視鏡所見を確認すると，EF-胃・十二指腸（D308胃・十二指腸ファイバースコピー）に併せて膵管造影も実施されていることが確認できた。

そのため，生検法とは別に，D308を所定点数に加え，さらにD308「注1」胆管・膵管造影法加算を併せて算定した。よって正しいレセプトは次のとおりとなる。

➡	⑥⓪	＊超音波内視鏡下穿刺吸引生検法（EUS-FNA）　4,800×1 ＊胃・十二指腸ファイバースコピー 胆管・膵管造影法加算　1,740×1

ところで，同様に超音波内視鏡を用いた生検法には，D415-2超音波気管支鏡下穿刺吸引生検法がある。この生検法は，超音波気管支鏡を用いて気管支，肺組織の生検を実施した場合に算定できるものである。ただし，当該生検法については，別途，D302気管支ファイバースコピーの費用は算定できない点を注意しなければならない。

超音波気管支鏡下穿刺吸引生検法（EBUS-TBNA）
(1) 超音波気管支鏡（コンベックス走査方式に限る）を用いて行う検査をいい，気管支鏡検査及び超音波に係る費用は別に算定できない。

（令６保医発0305・４／「早見表」p.551）

超音波内視鏡を用いて生検が実施された場合は，併算定できる項目について混同しないよう注意されたい。

図表８－12　超音波内視鏡下穿刺吸引生検法（EUS-FNA）

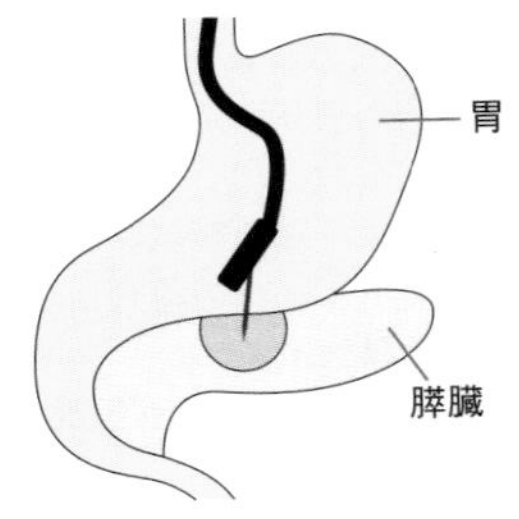

胃壁外病変や膵病変の生検を行うために，超音波内視鏡を経口的に挿入し，消化管壁からの超音波画像下に胃壁外や膵病変を針生検する。

Q112　消化管通過性検査の算定もれ

D310-2

条件　**外来**（2024年６月，関連部分のみ抜粋）
〈病名〉小腸クローン病の疑い（Ｒ6.6.11）
〈内容〉【診療実日数】２日

㊵	＊小腸内視鏡検査「3」カプセル型内視鏡によるもの	1,700×1
	＊カプセル型内視鏡（小腸用）	7,650×1

〈カルテ〉

4/11	身体所見より小腸クローン病が疑われる。本日パテンシーカプセルを内服し，問題なければ次回カプセル型小腸内視鏡検査を行う。（下線筆者）

A　小腸クローン病の診断目的で，カプセル型の小腸内視鏡検査（**図表８－13**）を行った症例である。

病名開始日から判断して，今回が初めての小腸カプセル型内視鏡検査だと考えられたため，事前に消化管通過性検査が行われているのではないかと疑い，カルテを確認した。

６月11日にパテンシーカプセルを内服させたことがわかる。パテンシーカプセルとは，カプセル型内視鏡と同サイズで内視鏡機能のないダミーカプセルで，これが問題なく排出されればカプセル型内視鏡検査が実施できるというものだ。

パテンシーカプセルの内服に関しては以下の告示・通知がある。

D310-2　消化管通過性検査　600点
消化管通過性検査は，消化管の狭窄又は狭小化を有する又は疑われる患者に対して，D310小腸内視鏡検査の「３」のカプセル型内視鏡によるものを実施する前に，カプセル型内視鏡と形・大きさが同一の造影剤入りカプセルを患者に内服させ，消化管の狭窄や狭小化を評価した場合に，一連の検査につき１回に限り算定する。また，E001の写真診断及びE002の撮影は別に算定できる。
（令６保医発0305・４／「早見表」p.546）

よって，正しいレセプトは以下のとおりとなる。

➡	㊵	＊消化管通過性検査	600×1
		＊小腸内視鏡検査「3」カプセル型内視鏡によるもの	1,700×1
		＊カプセル型内視鏡（小腸用）	7,650×1

小腸カプセル型内視鏡検査を行う前には，パテンシーカプセル内服などの消化管通過性検査が行われる可能性が高く，それ自体も点数評価されているため，カルテを確実に確認し，算定もれとならないように注意する必要がある。

また，小腸用のカプセル型内視鏡は区分148と特定保険医療材料として償還価格が設定されている（76,500円）ため，併せて算定もれに注意しなければならない。

図表８－13　小腸カプセル型内視鏡検査

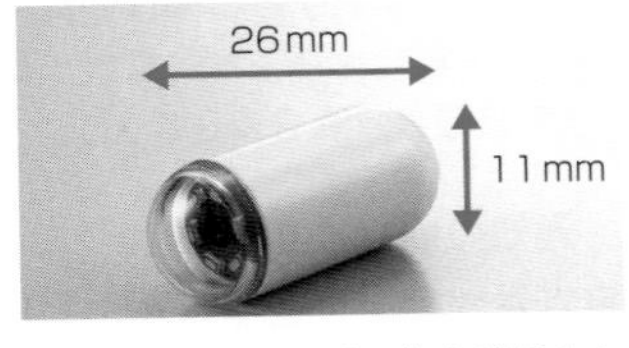

小型カメラがついたカプセルを飲み込み，カプセルが体内で撮影した画像を電波で体外に送り，それをモニターする検査方法。カプセルは24時間程度で自然に排出される。組織の採取はできないが，苦痛がほとんどない，従来の内視鏡では確認できない部位まで撮影できる――といったメリットがある。

（写真提供：オリンパス株式会社）

Q113　内視鏡的結腸軸捻転解除術の算定もれ

J034-3

条件 **出来高病院，190床，外来**（2024年６月，関連部分のみ抜粋）（R６.６.３）
〈病名〉S状結腸軸捻転の疑い，便秘
〈内容〉

⑥⓪	＊大腸内視鏡検査「1」ファイバースコピーによるもの「イ」S状結腸　900×1 （薬剤等省略）

〈カルテ〉関連部分のみ抜粋

主訴：腹痛，便秘，腹部膨満感のため，S状結腸軸捻転を疑いCTを施行。
CTでは明らかな腸管壊死・穿孔の所見がなく下部内視鏡検査を施行。
内視鏡を慎重に挿入し，閉塞部を通過させ，洗浄と吸引を行い，捻転を解除した。

A　D313大腸内視鏡検査「１」「イ」にて算定しているが，内視鏡検査時に処置を実施しており，処置料の算定もれが判明した事例である。

カルテを確認すると，検査のみではなく，結腸軸捻転（**図表８-14**）を解除していることがわかった。当該手技に該当する点数を確認すると，J034-3内視鏡的結腸軸捻転解除術があることが判明した（2018年新設）。

当初は内視鏡検査を実施予定だったため大腸内視鏡検査でオーダーされており，実際には当該検査から処置へ移行したもののオーダーを変更しなかったため，この算定もれが生じたのである。

また，当該処置については，2018年以前は内視鏡下で捻転解除をしても該当点数がなく，D313大腸内視鏡検査やK715腸重積症手術「１」非観血的なものなどを準用して算定していた。これも内視鏡的結腸軸捻転解除術を算定できなかった原因の一つである。

正しいレセプトは次のとおり。

➡	④⓪	＊内視鏡的結腸軸捻転解除術　5,360×1 （薬剤等省略）

D313大腸内視鏡検査「１」「イ」は900点，J034-3内視鏡的結腸軸捻転解除術は5,360点であり，大きな点数差となるため注意が必要である。また，傷病名が結腸軸捻転で内視鏡検査を実施している場合は，処置を併せて実施していないかを注意深く確認することが必要である。

図表８-14　S状結腸軸捻転症が形成される過程

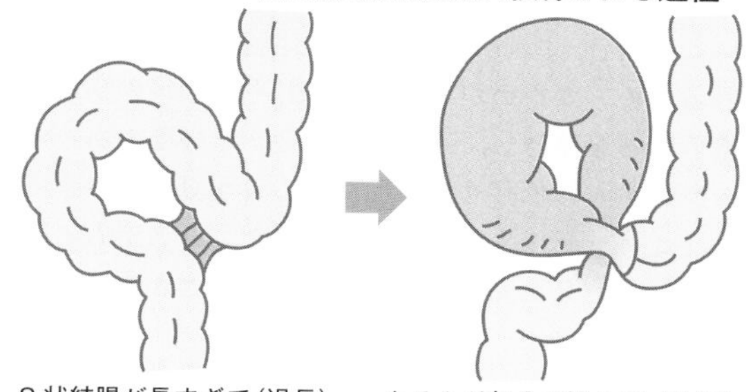

Q114　骨髄生検の算定もれ

D404-2

条件 **DPC対象病院，外来**（2024年６月，関連部分のみ抜粋）
〈病名〉(1)非ホジキンリンパ腫，慢性リンパ性白血病（R６.６.10），(7)悪性リンパ腫骨髄浸潤（R６.６.10）
〈内容〉

⑥⓪	＊骨髄穿刺「2」その他　300×1 ＊病理組織標本作製「1」組織切片によるもの（1臓器）　860×1 ＊免疫染色病理組織標本作製（その他，1臓器） 4種類以上抗体使用加算 染色抗体数：4 対象疾患：悪性リンパ腫（骨髄浸潤）　1,600×1

〈カルテ〉

【処置行為】骨髄穿刺（腸骨）<検査提出あり>
【使用材料】ディスポーザブルジャムシディ骨髄生検針1本
【処置コメント】背臥位にて1時間安静
止血確認後安静解除

A 事例では，非ホジキンリンパ腫，慢性リンパ性白血病を患う55歳男性の外来フォローにて実施されたD404-2骨髄生検が，誤ってD404骨髄穿刺「２」その他として請求されていた。算定担当者に不足していたのは，生検と穿刺の違いに関する知識だ。

骨髄は造血器の組織として，血球の生産という重要な役割をもつ。そこに針を刺して骨髄血を採取する検査が骨髄穿刺（**図表8－15**）で，より太い針を用いて骨髄の一部の組織を採取する検査が骨髄生検（**図表8－16**）であり，生検では，直接的に骨髄の組織を診断することができる。

また，骨髄穿刺は胸骨か腸骨で行われるが，骨髄生検は安全性の高い腸骨のみで行われるといった特徴がある。

算定担当者に確認したところ，事例の病院では，骨髄に対する穿刺／生検を行った場合，電子カルテのオーダーが穿刺か生検かを選択できず，すべてが骨髄穿刺となっていたことが判明した。これがミスの原因であった。カルテには次のように記載されていた。

この場合，医事システムは，穿刺として取り込まれるため，カルテから使用した針やその後の病理検査の内容を確認し，手技を打ち替える必要があった。

システムに依存せず，操作する者が算定すべき内容をイメージできていること，また，システムの改修時にそうした問題点を正しておくことが重要である。

以上より，正しいレセプトは以下のとおりとなる。

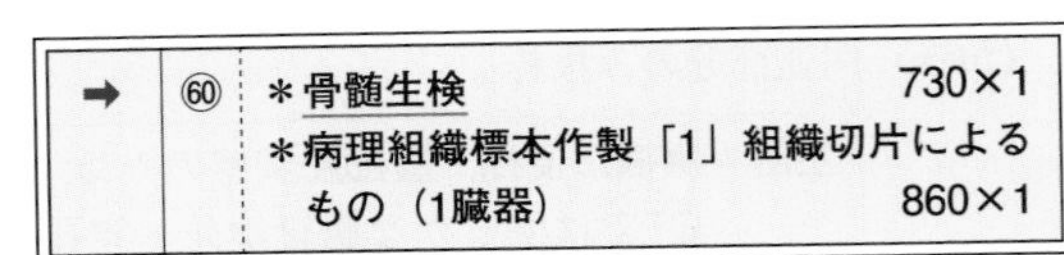

➡	⑥⓪	＊骨髄生検 730×1 ＊病理組織標本作製「1」組織切片によるもの（1臓器） 860×1

図表8－15　骨髄穿刺

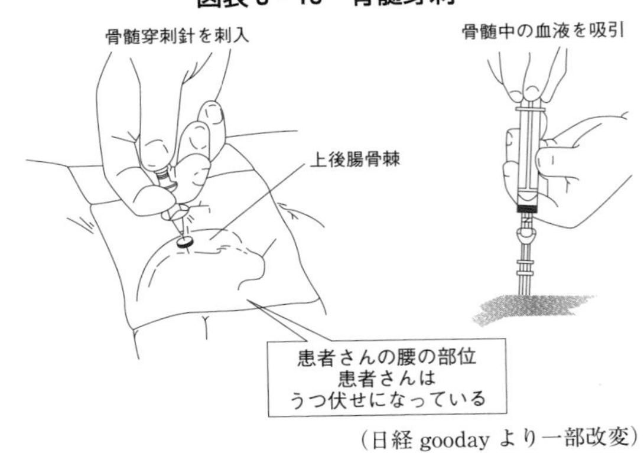

（日経 gooday より一部改変）

図表8－16　骨髄生検

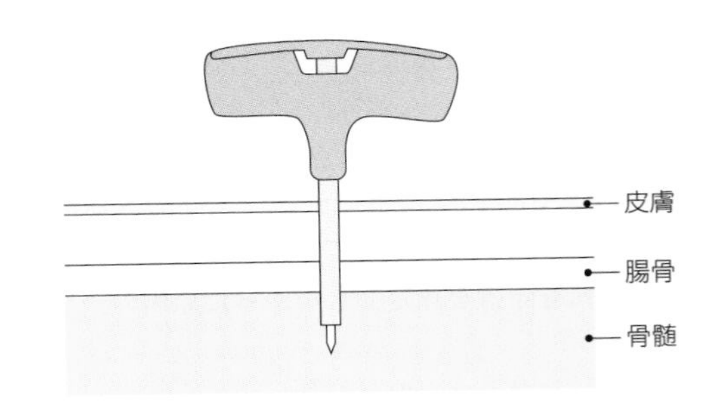

Q115　乳腺穿刺又は針生検の算定誤り

D410

〈病名〉両乳腺症（2024.7.11），左乳房上外側部癌（2024.7.11）
〈内容〉2024年７月分，関連部分のみ抜粋

⑥⓪		
	＊乳腺穿刺又は針生検「２」その他	200×1
	＊キシロカイン注ポリアンプ1％　5mL　1A	（点数省略）×1
	＊超音波検査「２」断層撮影法「ロ」(3) その他	350×1
	＊病理組織標本作製「1」組織切片によるもの（１臓器）	860×1
	＊組織診断料	520×1

A 事例は，胸のしこりを訴えて来院した患者に対するレセプトである。エコー（超音波検査）の後に乳腺穿刺という段階的な治療の流れが見えるが，乳腺穿刺にキシロカイン注（局所麻酔剤）の算定があ

ること並びに病理組織標本作製の算定があることに注目したい。ここで，D410乳腺穿刺又は針生検に関連する検査等をまとめたので，ご確認いただきたい（**図表 8 - 17**）。

通常，穿刺吸引細胞診（D410「２」その他）で用いられる穿刺針は採血にも用いられる細いものであり，局所麻酔剤を用いるまでもないため，キシロカイン注の算定に違和感がある。会計担当者に確認すると「先生のオーダーどおりにやっています」との回答であった。

そこで担当医に確認したところ，「組織診目的でやっているから生検だよ」という回答と，①細胞診では良いか悪いかの判定はできるが組織型まではわからない，②組織型を見ようと思うと生検だが，太い針を使うので局所麻酔が必要，③エコーの結果しだいで組織診から実施する患者もいる――との説明をいただいた。

乳腺穿刺においてどの区分で算定するかの決め手となるのは，局所麻酔（事例の場合はキシロカイン注）と併せて実施される検査が細胞診なのか組織診なのかである。事例では組織診が実施されている。

したがって，正しいレセプトは以下のとおりとなる。

➡	⑥⓪	＊乳腺穿刺又は針生検「１」生検針によるもの　690×1 ＊キシロカイン注ポリアンプ1%　5mL　1A （点数省略）×1

なお，事例とは反対に，局所麻酔剤の算定なく「１」生検針によるものを算定していると，査定・返戻もありえるのでご注意いただきたい。

図表 8 - 17　乳腺穿刺に関連する検査等

検査等の名称	区分番号	点数	局所麻酔	穿刺針	実施される検査
穿刺吸引細胞診	D410乳腺穿刺又は針生検「2」その他	200	なし	細い 細胞診 （組織ではなく，細胞・分泌物を吸引）	細胞診
針生検（組織診）	D410乳腺穿刺又は針生検「1」生検針によるもの	690	あり	中間 針生検（CNB）	組織診
超音波装置（エコー）ガイドマンモトーム生検（吸引型組織診） ステレオガイドマンモトーム検査（吸引型組織診）	K474-3乳腺腫瘍画像ガイド下吸引術	6,240	あり	太い マンモトーム11G （針の直径約4mm） 腫瘍 位置決め　吸引 切除　組織の回収	組織診

Q116　経皮的腎生検法の算定もれ

D412-2

条件　DPC対象病院，200床以上，入院（2024年６月，関連部分のみ抜粋）

〈病名〉ネフローゼ症候群の疑い（R６.６.20）

IgA腎症の疑い（R６.６.20）

〈内容〉

⑥⓪	＊経皮的針生検法	1,600×1

A　かかりつけ医にて腎機能の低下を指摘され，精密検査が必要として急性期病院に紹介された患者である。諸種の検査により，ネフローゼ症候群※とIgA腎症（**図表 8 - 18**）が疑われたため，入院し腎生検（**図表 8 - 19**）を行うこととなった。

※　尿中に大量のタンパクが排泄される，糸球体（血液をろ過する球状の腎組織）の病気。タンパクの過剰排泄により，体内への水分の蓄積（浮腫）等をきたす。

レセプトではD412経皮的針生検法が算定されているが，他に算定できる手技はないか確認したところ，2020年診療報酬改定により，D412-2経皮的腎生検法が新設されていた。点数も経皮的針生検法より400点高い2000点だった。

よって正しいレセプトは以下のとおり。

➡	⑥⓪	＊経皮的腎生検法	2,000×1

診療報酬改定にあたっては処置や手術等の技術だけでなく，検査における検体採取料なども新設・見直しが行われることがあるため，変更点はしっかり把握しておくべきだと思い知らされた事例であった。

図表 8－18　IgA腎症

侵入した病原体と戦うために抗体（IgA）がのど，気管支，腸などの粘膜で病原体とくっつく。

肺

腸

腎臓

腎臓の尿をろ過する膜にひっかかり，炎症を起こす

本症には対症療法――レニンアンギオテンシン系阻害薬，副腎皮質ステロイド薬（パルス療法を含む），免疫抑制薬，口蓋扁桃摘出術（＋ステロイドパルス併用療法）など――を行う。また，症例に即して血圧管理，減塩，脂質管理，血糖管理，体重管理，禁煙などを行う。

図表 8－19　腎生検

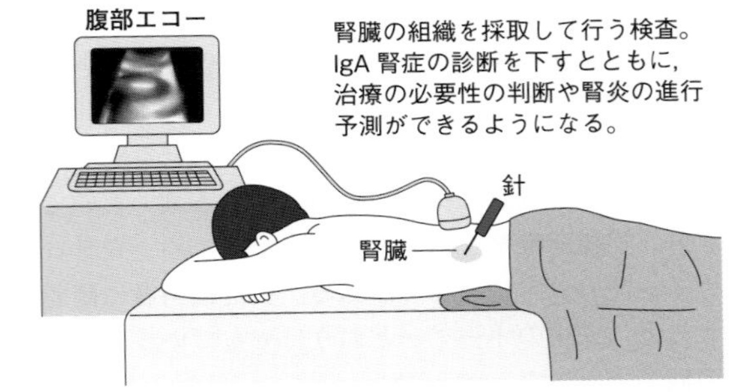

（「MedicalNote」HPより一部変更）

Q117　組織採取料（内視鏡下生検法）の算定もれ

D414

〈内容〉2024年7月分，関連部分のみ抜粋

60	＊胃・十二指腸ファイバースコピー	1,140×1
	＊病理組織標本作製「1」組織切片によるもの（1臓器）	860×1

〈カルテ〉

7/5	胃ファイバースコピー施行（フィルムレスの内視鏡を使用） 胃前庭部にnicheあり。4カ所より組織採取。病理へ提出。

A　この事例では胃・十二指腸ファイバーとともに病理検査を行っている。しかし，病理組織標本作製を行った検体の採取料が算定されていない。

カルテではファイバー下で組織が採取されているところから「D414内視鏡下生検法」がもれていることがわかる。なお，nicheとは凹のことである。

D414内視鏡下生検法の算定にあたっては，通知に「1臓器」の取扱いについては，「N000病理組織標本作製（1臓器につき）に準ずる」とあるので，併せて注意していただきたい。

病理組織標本作製

(1)「1」の「組織切片によるもの」について，次に掲げるものは，各区分ごとに1臓器として算定する。

ア　気管支及び肺臓
イ　食道
ウ　胃及び十二指腸
エ　小腸
オ　盲腸
カ　上行結腸，横行結腸及び下行結腸
キ　S状結腸
ク　直腸
ケ　子宮体部及び子宮頸部

（令6保医発0305・4／「早見表」p.880）

正しいレセプトは次のとおりとなる。

➡	60	＊胃・十二指腸ファイバースコピー	1,140×1
		＊内視鏡下生検法	310×1
		＊病理組織標本作製「1」組織切片によるもの（1臓器）	860×1

図表 8－20　消化管

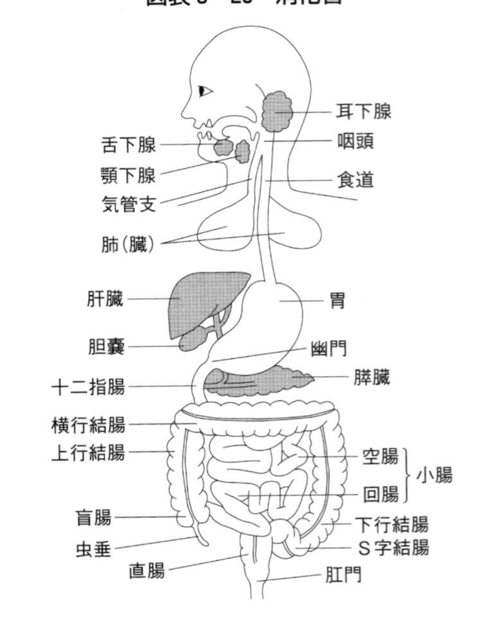

チェックポイント！

★　D414内視鏡下生検法では，例えば１回の内視鏡検査で食道，胃・十二指腸の生検を行った場合，臓器ごとに310点を算定できる。

★　D308胃・十二指腸ファイバースコピーについては，該当する場合に胆管・膵管造影法加算や，粘膜点墨加算，胆管・膵管鏡加算，狭帯域光強調加算が算定できる。

Q118　子宮頸管粘液採取の算定もれ

D418「1」

条件　DPC対象病院（600床規模），外来（2024年８月，関連部分のみ抜粋）

〈病名〉子宮頸管炎（R６.８.５），子宮頸癌の疑い（R６.８.５），子宮頸部異形成（R６.８.５）

〈内容〉

⑥⓪	＊HPV 核酸検出 ベセスダ分類がASC-US と判定された患者	347×1
	＊微生物学的検査判断料	150×1
	＊検体検査管理加算（Ⅰ）	40×1
	＊超音波検査「2」ロ（1）（胸腹部）	530×1

A　D023「10」HPV核酸検出実施時のD418「１」子宮頸管粘液採取のもれが判明した事例である。

HPV核酸検出およびHPV核酸検出（簡易ジェノタイプ判定）については，施設基準適合の届出医療機関において，予め行われた細胞診の結果，ベセスダ分類（**図表８-21**）がASC-USと判定された患者または過去にK867 子宮頸部（腟部）切除術またはK867-3子宮頸部摘出術（腟部切断術を含む）もしくはK867-4子宮頸部異形成上皮又は上皮内癌レーザー照射治療を行った患者に対して行った場合に限り算定することができ，過去に子宮頸部円錐切除またはレーザー照射治療を行った患者以外の患者は細胞診と同時に実施した場合は算定できないとされている。

算定もれの原因は，医師からのオーダーがあったにもかかわらず計算担当者が細胞診と同時算定不可であると考え，細胞診（婦人科材料等によるもの）（１部位）と同時に子宮頸管粘液採取を削除してしまったことであった。確認すると，本例のHPV核酸検出は，前回の細胞診の結果，ベセスダ分類がASC-USと判定されたので，再度，子宮頸管粘液から細胞診を行い実施したものだとわかった。この際も細胞診は算定できないが，採取料は算定できる。

正しいレセプトは以下のとおりとなる。

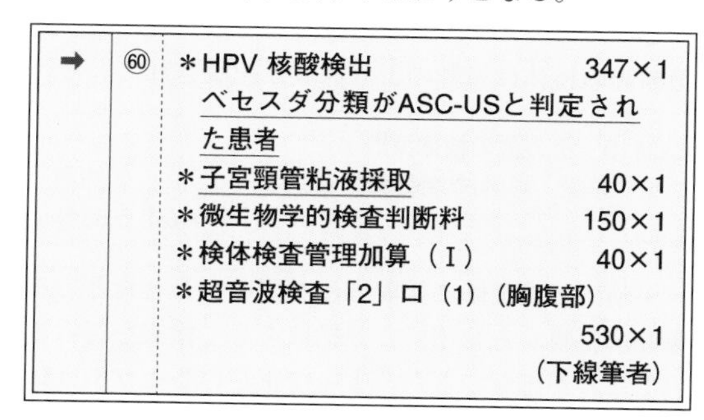

➡	⑥⓪	＊HPV 核酸検出 ベセスダ分類がASC-USと判定された患者	347×1
		＊子宮頸管粘液採取	40×1
		＊微生物学的検査判断料	150×1
		＊検体検査管理加算（Ⅰ）	40×1
		＊超音波検査「2」ロ（1）（胸腹部）	530×1

（下線筆者）

前述したように算定要件があるため，コメントももれなく記載するよう注意したい（上記レセプト下線部分）。

図表８-21　ベセスダ分類について

●扁平上皮細胞

結　果	略語	推定される病理診断
陰性	NILM	非腫瘍性所見，炎症
意義不明な異型扁平上皮細胞	ASC-US	軽度扁平上皮内病変の疑い
HSILを除外できない異型扁平上皮細胞	ASC-H	高度扁平上皮内病変の疑い
軽度扁平上皮内病変	LSIL	HPV感染，軽度異形成
高度扁平上皮内病変	HSIL	中等度異形成，高度異形成，上皮内癌
扁平上皮癌	SCC	扁平上皮癌

●腺細胞

結　果	略語	推定される病理診断
異型腺細胞	AGC	腺異型または腺癌疑い
上皮内腺癌	AIS	上皮内腺癌
腺癌	Adenocarcinoma	腺癌
その他の悪性腫瘍	other malig.	その他の悪性腫瘍

（公益社団法人日本婦人科腫瘍学会「ベセスダシステムに基づく細胞診の分類」）

Q119 鼻腔・咽頭拭い液採取料の算定もれ

D419「6」

条件 出来高病院，300床規模，外来（2024年6月，関連部分のみ抜粋）

〈病名〉急性副鼻腔炎
アレルギー性鼻炎，咽頭喉頭炎

〈内容〉

	診療実日数：3日	
⑥⓪	＊細菌薬剤感受性検査（1菌種）	185×1
	＊S-M，細菌培養同定検査（口腔）	247×1
	＊微生物学的検査判断料	150×1
	＊検体検査管理加算（Ⅰ）	40×1

〈カルテ〉

S：2024年6月14日　初診
鼻をかんでも鼻閉が改善しない
O：右中鼻道に膿性鼻漏（細菌検査）
オーダNo.○○○：
≪鼻腔内≫
一般塗抹（グラム染色），好気培養，嫌気培養
※起炎菌検索

A 子供が感冒に罹患後，それがうつり，6月初め頃より鼻閉，鼻漏（膿性で黄色い）の感冒症状が出現した母親が，耳鼻科を受診した事例である。レセプト点検にて，細菌検査にかかる採取料の算定がないのではないかと指摘を受けた。

そのため，まずカルテを確認してみたところ，細菌検査の検体は鼻腔内より採取と記載されている。

> **D419 その他の検体採取**
> 6 鼻腔・咽頭拭い液採取　25点
> （「早見表」p.552）

主治医と看護師に採取方法を問い合わせたところ，鼻腔内粘膜から綿棒により採取をして検査を行っていたことが確認できた。よって正しいレセプトは以下のとおり。

➡	⑥⓪	＊細菌薬剤感受性検査（1菌種）	185×1
		＊S-M，細菌培養同定検査（口腔）	247×1
		＊<u>鼻腔・咽頭拭い液採取</u>	25×1
		＊微生物学的検査判断料	150×1
		＊検体検査管理加算（Ⅰ）	40×1

事例の病院では，採取料の算定もれを防止するために検査科の技師と事務が連携して対策に取り組んでおり，採取料が発生する検査項目については，自動的にD419「6」鼻腔・咽頭拭い液採取が反映されるようセット化されていた。しかし，セット化された細菌検査にこの採取料が追加されていなかったため，算定もれにつながっていた。セット化は病院の責において実施される。確認もれがあると継続して診療報酬に結びつかなくなるため，よく確認されたい。

図表8－22　鼻腔・咽頭拭い液採取料の算定対象となる主な検査

区分番号	診療行為名称
D012「19」	A群β溶連菌迅速試験定性
D012「24」	RSウイルス抗原定性
D012「22」	インフルエンザウイルス抗原定性
D012「25」	ヒトメタニューモウイルス抗原定性
D012「27」	マイコプラズマ抗原定性（免疫クロマト法）
D012「38」	アデノウイルス抗原定性（糞便を除く）
D018「1」	細菌培養同定検査（口腔，気道又は呼吸器からの検体）

Q120　悪性腫瘍病理組織標本加算の算定もれ

N006「注５」

条件 DPC対象病院，600床，入院，外科，関連する施設基準は届出あり（2024年６月，関連部分のみ抜粋）

〈病名〉右乳頭部乳癌（C500）

〈内容〉

	診断群分類番号：090010xx01x0xx 入院年月日：R6.6.10／診療実日数：9日／予定入院 診療関連情報（手術・処置等）：K4763乳腺悪性腫瘍手術　乳房切除術（腋窩部郭清を伴わないもの）（R6.6.11実施）
㊿	＊乳腺悪性腫瘍手術（乳房切除術・腋窩部郭清を伴わないもの）（11日） 乳がんセンチネルリンパ節加算1　△×1
⑥⓪	＊術中迅速病理組織標本作製（T-M/OP） その他の乳腺リンパ節（11日）　（点数省略）×1 ＊組織診断料（11日） 病理診断管理加算1（組織診断）　640×1

A　N006病理診断料に2018年改定で新設された「注５」悪性腫瘍病理組織標本加算（150点）の算定もれの事例である。

同加算のポイントは，原発性悪性腫瘍に対し算定対象となる手術術式が行われ，病理診断が実施された際に算定できることである。事例では乳癌に対して，K476乳腺悪性腫瘍摘出術（「１」～「９」のすべてを含む）の実施と病理診断料の算定があるので，算定の対象となる。

病院医事課職員から，「原発かどうかわからないのでは？」と問われたが，医師は原発，転移または原発不明のそれぞれの区別を病名記載・表記で行っている。「転移性○○腫瘍（がん）」や「△△転移」及び「原発不明がん」との記載・表記がなければ，原発がんと考えるべきである（**図表８－23**）。この点を病理診断医に確認したところ，ご了解いただいた。事務職には，「原発」と「それ以外」の悪性腫瘍の区別がむずかしく映るかもしれないが，医師による病名記載・表記を確認すればよいことをご理解いただきたい。また，同加算が，がんが死因の第１位である我国において，施設基準を満たす施設，病理診断医に対する評価であることも併せてご理解いただきたい。

したがって，正しいレセプトは以下のとおりとなる。

➡	⑥⓪	（変更部分のみ） ＊術中迅速病理組織標本作製（T-M/OP） その他の乳腺リンパ節（11日） （点数省略）×1 ＊組織診断料（11日） 病理診断管理加算1（組織診断） 悪性腫瘍病理組織標本加算　790×1 〔検体を摘出した手術の名称：K4763 乳腺悪性腫瘍手術　乳房切除術（腋窩部郭清を伴わないもの）〕

改定直後の診療月分のレセプト提出に当たっては，自院が届出を行った項目について，届出事務担当者と会計・算定部門とのあいだで計画的に確認の機会を設けておく等の工夫を行い，もれのない請求を実現することが求められる。

図表８－23　原発，転移の分類

原発がん	がんが発生した臓器を原発部位，そのがんを原発巣と呼ぶ	（備考） 胃がん（原発がん）の肝転移（転移巣）では，その転移巣は胃がんの性質を示す。
転移がん	原発部位から離れた部位で進展したがんを転移巣と呼ぶ	
原発不明がん	転移巣が先に見つかり，生検で病理組織学的にがんと診断されるが原発部位がわからないもの	

（国立がん研究センターがん情報サービス「原発不明がん」より）

9—画像診断の請求もれ

Q121 他医フィルム診断料の算定もれ

E001, E203

〈病名〉肝癌，腹水
〈内容〉2024年７月分，関連部分のみ抜粋

⑪	＊初診料	291×1
⑦⓪	＊他医フィルム診断（腹部単純撮影）	85×1

〈カルテ〉

7/4 肝癌にてA病院から紹介状持参。レントゲンフィルム3枚（腹部XP・アンギオ・CTフィルム）持参。読影後，入院決定。MRIを予約。

A カルテをみると，患者は，腹部レントゲン，血管造影フィルム，CTフィルムを紹介状とともに持参したことがわかる。医師は読影後，入院して精査の必要ありと判断し，さらにMRIの予約を入れた。

レセプトをみると，他医フィルム診断料は腹部単純撮影だけが算定されている。しかし，他医フィルム診断料は，単純撮影，特殊撮影，造影剤使用撮影，乳房撮影ごとに１回算定できるので，血管造影フィルムの診断料は別に算定可能である。

次に，写真診断料以外の通知を確認してみよう。

【コンピューター断層診断】
(3) 当該保険医療機関以外の医療機関で撮影したフィルムについて診断を行った場合には，「A000」に掲げる初診料（注５のただし書に規定する２つ目の診療料に係る初診料を含む）を算定した日に限り，コンピューター断層診断料を算定できる。
（令６保医発0305・４／「**早見表」p.570**）

上記の内容のように，E203コンピューター断層診断料も算定が可能なことがわかる。よって，正しいレセプトの請求は以下のとおりとなる。

➡	⑪	＊初診料	291×1
	⑦⓪	＊他医フィルム診断	
		腹部単純撮影	85×1
		造影剤使用撮影	72×1
		コンピューター断層診断	450×1

Q122 選択的血管造影加算の算定もれ

E003「3」

〈病名〉肝細胞癌
〈内容〉2024年７月分，関連部分のみ記載

⑦⓪	＊腹腔動脈造影（デジタル）	
	上腸間膜動脈造影（デジタル）	
	総肝動脈造影（デジタル）	
	固有肝動脈造影（デジタル）	
	画像記録用フィルム　大角3枚，半切8枚（点数省略）×1	
	＊動脈造影カテーテル法「ロ」	1,180×1
	＊ガイドワイヤー　（単価省略）×2本	
	血管造影用シースイントロデューサーセット　一般用（単価省略）×1本	
	血管造影用カテーテル　一般用（単価省略）×2本	（点数省略）×1

A　E003造影剤注入手技「３」動脈造影カテーテル法「イ」（選択的血管造影）は，血管造影時に，血管造影用カテーテルを用いて，主要血管の分枝血管（**図表９-１**）を選択的に造影撮影した場合に算定できる。この症例では，主要血管のうち上腸間膜動脈・腹腔動脈を脈管造影用カテーテルを使用して造影撮影をしており，分枝血管の数にかかわらず１回に限り算定できる。

造影剤注入手技

⑶「３」の「イ」は，主要血管である総頸動脈，椎骨動脈，鎖骨下動脈，気管支動脈，腎動脈，腹部動脈（腹腔動脈，上及び下腸間膜動脈をも含む），骨盤動脈又は各四肢の動脈の分枝血管を選択的に造影撮影した場合，分枝血管の数にかかわらず１回に限り算定できる。

総頸動脈，椎骨動脈，鎖骨下動脈，気管支動脈及び腎動脈の左右両側をあわせて造影した場合であっても一連の主要血管として所定点数は１回に限り算定する。

（令６保医発0305・４／**「早見表」p.559**）

よって，正しい請求は以下のとおりである。

⑦⓪	**＊動脈造影カテーテル法「イ」主要血管の分枝血管を選択的に造影撮影した場合　3,600×1**

チェックポイント！

★ **E003造影剤注入手技における「選択的血管造影」は，主要血管である総頸動脈，椎骨動脈，鎖骨下動脈，気管支動脈，腎動脈，腹部動脈，骨盤動脈，各四肢の動脈の分枝血管を選択的に撮影した場合，分枝血管の数にかかわらず１回に限り算定できる。**

図表９-１　大動脈の区分と分枝血管

区分	分枝血管	血液の流れ
Ⓐ上行大動脈	左右冠状動脈	上行大動脈➡心臓へ
Ⓑ大動脈弓	腕頭動脈，左右総頸動脈，左右鎖骨下動脈，椎骨動脈	大動脈弓➡頭頸部と上肢へ
Ⓒ胸大動脈	気管支動脈，食道動脈，後肋間動脈，上横隔膜動脈	胸大動脈➡胸部へ（心臓以外）
Ⓓ腹大動脈	腹腔動脈（総肝動脈，左胃動脈，脾動脈），上腸間膜動脈，副腎動脈，腎動脈，生殖腺の動脈（精巣動脈，卵巣動脈），下腸間膜動脈	腹大動脈➡腹部へ
Ⓔ総腸骨動脈	外腸骨動脈，内腸骨動脈	総腸骨動脈➡骨盤部と下肢へ

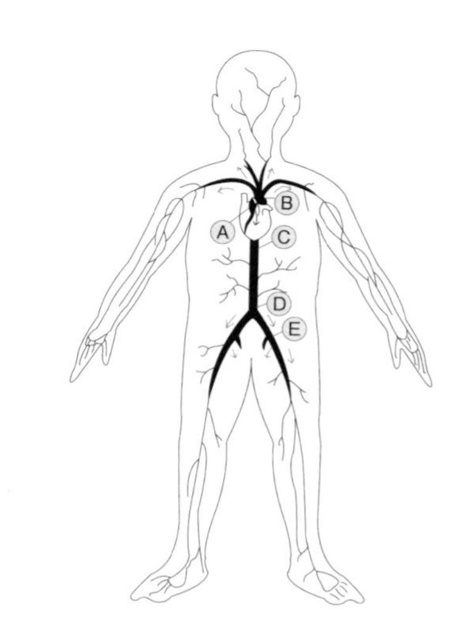

Q123　造影剤注入手技料の算定もれ

E003「６」「イ」

条件　**一般病院200床，外来，生後４カ月男児**（2024年６月分，関連部分のみ抜粋）

〈病名〉腸重積症（2024.6.11）

〈内容〉

⑦⓪	＊注腸　透視	110×1
	＊アナログX-P（スポット・特殊）	486×1
	＊六ツ切２枚	（点数省略）×1
	＊ガストログラフイン経口・注腸用　20mL 生理食塩液100mL　0.8瓶	（点数省略）×1

〈カルテ〉

6月11日　母親に連れられ来院。昨夜から腹痛（2＋）。腹部触診にて，右下腹部にソーセージ様の塊を触る。注腸造影途中に自然修復。状態を落ち着かせたあと，経過観察と説明を行い，帰宅させた。

A　事例では，造影剤を使用した注腸透視が行われている。

注腸透視とは，逆行的に肛門から腸管に造影剤を注入して腸管の状態をエックス線で観察することをいう。患者自らが経口で造影剤を飲む場合と個別に算定できないと明記されている場合以外は，E003造影剤注入手技が算定できる。

しかし，事例では，この造影剤注入手技料が算定されていない。調べてみたところ，この病院では腸重積症の場合の注腸造影手技料がほとんど算定されないことがわかった。

腸重積症に対する注腸造影は，部位の確認と診断の確定を目的に，整復も期待しつつ実施される。この時点で整復ができなければ，非観血的なものと観血的なものが設定されている腸重積症整復術（K715）が実施される。

カルテでは，非観血的腸重積症整復術に該当する高圧浣腸や空気注入が行われたことは確認できなかった。

腸重積症に対して高圧浣腸等による非観血的修復術を行わず，経肛門的に造影剤を注入する場合，造影剤注入手技料として，E003 造影剤注入手技「６」腔内注入及び穿刺注入「イ」注腸が算定できる。

よって，正しいレセプトは次のとおり。

➡	⑦⓪	＊注腸　透視	110×1
		＊アナログX-P（スポット・特殊）	486×1
		＊六ツ切２枚	（点数省略）×1
		＊造影剤注入手技（注腸）	300×1

【参考：腸重積症】

腸重積症は，腸の一部が同じ腸のなかにもぐり込んで重なり合う病気。回腸（小腸の終末部）に大腸が入り込むケースが多い（**図表９-２**）。生後３，４カ月〜１歳頃に起こりやすい。放置すると重なった腸の内側に血液が届かず，壊死を起こしてしまうことがあるため，早急な整復が求められる。

状態確認の造影撮影で自然整復されない場合，発症後20時間以内なら，高圧浣腸や長いイレウスチューブの挿入等による非観血的整復術が試みられる。

ほとんどの症例はこれらの方法で整復できるが，修復不能の場合は，開腹して観血的に整復手術を行う。

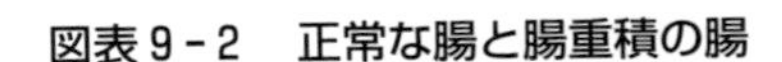

図表９-２　正常な腸と腸重積の腸

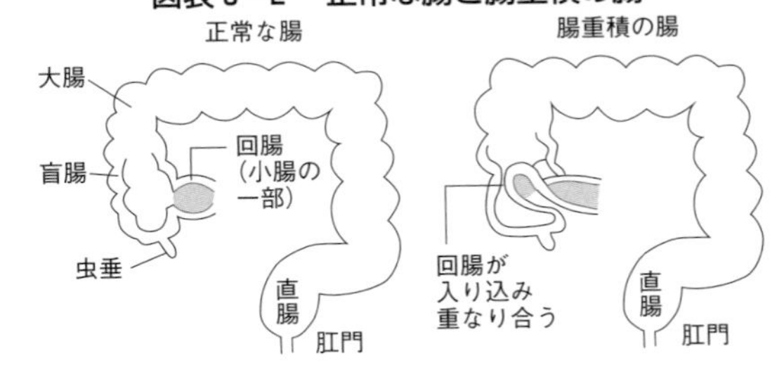

Q124　嚥下造影の算定もれ

E003「７」

〈病名〉嚥下障害

〈内容〉2024年６月分，関連部分のみ抜粋

⑦⓪	＊胃，写真診断（造影剤使用撮影）	72×1
	＊造影剤使用アナログ撮影	144×1

〈カルテ〉

放射線伝票：UGI（VF・ビデオカメラ）B4×1，経口造影剤使用

A　UGIは，Upper Gastrointestinal tractの略語で「上部消化管造影」を意味する。VFは，Video fluorographyの略語で，放射線科で使用する場合の直訳は「ビデオ透視」だが，多くの場合，「嚥下造影」を意味する。

嚥下障害の障害場所によっては呼吸器に唾液が入り込み，高齢者の肺炎の主な原因の一つとなる（誤嚥性肺炎）。嚥下造影は，この唾液を飲み込む動作の異常がどこにあるかを探り，治療方針決定のために行われる。造影剤を口から飲ませて，咽頭から食道までの流れ具合に加えて，造影剤が呼吸器にもれていないかを観察する。より詳しく状態を解析するために，フィルム撮影のみではなく透視状況を動画としても撮影する。

この事例では，単なる胃造影ではなく嚥下造影が行われたことがわかる。この場合は，造影剤の注入手技としてE003「７」嚥下造影が算定できる。また，食道は消化管の一部であり，かつ嚥下造影の性質上，前述の理由から透視診断は不可欠である。さらに，「UGI（VF・ビデオカメラ）Ｂ４」とは，デジタル撮影機器専用のＢ４フィルムの使用を表していることも見逃してはならない。

よって，正しいレセプトは次のとおり。

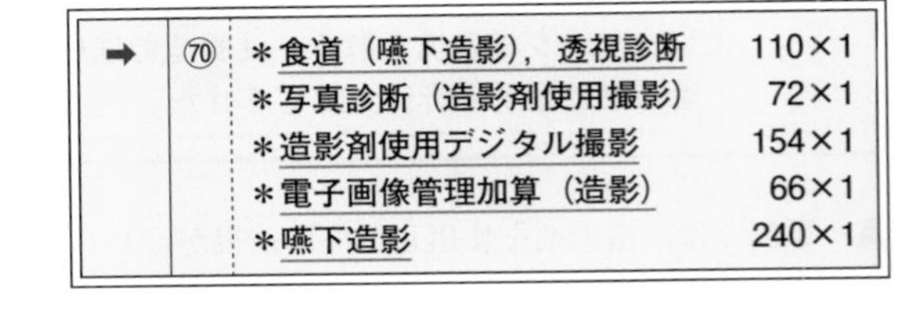

➡	⑦⓪	＊食道（嚥下造影），透視診断	110×1
		＊写真診断（造影剤使用撮影）	72×1
		＊造影剤使用デジタル撮影	154×1
		＊電子画像管理加算（造影）	66×1
		＊嚥下造影	240×1

Q125　クリアボーン注の数量間違いによる算定もれ

E100

条件 **500床規模，外来，泌尿器科**（2024年９月，関連部分のみ抜粋）
〈病名〉前立腺癌（主）（R６.９.９），前立腺肥大症（R３.4.16），前立腺癌骨転移の疑い（R６.４.９）
〈内容〉

⑦⓪	＊シンチグラム（全身） 電子画像診断管理加算（核医学診断料） 電子媒体保存撮影　1回（17日）　2,320×1 ＊クリアボーン注　1MBq 生理食塩液PL「フソー」20mL　1管（17日）　（点数省略）×1

A　前立腺癌（進行すると骨に転移しやすい）の患者に対し，骨シンチグラフィー（骨シンチ）が実施された事例である。骨シンチでは，全身の骨を一度に検査することができる。骨シンチについては『最新 検査･画像診断辞典　2024-25年版』(医学通信社) p.389を参考にされたい。

レセプトにあるクリアボーン注（骨シンチに使用されるラジオアイソトープ）の量が「１MBq」である点に注目し，添付文書を確認した。

> **クリアボーン注**
> 【用法・用量】通常，成人には555 ～ 740MBqを肘静脈内に注射し，1～2時間の経過を待って被検部の骨シンチグラムを撮る。投与量は，年齢，体重により適宜増減する。

使用量は555 ～ 740MBqであることが確認できた。１MBqでの請求となった原因究明のため，オーダーを確認すると，オーダー時点ですでに１MBqとなっていた。担当の診療放射線技師に確認すると『オーダー上，デフォルトで「クリアボーンキット」が「１キット」となる設定になっていて，「クリアボーン注（シリンジ）」を使用する際は，撮影を担当する技師が名称を打ち換え，数量も実際の使用量（事例では740MBq）に変更する必要があります。今回は数字がそのままになってしまったのだと思います』との回答を得た。

これを受けて調査したところ，同様のミスが月１件程度確認できた。１MBqと740MBqとでは2,986点もの差になる（**図表９-３**）。レセプトチェックシステムでもエラーとなっておらず，目視点検の際もスルーされていたとのことで，大きな損失・請求もれが継続していたことが判明した。

正しいレセプトは以下のとおりとなる。

➡	⑦⓪	**＊シンチグラム（全身）** **電子画像診断管理加算（核医学診断料）** **電子媒体保存撮影　1回（17日）** **2,320×1** **＊クリアボーン注　740MBq** **生理食塩液PL「フソー」20mL　1管（17日）** **（点数省略）×1**

事例の病院では，審査支払機関へレセプトの取下げを依頼して改めて請求を行った。

また，医師，放射線科技師長および請求担当とで打合せを行い，診療放射線技師による打換えをなくすため，クリアボーン注でも別にオーダーできるように設定を追加し，レセプトチェックにおいてもその使用量を確認するというチェック項目を追加し，恒久対応とした。

図表９-３　クリアボーン注とキットの薬価

品名	規格・単位	薬価	備考
クリアボーン注	MBq	40.40円	740MBqでは，29,896円
クリアボーンキット	回分	3,365.00円	—

Q126　肝エラストグラフィ加算の算定もれ

E202

条件 DPC対象病院，600床，外来（2024年７月，関連部分のみ抜粋）

〈病名〉非アルコール性脂肪性肝炎

〈内容〉

⑥⓪	＊肝硬度測定	200×1
⑦⓪	＊MRI撮影（3テスラ以上の機器）（その他） 電子画像管理加算（コンピューター断層診断料）	1,720×1

〈MRI実施記録〉

《電子カルテ実施オーダ》
MRI撮影部位：肝ルーチン＋エラスト（NASH）
MRI手技：肝硬度測定
《医事連携データ》
肝硬度測定
　⑥⓪　MRI撮影（３テスラ以上）
　⑦⓪　肝エラストグラフィ加算　（以下省略）

A　事例の病院は，E202磁気共鳴コンピューター断層撮影（MRI撮影）の「注10」肝エラストグラフィ加算（600点）の届出病院である。

本事例は，非アルコール性脂肪性肝炎の患者に肝臓の硬度と線維化の診断を目的としMRIを実施したものであるが，主治医にレセプトを確認していただいた際に，「この患者さんはMRIで肝エラストグラフィを実施したが，その加算がない」と指摘された。そこで，当該患者のMRI実施記録を確認したところ，上記のようなオーダ連携がされていた。

電子カルテ側の手技に肝硬度測定があり，肝エラストグラフィ加算と同時に医事会計へ連携されたものである。

会計算定者は，E202「注10」肝エラストグラフィ加算とD215-2肝硬度測定は同月算定ができないと思っていた。

【磁気共鳴コンピューター断層撮影（MRI撮影）に関する通知】

(17)　「注10」に規定する肝エラストグラフィ加算と（中略）D412経皮的針生検法（中略）を併せて実施した場合には，主たるもののみ算定する。また，当該画像診断を実施した同一月内に肝臓の線維化の診断を目的としてD215-2肝硬度測定（中略）を実施した場合には，主たるもののみを算定する。（下線部筆者）

（令６保医発0305・４／**「早見表」p.570**）

その認識は正しかったが，「主たるもののみを算定する」際に，本来であれば肝硬度測定（200点）を削除するべきところで，誤って肝エラストグラフィ加算（600点）を削除してしまったのである。

よって，正しいレセプトは次のとおり。

➡	⑦⓪	**＊MRI撮影（３テスラ以上の機器）（その他）** **肝エラストグラフィ加算** **電子画像管理加算（コンピュータ断層診断料）**	**2,320×1**

本事例のように，同時に実施した場合は主たるもののみ算定するとされている項目については，会計算定時に手作業による修正を行う場合が多々あり，誤って点数の高い方を削除してしまう恐れがある。本事例の対策としては，電子カルテオーダから医事システムに取り込まれる際に，主たるもの（肝エラストグラフィ加算）のみが連携されるようシステム改善を行った。

Q127 イレウス用ロングチューブの算定もれ

E401 特定保険医療材料

条件 出来高病院，300床規模，入院（2024年6月，関連部分のみ抜粋）

〈病名〉イレウス（主），高血圧症，2型糖尿病

〈内容〉

⑦⓪	診療実日数：16日 ＊大腸 造影剤使用撮影の写真診断 8枚 造影剤使用撮影（デジタル撮影） 8枚 電子媒体保存 8回 678×1 ＊ガストログラフィン経口・注腸用 100mL （点数省略）×1 ＊電子画像管理加算（造影剤使用撮影） 66×1

〈カルテ〉

オーダーNo：＊＊＊
※CT上腹部（単純）
イレウス管留置後です。イレウス管が進まない状態にて精査をお願いします。
A：イレウス管進まず，小腸ガス残存。
P：イレウス管入替え（デニスチューブ）。

A イレウスにて他院より紹介があり，救急搬送入院となった症例。レセプトを点検したところ，入院翌日にイレウスチューブを挿入し，その２日後，同一部位に造影撮影が行われていた。単純撮影を頻回，CTも２回実施していることから，症状詳記を付けるため，カルテを確認した。

イレウスチューブの操作がうまくできなかったため，理由を確認するためCTを実施し，イレウスチューブの交換が決まったということであった。これにより，交換のために実施した造影であることが確認できたが，そうであれば，画像診断の項目に材料（デニスチューブ：030イレウス用ロングチューブ）の算定がないことになる。

造影撮影の同日に処置料の項目を確認するも材料と薬剤の算定は見当たらなかった。イレウスチューブの算定条件を確認したが，期間（１週間に１本等）のしばりはない。よってイレウスチューブの算定が可能である。なお，交換に伴う処置料は算定できないため，画像診断の項目に追加した。

正しいレセプトは以下のとおりとなる。

➡	⑦⓪	（追加分のみ） ＊イレウス用ロングチューブ (2)スプリント機能付加型（36,100円） デニスコロレクタルチューブ 1本 （イレウスチューブ交換による） 3,610×1

今回の請求もれの原因は，放射線科からの情報伝達ミスであった。使用した材料については伝票にシールを添付して医事課に伝達する仕組みとしているが，それができていなかった。

チューブ挿入後の造影で必ずチューブを交換するわけではないので，算定もれの発覚はむずかしい。このような単純な伝達ミスには十分に注意することが重要である。

また，重症症例で高額となるレセプトについては症状詳記を主治医に記載してもらうので，その内容を十分に確認して，算定もれを防止することも考えたい。

チェックポイント！

★ **医療材料の算定もれのなかには，院内での取り決めや仕組みだけではチェックしきれないものもあるため，職員の意識を徹底することが大切！**

★ **重症症例の高額レセプトなど，主治医が症状詳記を記載する場合，その内容を十分に確認し，算定もれを防止する！**

Q128 造影剤使用加算の算定もれ

E200「注3」

条件 DPC対象病院，外来（2024年7月，関連部分のみ抜粋）

〈病名〉大腸癌の疑い

〈内容〉

⑳	＊CT撮影（64列以上のマルチスライス型の機器による場合） （2）その他の場合（大腸） 大腸CT撮影加算，電画 コンピューター断層診断料　2,190×1 ＊オムニパーク300注シリンジ100mL 64.71％ 1筒（薬剤料点数省略）

A 健診の便潜血検査で毎年陽性だったことから，近医で大腸内視鏡検査を行うが，S状結腸に狭窄があったため中止となり，大腸3D-CT（CTC：CTコロノグラフィー，以下「大腸CT」）撮影目的で紹介されてきた患者の事例である。

便潜血陽性の状態が数年継続していることと狭窄により下部内視鏡では検索できないことから，その原因として大腸癌や大腸憩室，腸管の癒着などが疑われたため，大腸CTの適応と判断された。

当該患者のCT撮影を担当した放射線技師からE200「注３」造影剤使用加算は算定できているかと問合せがあったため，改めて算定要件を確認した。

> **E200 コンピューター断層撮影（CT撮影）**
> ⑽「注７」に規定する大腸CT撮影加算
> ア（中略）なお，当該撮影は，直腸用チューブを用いて，二酸化炭素を注入し下部消化管をCT撮影した上で三次元画像処理を行うものであり，大腸CT撮影に係る「注３」の加算，造影剤注入手技料及び麻酔料（中略）は，所定点数に含まれる。
> イ アとは別に，転移巣の検索や他の部位の検査等の目的で，静脈内注射，点滴注射等により造影剤使用撮影を同時に行った場合には，「注３」の加算を別に算定できる。
> （下線筆者）（令６保医発0305・４／「早見表」p.567）

当該患者は，狭窄部位の発生原因について腫瘍性の病変かを診断するため広範囲に検索する必要があり，大腸と同時に肝臓，胆嚢，膵臓，脾臓，腎臓も撮影していることがわかった。よって，上記通知「イ」より，今回のケースでは「注３」と「注７」が両方算定できると考えられた。

ところが，事例の病院では，CT撮影の造影剤使用加算の算定方法がCT撮影の所定点数に当該加算のコードを追加入力するのではなく，あらかじめ造影剤使用加算の点数が足されたコードか造影剤使用加算なしのコードの２種類をオーダーと紐づけており，大腸CT撮影加算のオーダーには，造影剤使用加算なしのコードしか紐づけされていないことが判明した。つまり，大腸CTを撮影し，転移巣の検索や他の部位の検査目的で造影剤を使用している場合であっても，入力者が任意でコードを修正入力しない限り造影剤使用加算が算定できない仕組みだったこととなる。

事例は，医師に造影剤使用加算を算定するべきか相談し，了解を得たうえで，「注３」造影剤使用加算も追加算定することとした。なお，当然ながらレセプトには医師の判断のもと造影剤使用加算に係る傷病名も必要となる。

以上より，正しいレセプトは次のとおりとなる。

		〈病名〉大腸癌の疑い，転移性肝癌の疑い
➡	⑳	＊CT撮影（64列以上のマルチスライス型の機器による場合） ⑵その他の場合（大腸） 大腸CT撮影加算，造影剤使用加算，電画 コンピューター断層診断料　2,690×1 ＊オムニパーク300注シリンジ100mL 64.71％ 1筒

対策として，コメディカルや他職種が行う医療行為と算定内容が合致しているかを定期的に確認し，システム上の不備を修正することが望ましい。

チェックポイント！

★ 院内で使用しているシステムの不備や弱点を把握して，正しく算定されるよう定期的に確認を行う！

★ 加算については，ケースにより要件が細かく決められている場合があるので，該当条件を照合して算定もれを防止する！

10—入院料等の請求もれ

Q129 再診時入院の時間外等加算の算定もれ

A001「5」

条件 出来高病院，一般病床200床未満，入院（2024年６月，関連部分のみ抜粋）
〈病名〉低酸素血症の疑い（R６.６.２），腰椎圧迫骨折の疑い（R６.６.２），高血圧（H24.９.17）
〈内容〉

	入院日：R6.6.2	
	退院日：R6.6.3	
㉝	＊点滴手技（500mL）	102×1
	＊ソルマルト輸液500mL　1袋	（点数省略）×1
⑥⓪	＊血液化学検査（19項目）	103×1

A　外来通院をしている患者である。休日に体調不良を訴えて救急搬送された。着院時，意識清明。脳卒中等の兆候はなく，全身倦怠感以外特記すべき異常はなかった。生化学的検査のみ施行し，経過観察のため入院。生化学的検査にも異常がなかったため，翌日には退院となった。

点滴と生化学的検査のみの実施であり，処置行為等の実施もないが，レセプト担当者が，入院日が休日であることに気づいた。

> **第１章　基本診療料　第１部　初・再診料**
> 通則３　入院中の患者（中略）に対する再診の費用（区分番号A001に掲げる再診料の注５及び注６に規定する加算並びに区分番号A002に掲げる外来診療料の注８及び注９に規定する加算を除く）は，第２部第１節，第３節又は第４節の各区分の所定点数に含まれるものとする。
> （下線筆者）（「早見表」p.32）

再診料・外来診療料に引き続き入院となった場合，再診料等は入院に含まれ算定できない。ただし，2016年改定により再診料の「注５」と「注６」，外来診療料の「注８」と「注９」は除くとされた。この注の番号は，時間外，休日，深夜の加算を指す。よって，事例では，再診に引き続きの入院であるため，再診料の休日加算のみを算定することができる。

よって，正しいレセプトは次のとおり。

➡	㉒	＊再診料（時間外入院患者）（休日加算） 190×1

Q130 入院基本料起算日の誤り

入院料（入院起算日）

〈病名〉乳癌術後
〈内容〉2024年７月分，関連部分のみ抜粋

⑨⓪	＊急性期一般入院料4	1,462×7

〈カルテ〉
前回入院：2024年5月6日～6月16日
今回入院：2024年7月25日～

A　入院レセプトにおける請求もれで，必ず取り上げられるのが起算日誤りによる請求もれである。この「起算日としての入院日」とは，基本的には当該保険医療機関に入院した日をいう。しかしここで問題なのが，いったん退院した後，一定期間を経過して再び同一病名で入院した場合の入院起算日の取扱いである。

この症例は，入院履歴より「乳癌術後」2024年５

月6日～6月16日の期間入院の後，1カ月以上を経過して当月再入院をしている。入院期間加算が算定されていないということは，基本料算定の起算日が前回の入院日のままであるということである。しかし，悪性腫瘍の場合，前回退院から今回入院まで1カ月以上，同一病名で他の病院に入院することなく当病院に再入院した場合には，当月の入院日を起算日として新たに入院期間を計算することができる。

入院期間の計算については，点数表に次のように掲げられている。

> **【入院期間の計算】**
> (1) 入院の日とは，入院患者の保険種別変更等の如何を問わず，当該保険医療機関に入院した日をいい，保険医療機関ごとに起算する。（以下省略）
> (2) (1)にかかわらず，保険医療機関を退院後，同一傷病により当該保険医療機関又は当該保険医療機関と特別の関係にある保険医療機関に入院した場合の入院期間は，当該保険医療機関の初回入院日を起算日として計算する。
> ただし，次のいずれかに該当する場合は，新たな入院日を起算日とする。
> ア 1傷病により入院した患者が退院後，一旦治癒し若しくは治癒に近い状態までになり，その後再発して当該保険医療機関又は当該保険医療機関と特別の関係にある保険医療機関に入院した場合
> イ 退院の日から起算して3月以上〔悪性腫瘍，（中略）に罹患している患者については1月以上〕の期間，同一傷病について，いずれの保険医療機関に入院又は介護老人保健施設に入所（短期入所療養介護費を算定すべき入所を除く）することなく経過した後に，当該保険医療機関又は当該保険医療機関と特別の関係にある保険医療機関に入院した場合
> （下線筆者）（令6保医発0305・4／**「早見表」p.71**）

前回入院からどれくらい経過しているかの判断は医事で十分できる。

新入院なのか，再入院なのかによって入院料は大きく変わる。入院の診療報酬請求における入院料の占める割合は大きい。そのため，入院起算日誤りによる加算の請求誤りは，収入に大きな影響を及ぼす。入院初期の14日以内の期間の加算だけでも，1日につき450点である。周知徹底が必要である。

よって，正しい請求は以下のとおり。

⑨⓪	＊急性期一般入院料4（14日以内）	1,912×7

Q131 急性期充実体制加算の算定もれ

A200-2

条件 DPC対象病院，200床，入院（2024年7月，関連部分のみ抜粋）
〈病名〉急性前壁心筋梗塞
〈内容〉【診療実日数】8日 【入院年月日】R6.7.21

⑨②	＊特定集中治療室管理料3（7日以内）（21日）	8,036×1
	＊急性期充実体制加算1（7日以内）	440×6
	＊急性期充実体制加算1（8日以上11日以内）	200×1

A 急性前壁心筋梗塞を発症した患者が，緊急入院のうえ経皮的冠動脈形成術（不安定狭心症に対するもの）を受けた事例である。入院当日の21日はICU（集中治療室）で全身管理を実施し，翌日に一般病棟に転棟している。事例の病院は，A301特定集中治療管理料3とA200-2急性期充実体制加算1の施設基準を届け出ている。

2022年診療報酬改定で新設されたA200-2急性期充実体制加算の算定状況を調査しているなかで，本例に目が留まった。この点数の告示・通知の内容は以下のとおりである。

> **A200-2 急性期充実体制加算（1日につき）**
> 1 急性期充実体制加算1
> イ 7日以内の期間 440点
> ロ 8日以上11日以内の期間 200点
> ハ 12日以上14日以内の期間 120点
> **【急性期充実体制加算に関する通知】**
> (1) （中略）入院した日から起算して14日を限度として，当該患者の入院期間に応じて所定点数を算定する。なお，ここでいう入院した日とは，当該患者が当該加算を算定できる病棟に入院又は転棟した日のことをいう。（以下略）
> （下線部筆者）（令6保医発0305・4／**「早見表」p.109**）

改めてレセプトを確認すると，「8日以上11日以内の期間」を1日算定していることから，起算日を入院初日の21日としていることがわかる。これが誤りで，当該加算を算定できる病棟に転棟した日（22日）を起算日とするべきであった。この誤りに伴い，

7日以内の期間（440点）は1日少なく算定されていた（**図表10－1**）。

会計担当者に確認すると，当該加算は医事システムが自動で算定することから結果を疑わなかったという。また，システムの仕様を問い合わせたが，急性期充実体制加算が入院初日でない場合，自動では正しく算定できず会計カードへの修正入力が必要だということも判明したため，会計担当者が修正入力を行うよう運用を変更した。

正しいレセプトは以下のとおりである。

➡	㊾	＊特定集中治療室管理料3(7日以内)(21日)　8,036×1 ＊急性期充実体制加算（7日以内の期間）　440×7

診療報酬改定の新設項目は入力テストを実施するが，時間に限りもありすべての運用を試験するのはむずかしい。改定後の入力時にも正しく入力されているか十分に確認する必要があることを痛感する事例である。

図表10－1　急性期充実体制加算のカウント方法

	7/21	7/22	7/23	7/24	7/25	7/26	7/27	7/28
誤	1日目 440⇒0	2日目 440	3日目 440	4日目 440	5日目 440	6日目 440	7日目 440	8日目 200
正	起算せず —	1日目 440	2日目 440	3日目 440	4日目 440	5日目 440	6日目 440	7日目 440

Q132　救急医療管理加算の算定誤り

A205

条件 **DPC対象病院，入院，関連する施設基準あり**（2024年7月，関連部分のみ抜粋）

〈病名〉癒着性イレウス（K565）

〈内容〉【診断群分類番号】060210xx9910xx

【入院年月日】R6.7.5　【今回退院日】R6.7.16

㊵	＊救急医療管理加算2　420×7 13 その他の重症な状態の医学的根拠： イレウス管挿入のため緊急入院を要した。

〈カルテ〉

嘔吐と腹痛を主訴に救急搬送。
開腹手術歴あり，腹部CTでイレウスの所見あり。
イレウス管を挿入し，同日緊急入院となる。

A　腹痛を主訴に救急搬送，開腹手術歴があることと腹部CTの結果より癒着性イレウスと診断され，イレウス管を挿入後に緊急入院となった症例である。特に問題がないレセプトとして請求された後，診療情報管理室（様式1担当）からA205救急医療管理加算の算定について指摘があった。

2022年度診療報酬改定により，A205救急医療管理加算の算定要件（対象患者の状態）には，「消化器疾患で緊急処置を必要とする重篤な状態」と「蘇生術を必要とする重篤な状態」が新たに追加された。また，疑義解釈にて「消化器疾患で緊急処置を必要とする重篤な状態」とは，「J034イレウス用ロングチューブ挿入法，J034-3内視鏡的結腸軸捻転解除術を指す」ことが明示されている。従来は「その他の重症な状態」に分類され，救急医療管理加算2の算定要件になっていたものが，救急医療管理加算1の算定要件へスライドしたのである。

本症例について算定要件を示して医師に確認したところ，緊急にイレウス管挿入を必要とした重篤な状態は「消化器疾患で緊急処置を必要とする重篤な状態」に該当し，救急医療管理加算1での算定が可能であるとの回答を得た。

算定担当者に算定もれが発生した経緯を確認したところ，医師のオーダーが改定以前と同様の算定内容であったため，疑問に思わなかったとのことであった。診療情報管理室から指摘があった理由として，DPCデータの様式1必須項目で「予定・救急医療入院」を選択する際，退院サマリに記載されている診療内容と救急医療区分が不一致であることに気付いたとのことだった。

よって正しいレセプトは次のとおり（**図表10－2**）。

➡	㊵	＊救急医療管理加算　1,050×7 11 消化器疾患で緊急処置を必要とする重篤な状態

今回算定誤りとなった要因は2点ある。1点目は診療報酬改定時にオーダー項目の見直しと医師への周知が不十分だったこと。2点目は，DPCでは処置が包括となり，レセプト請求上では気付きにくい事例だったことである。算定担当者には，オーダーをそのまま信じることなく，電子カルテや会計データで診療内容をよく理解し，疑義がある場合は必ず医師に確認するように周知した。

図表10－2　救急医療管理加算1のレセプト記載要綱（抜粋）

	レセプトコード	レセプト表示
	820100393	一　吐血，喀血又は重篤な脱水で全身状態不良
	820100395	二　意識障害又は昏睡：JCS1
	820100808	十　緊急手術，緊急カテーテル治療・検査又はt-PA療法を必要とする状態
新設	820100822	十一　消化器疾患で緊急処置を必要とする重篤な状態
新設	820100823	十二　蘇生術を必要とする重篤な状態

Q133　妊産婦緊急搬送入院加算の算定もれ

A205-3

条件 **産婦人科，妊産婦緊急搬送入院加算届出済**（2024年7月分，関連部分のみ抜粋）

〈病名〉 妊娠（38週），切迫子宮破裂

〈内容〉

⑪	＊初診料	291×1
(50)	＊帝王切開術（緊急）	22,200×1
(90)	＊救急医療管理加算「1」	1,050×7

〈カルテ〉

下腹部痛および出血あり，救急車にて来院。定期的な妊婦健診は受けていない。入院後，緊急帝王切開術施行（詳細省略）。

A　切迫子宮破裂にて緊急入院後，緊急帝王切開術を施行した事例である。緊急入院で緊急手術を必要とする状態のため，A205救急医療管理加算「1」を算定しているが，この事例については，受け入れた保険医療機関で初診料を算定しており，受診歴がないことがわかる。また，妊婦健診も未受診であることから，他の保険医療機関の産科等もまったく受診していないと判断される。

カルテより救急車で搬送されていることがわかるため，A205-3妊産婦緊急搬送入院加算の対象になると考えられる。正しい請求は以下のとおり。

➡	⑪	＊初診料	291×1
	(50)	＊帝王切開術（緊急）	22,200×1
	(90)	＊救急医療管理加算「1」	1,050×7
		＊妊産婦緊急搬送入院加算（入院初日）	7,000×1

Q134　難病等特別入院診療加算のもれ

A210「1」

条件 **出来高病院，急性期一般入院料4**（2024年6月分，関連部分のみ抜粋）

〈病名〉 多発性硬化症（主）（1999.9.10），神経因性膀胱（2008.3.24），膀胱瘻（2018.1.7）

〈内容〉【今回入院日】2024.6.24

特定医療費受給者証（指定難病）あり

㊵	＊留置カテーテル設置	40×1
	＊腎瘻・膀胱瘻用材料	
	膀胱瘻用カテーテル	377×1
(90)	＊急性期一般入院料4（14日以内）	1,912×7

A　事例の患者は，多発性硬化症を主病とし，神経因性膀胱を併発，膀胱瘻を設置していた。今回の入院は，膀胱瘻に対する処置とカテーテル交換を目的としていた。レセプトには指定難病の医療受給者番号が記載されていたため，難病の患者であることがわかった。しかし，レセプト点検時に，A210 難病等特別入院診療加算が算定されていないことに気づいた。

算定要件を確認してみる。

> **A210　難病等特別入院診療加算**
> 1　難病患者等入院診療加算　250点
> 注1　難病患者等入院診療加算は，別に厚生労働大臣が定める疾患を主病として保険医療機関に入院している患者であって，別に厚生労働大臣が定める状態にあるもの（中略）について，所定点数に加算する。（「早見表」p.121）

「注1」により，対象疾患で，かつ定められた状態にあれば，同加算が算定できることがわかる。対象疾患と対象となる状態を確認する。

> **1　対象疾患の名称**
> 多発性硬化症，重症筋無力症，スモン，筋委縮性側索硬化症，脊髄小脳変性症，ハンチントン病（以下省略）
> **2　対象となる状態**
> (1)　多剤耐性結核以外の疾患を主病とする患者にあっては，当該疾患を原因として日常生活動作に著しい支障を来している状態（以下省略）
> （下線筆者）（「早見表」p.121）

患者の状態を病棟に問い合わせると，多発性硬化症を原因とする尿閉並びに四肢の麻痺による自力移動困難の状態であり，日常生活動作に支障を来しているとのことであった。よって，当該加算の算定要件を満たしている。

指定難病の対象患者である場合，外来ではB001「7」難病外来指導管理料の算定対象とならないかをチェックしていたので，入院係に入院でのチェック体制を確認した。すると，担当者は，患者の状態が確認できなかったことと，査定が多い項目だという意識が働き，算定不可と判断して入力しなかったとのことであった。患者の状態は，カルテが読めなくても病棟へ問い合わせればわかることである。病棟との良いコミュニケーション環境を整えてほしいものである。

なお，同加算は，施設基準を届け出る必要がなく，要件さえ満たせば算定することができる。しかし，「算定率の低い入院基本料等加算について」（中医協資料H24.8.22）によると，算定率は1％にとどまっている。未算定の件数は少なくないのではないだろうか。

以上より，正しいレセプトは以下のとおりとなる。

➡	⑨⓪	＊急性期一般入院料4（14日以内） 1,912×7 ＊**難病等特別入院診療加算「1」**　250×7

> **【多発性硬化症】**
> 中枢神経（脳・脊髄・視神経）に繰り返し炎症が起きる病気で，発症原因は不明。視力障害や感覚障害，運動麻痺，排尿障害などを来す。

Q135　小児療養環境特別加算の請求もれ

A221-2

条件　**4歳の小児が流行性耳下腺炎で入院。医師の判断にて個室に移動。**（2024年6月分，関連部分のみ抜粋）

〈病名〉流行性耳下腺炎，ヘルペス性骨髄炎の疑い

〈内容〉

⑨⓪	＊急性期一般入院料6（14日以内）	1,854×3
	＊幼児加算	283×3
	＊診療録管理体制加算3	30×1

〈カルテ〉

6/28	1週間前から耳下腺の腫れ。嚥下痛，発熱が出現。 他の患者への感染の可能性があるため，個室入院とする。

A　流行性耳下腺炎の患者に対して個室管理が行われた事例である。

流行性耳下腺炎は，感染力は弱いが空気感染する。患者の咳がひどいことから，感染予防として個室管理したものである。「麻疹等の感染症に罹患しており，他の患者への感染の危険性が高い」15歳未満の患者に対して個室管理が行われた場合には，A221-2小児療養環境特別加算が算定できる。小児療養環境特別加算の留意事項には以下のように掲げられている。

> **【小児療養環境特別加算】**
> (1)　小児療養環境特別加算の対象となる患者は，次のいずれかの状態に該当する15歳未満の小児患者であって，保険医が治療上の必要から個室での管理が必要と認めたものである。
> ア　麻疹等の感染症に罹患しており，他の患者への感染の危険性が高い患者

イ　易感染性により，感染症罹患の危険性が高い患者
(2)　当該加算を算定する場合は，(1)のア又はイのいずれかに該当するかを診療報酬明細書の摘要欄に記載する。
(3)　当該患者の管理に係る個室が特別の療養環境の提供に係る病室であっても差し支えないが，患者から特別の料金の徴収を行うことはできない。
(下線筆者)(令6保医発0305・4／「早見表」p.129)

なお,「麻疹等」には，空気感染する結核菌，水痘・帯状疱疹ウイルスなどがあるとされていて，事例の流行性耳下腺炎もこれに該当する。

この加算には特段の届出基準がないので，重症者等療養環境特別加算届出の部屋でなくても，算定できる。

なお，個室が特別の療養環境の提供にかかる部屋であっても，患者から特別の料金の徴収はできない。

当加算算定に当たり，「(算定対象に）該当する旨を診療報酬明細書の摘要欄に記載する」ことが求められている。これを怠ると査定の対象になるので要注意。正しい請求は以下のとおりとなる。

➡	⑳	＊小児療養環境特別加算　300×3 （ア　流行性耳下腺炎に罹患しており，他の患者への感染の可能性あり）

Q136　重症患者初期支援充実加算の算定もれ

A234-4

条件 DPC対象病院，600床，入院（2024年6月，関連部分のみ抜粋）
〈病名〉未破裂脳動脈瘤（I671）
〈内容〉【診断群分類番号】010030xx03x０xx

⑳	＊入退院履歴　2024.4.10～2024.4.12 ＊ハイケアユニット入院医療管理料1（14日以内） 早期離床・リハビリテーション加算（算定日：20日，21日）　5,535×2

A　4月に3日間検査入院をして，その後，手術目的で6月20日に再入院となった事例。レセプト点検をしていたところ，今回の点数改定で特定入院料の加算として新設された入院基本料等加算，A234-4重症患者初期支援充実加算が算定されていなかった。当該加算の算定要件を確認してみる。

A234-4　重症患者初期支援充実加算
注　特に重篤な患者及びその家族等に対する支援体制につき（中略）入院した日から起算して3日を限度として所定点数に加算する。
（下線部筆者）（「早見表」p.146）

告示には，「入院した日から起算して3日を限度として」算定できると記載がある。これだけを確認すると，前回入院の履歴もあり，入院した日から3日以上経過をしているため算定できないことになる。そこで，通知を確認した。

【重症患者初期支援充実加算に関する通知】
(1)（中略）なお，ここでいう入院した日とは，当該患者が当該加算を算定できる治療室に入院又は転棟した日のことをいう。（下線部筆者）
（令6保医発0305・4／「早見表」p.146）

本加算が算定できる治療室に入室した日を起算日とするということがわかった。よって，今回は6月20日が起算日となるため，正しいレセプトは次のとおりとなる。

➡	⑳	＊ハイケアユニット入院医療管理料1（14日以内） 早期離床・リハビリテーション加算（算定日：20日，21日）　5,535×2 ＊重症患者初期支援充実加算（算定日：20日，21日）　300×2

2022年診療報酬改定で新設され，新点数に関する勉強会を行った際にこの項目の算定条件については説明されていた。しかし，会計担当が入れ替わった際に早見表を確認し，告示の記載内容だけを見て，「入院した日が起算日」という認識に変わってしまったという。この認識誤りが算定もれの原因であった。

担当者変更時に算定もれが発生してしまうケースは多い。そのため，正しく請求が出来ているか，随時別の視点による点検が必要だといえる。

また，この項目にはもう一つ注意点がある。特定入院料であるA301-2ハイケアユニット入院医療管理料やA301特定集中治療室管理料には，入室と退室を繰り返す重症患者の事例があるが，その場合は入室した日をその都度起算日として重症患者初期支

援充実加算を算定し直すことはできない。以下の事務連絡についても十分に理解していただく必要がある。

問　重症患者初期支援充実加算について，「入院した日とは，当該患者が当該加算を算定できる治療室に入院又は転棟した日のことをいう」とあるが，当該加算を算定できる病室に入院後，当該加算を算定できない病棟又は病室に転棟し，再度当該加算を算定できる病室に入室した場合，起算日についてどのように考えればよいか。
答　重症患者初期支援充実加算を算定できる病室に最初に入室した日を起算日とする。
（下線部筆者）（令4.3.31／「早見表」p.146）

Q137　ハイリスク分娩等管理加算の算定もれ

A237「1」

条件 DPC対象病院，295床，入院（2024年7月，関連部分のみ抜粋）（R6.7.8～17）
〈病名〉妊娠40週児頭骨盤不均衡
〈内容〉【患者】41歳

50	＊帝王切開術（選択切開）（R6.7.10） （薬剤等省略）	20,140×1
90	＊患者サポート体制充実加算	70×1

〈カルテ〉関連部分のみ抜粋）

既往歴：なし　手術歴なし，麻酔なし
高齢初産　BMI35

A　妊娠40週児頭骨盤不均衡にて帝王切開を実施したところ，A236-2ハイリスク妊娠管理加算とA237「1」ハイリスク分娩管理加算の対象患者を間違え，算定もれが発生した事例である。

まず，両点数の算定対象患者を確認する。

A236-2　ハイリスク妊娠管理加算
(1)（中略）
ア　分娩時の妊娠週数が22週から32週未満の早産である患者（早産するまでの患者に限る）
イ　妊娠高血圧症候群重症の患者
ウ　前置胎盤（妊娠28週以降で出血等の症状を伴う場合に限る）の患者
エ　妊娠30週未満の切迫早産の患者であって，子宮収縮，子宮出血，頸管の開大，短縮又は軟化のいずれかの兆候を示しかつ以下のいずれかを満たすものに限る。
（以下略）　（令6保医発0305・4）

A237　ハイリスク分娩等管理加算
(1)（中略）
ア　妊娠22週から32週未満の早産の患者
イ　40歳以上の初産婦である患者
ウ　分娩前のBMIが35以上の初産婦である患者
エ　妊娠高血圧症候群重症の患者
オ　常位胎盤早期剥離の患者
カ　前置胎盤（妊娠28週以降で出血等の症状を伴う場合に限る）の患者
キ　双胎間輸血症候群の患者
ク　多胎妊娠の患者
（以下略）　（令6保医発0305・4）

カルテを確認し，対象となるか否かを確認した。

既往や手術歴はないものの，高齢初産（41歳）であり，分娩前のBMIが35であることが確認できた。それぞれの要件に当てはめると，ハイリスク妊娠管理加算の対象とはならないものの，ハイリスク分娩管理加算の対象患者（イ，ウ）に該当することが判明した。

入院時にそれぞれの対象患者が違うことを把握しておらず，入院当初にハイリスク妊娠管理加算の対象外であると判断したため，分娩管理加算も算定できないとして算定しなかったことが算定もれの原因であった。

同類の項目だとしても，それぞれの要件をしっかり把握し，根拠をもって算定することが重要である。

なお，ハイリスク分娩管理加算は8日を限度として算定する。以上より，正しいレセプトは以下のとおりとなる。

➡	50	＊帝王切開術（選択切開）（R6.7.10） （薬剤等省略）	20,140×1
	90	＊患者サポート体制充実加算	70×1
		＊ハイリスク分娩管理加算	3,200×8

Q138 術後疼痛管理チーム加算の算定もれ

A242-2

条件 DPC対象病院，450床，入院，関連する施設基準届出あり（2024年６月，関連部分のみ抜粋）

〈病名〉S状結腸癌（C18.７）

〈内容〉

(54)	＊閉鎖循環式全身麻酔5（1時間50分）（17日） 神経ブロック併施加算（イ以外）6,045×1 ＊携帯型ディスポーザブル注入ポンプ（PCA型）1個（薬剤・点数省略）

〈カルテ〉

2024年6月20日（術後3日目）
術後疼痛管理チームにてラウンド
疼痛なく，PCAポンプ止め

A 全身麻酔時に神経ブロックを併施し，携帯型ディスポーザブル注入ポンプを留置した事例である。

術後３日目のカルテに「PCAポンプ止め」と記載があった。PCAとはPatient Controlled Analgesiaの略称で，「自己調節鎮痛法」を意味している。専用機器であるPCAポンプを医療従事者が設定し，痛みを感じたときに患者自身が操作し，鎮痛剤をすぐに投与するという方法である。また，術後疼痛管理チームによって疼痛管理を行っていることもわかったので，これらを踏まえて他に算定できる加算がないか確認した。

L105神経ブロックにおける麻酔剤の持続的注入は，2018年度診療報酬改定で名称が現在のものに変更されたが，以前は「硬膜外ブロックにおける麻酔剤の持続的注入」であった。この変更に伴い，神経ブロックでも算定できるようになったが，病棟看護師がそのことを知らない，オーダーマスタが見直しされていない等の理由で，複数医療機関でオーダー（算定）もれが散見されている。本症例でもオーダーもれにより算定されていなかった。

さらに，2022年度診療報酬改定ではA242-2術後疼痛管理チーム加算が新設された。質の高い疼痛管理による患者の疼痛スコアの減弱，生活の質の向上及び合併症予防等を目的として，「術後疼痛管理チーム」が実施する疼痛管理に対する評価点数である。この加算は，閉鎖循環式全身麻酔を受けた患者であって，手術後に継続した神経ブロックにおける麻酔剤の持続的注入を行った患者も対象である。なお，術後疼痛管理チームが必要な疼痛管理を行った場合に，手術日の翌日から起算して３日を限度として算定できる。

よって，正しいレセプトは以下のとおり。

➡	(54)	＊閉鎖循環式全身麻酔5（1時間50分）（17日） 神経ブロック併施加算（イ以外） 6,045×1 ＊携帯型ディスポーザブル注入ポンプ（PCA型）１個　（薬剤・点数省略） ＊神経ブロックにおける麻酔剤の持続的注入（18～20日）　80×3
	(90)	＊術後疼痛管理チーム加算（18～20日） 100×3

今回の算定もれの要因は，会計担当者がL105神経ブロックにおける麻酔剤の持続的注入のもれに気付かなかったことである。診療報酬改定時に医療者への算定要件の周知，オーダーマスタの見直しを怠ると，数年間算定もれに気付かないといった事例もあるため，医事担当者からの適切な情報提供が必須である。

Q139　入退院支援加算の算定もれ

A246

条件 DPC病院（500床規模），入院（2024年６月，関連部分のみ抜粋）
〈病名〉【主病名】盲腸癌，【併存症】高血圧症，２型糖尿病
〈内容〉【入院日】R６.６.６
【診療実日数】８日

⑨⓪	＊重症者等療養環境特別加算（個室の場合）	300×1
	＊療養環境加算	25×5

〈カルテ〉

○月○日
＃　退院支援初回面談
O：本人と顔合わせ。病棟で相談員として関わることをお伝えする。
○月◇日
O：患者の妻との相談。「もともと忘れっぽいが高齢であるので頭の検査をしたほうがいいか」や「5年前に腰椎圧迫骨折をして痛みが続きうつっぽくなった」
P：現在，術後のせん妄状態であり，退院後の様子をみてもの忘れ外来の受診を勧めた。

A　診療所より紹介され，検査入院後に手術目的で再入院となった事例。この医療機関では入院患者のサポートを充実させるため，地域連携室に多数のスタッフを配置している。

今回の症例は悪性腫瘍の高齢者で，A246入退院支援加算の対象者であるため，同加算が算定できないかと思い，カルテを確認したところ，前回の退院が３月７日で，退院日に入退院支援加算が算定されていることがわかった。そこで，まずは通知で再入院の扱いを確認した。

> **A246　入退院支援加算**
> (1)　入退院支援加算は，（中略）施設間の連携を推進した上で，入院早期より退院困難な要因を有する患者を抽出し，入退院支援を実施することを評価するものである。なお，第２部「通則５」に規定する入院期間が通算される入院については，１入院として取り扱うものとするが，入退院支援加算１にあってはこの限りでない。
> （下線筆者）（令６保医発0305・４／「早見表」p.156）

今回は再入院の扱いだが，入退院支援加算１に限っては再入院であっても再度算定ができるという取扱いである。

以前は一連の入院期間中に１回しか算定ができなかったが，2018年度改定で変更となった。この症例でも入退院支援が算定できる可能性があるので，カルテを再度確認した。

すると，病棟の退院支援看護師と地域連携室の看護師がこの症例に関わっていることがわかった。また，看護師から入院会計担当者に入退院支援実施の情報（伝票）が届けられていたが，会計担当者が今回の改定での変更点（再入院時の算定）を認識していなかったため，算定もれとなっていたことが判明した。

よって，正しいレセプトは以下のとおり。

➡	⑥⓪	＊入退院支援加算1イ（一般病棟）	700×1

Q140　入院時支援加算の算定もれ

A246「１」「注7」

条件 DPC対象病院（500床規模），入院（2024年６月，関連部分のみ抜粋）
〈病名〉左大腿骨頸部骨折（S7200）
〈内容〉【併存症】腰部脊柱管狭窄症
【診断群分類番号】160800xx01xxxx
【入院年月日】R６.６.12　【診療実日数】15日

⑨⓪	入退院支援加算1（一般病棟入院基本料等の場合）	700×1

A 腰部脊柱管狭窄症で手術実施のため，予定入院を計画していた症例。6/14に入院予定であったが，6/12に転倒により大腿骨頚部骨折が発症したため，緊急入院となった。

当院では請求もれ防止の取組みとして，各部署での実績集計と算定実績との突合調査を行っている。そのなかで，A246「1」入退院支援加算1に対する「注7」入院時支援加算の算定数が，地域医療連携室の実績数より少ないことがわかり，このレセプトがその一つであることが判明した。

> **A246 入退院支援加算**
> 注7 （中略）別に厚生労働大臣が定めるものに対して，入院前に支援を行った場合に，その支援の内容に応じて，次に掲げる点数をそれぞれ更に所定点数に加算する。
> イ 入院時支援加算1 240点
> ロ 入院時支援加算2 200点
> （下線筆者）（「早見表」p.156）

> **入退院支援加算の通知**
> (19) 「注7」に規定する入院時支援加算は，入院を予定している患者が入院生活や入院後にどのような治療過程を経るのかをイメージでき，安心して入院医療が受け入れられるよう，入院前の外来において，入院中に行われる治療の説明，入院生活に関するオリエンテーション，入院前の服薬状況の確認，褥瘡・栄養スクリーニング等を実施し，支援することを評価するものである。
> （令6保医発0305・4／「早見表」p.158）

> **入退院支援加算の施設基準等**
> 入院時支援加算に規定する厚生労働大臣が定めるもの
> イ 自宅等から入院する予定入院患者（他の保険医療機関から転院する患者を除く）であること。
> ロ 入退院支援加算を算定する患者であること。
> （「早見表」p.1184）

本例は，もともと入院予定患者であり，実際に入院前に同加算の算定条件を満たす支援を行っていたが，直前に骨折したため緊急入院となったケースである。以前，同様に緊急入院患者で入院時支援加算を算定してレセプトが返戻されたことがあったため，こうしたケースで同加算の算定を一律にとりやめており，実施数と算定数の不一致が起きていた。

それ以来，上記の算定条件にあるとおり，厚生労働大臣が定める「予定入院患者」のみを対象として同加算を算定してきたため，算定実績が少なくなっていたのである。

本例では，実際に入院前支援を行っており，緊急入院となったのは病院の都合ではないので入院時支援加算を算定してはどうかと看護師より相談があった。同加算は予定していた治療に対しての入退院準備だけでなく，患者の介護や同居人，自宅等の情報を事前に入手してスムーズな入退院と退院後のQOLを支援することを評価する加算であるため，算定可だと考えられた。そこで審査機関に確認したところ，そういう症例であれば算定してかまわないので，摘要欄に緊急入院で入院時支援加算を算定している理由を記載してほしいということであった。

よって，正しいレセプトは以下のとおり。

➡	⑼⓪	＊入退院支援加算1イ（一般病棟入院基本料等の場合） 700×1 ＊入院時支援加算2（入退院支援加算） 200×1 ＊緊急入院で算定の理由 6/14 入院予定 6/11 入院前情報収集実施 6/12 別疾患による緊急入院

チェックポイント！

★ **A246入退院支援加算は，予定していた治療に対しての入退院準備だけでなく，患者の介護や同居人，自宅等の情報を事前に入手してスムーズな入退院と退院後のQOLを支援することを評価するものである。支援を行っていた患者が緊急入院となってしまった場合など，一律で算定不可とするのではなく，実態を確認する！**

Q141 早期栄養介入管理加算の算定誤り

A301

条件 DPC対象病院，600床，入院，特定集中治療室管理料2，早期栄養介入管理加算届出あり（2024年6月，関連部分のみ抜粋）

〈病名〉急性大動脈解離StanfordA（R6.6.5）

〈内容〉

⑼⓪	＊特定集中治療室管理料2（7日以内の期間）	（点数省略）×5
	＊早期栄養介入管理加算（特定集中治療室管理料）	250×5

A 事例は，2024年6月5日に急性大動脈解離にて緊急搬送された患者が緊急手術ののち，ICU（特定

集中治療室）に入室したものである。

ICUでは専任の管理栄養士を配置し，A301「注５」早期栄養介入管理加算を算定している。医師の指示により介入を実施し，カルテへの必要事項の記載を管理栄養士が行っている。A301特定集中治療室管理料の算定期間と加算の算定期間にずれもない。

問題はないように見えるが，2022年度改定にて当該加算は２段階の点数に分かれている。

> **A301　特定集中治療室管理料**
> 注５　（前略）入室後早期から必要な栄養管理を行った場合に，早期栄養介入管理加算として，入室した日から起算して７日を限度として250点（入室後早期から経腸栄養を開始した場合は，当該開始日以降は400点）を所定点数に加算する。（後略）　（下線部筆者）（**「早見表」p.178**）

改定前までは経腸栄養（**図表10－3**）開始後しか算定できなかった（400点）が，今改定により経腸栄養開始前でも算定できるようになったのである。開始前は250点，開始以降は400点を算定できる。

カルテを確認してみると，以下の記載が確認できた。

> **カルテ（医師記録より抜粋）**
> 6/6　14：10
> 明日以降経腸栄養開始予定。
> 6/7　10：05
> 本日より経腸栄養開始，経過問題なし

6/5に入室した患者が6/7より経腸栄養を開始していることがわかる。

よって，正しいレセプトは以下のとおり。

➡	⑨⓪	**＊特定集中治療室管理料2** **（７日以内の期間）　（点数省略）×5** **＊早期栄養介入管理加算** **（特定集中治療室管理料）　250×2** **＊早期栄養介入管理加算（経腸栄養）** **（特定集中治療室管理料）　400×3**

担当の管理栄養士に確認したところ，１日３回のモニタリングも行っており，6/7以降は400点で算定して問題ない事例であったが，加算の算定トリガーとなるマスタの対応が追い付いていなかったことが判明。直ちに修正を行ったため，６月診療分のレセプトは適切に提出できた。

改定での算定要件変更にあたっては改定前後のマスタおよび算定の仕組みを十分に確認する必要があることを思い知らされる事例であった。

図表10－3　経腸栄養（EN）

> からだに必要な栄養素などを経腸的に投与する方法。栄養素を口から補給する「経口法」と，経鼻胃管や胃ろう・腸ろうからチューブを通じて栄養剤を投与する「経管栄養法」がある。
> もっとも自然なのは「経口法」であるが，嚥下障害などによって口から食事が摂取できない場合には「経管栄養法」が行われる。

11—その他の請求もれ

Q142 疾患別リハビリでの初期加算の算定誤り

H000「注2」「注3」

条件 DPC対象病院600床，入院，心臓血管外科，リハビリテーション初期加算の施設基準取得（2024年6月分，関連部分のみ抜粋）

〈病名〉慢性心不全

〈内容〉＊実施日数：5日　／　＊治療開始日：2024.5.28

⑧⓪	＊心大血管疾患リハビリテーション料（Ⅰ）(4，5日) 早期リハビリテーション加算，初期加算	275×5
	＊心大血管疾患リハビリテーション料（Ⅰ）(6～8日) 早期リハビリテーション加算	230×7

A 事例は，疾患別リハビリ（心大血管疾患リハ）に初期加算，早期リハビリテーション加算が算定されている一般的なレセプトである。

リハビリの起算日を確認いただきたい。起算日は5月28日で，初期加算の算定期限の14日目は6月10日である。しかし，6月6～8日に初期加算が加算されていない。会計担当者に確認すると，「リハビリの起算日やオーダーはリハビリ科でやるので，こちらでは触りません」と回答された。リハビリ科に確認すると，「加算の入力を忘れていた。いつも注意しているのだけど」との回答だった。残念ながらどちらもよくある回答である。

起算日が自動管理であっても，修正・訂正が必要な場合もある。事例のように院内の連携不足によって，修正すべき項目をそのまま放置している事態を複数の病院で確認している。業務に忙しいリハビリ科の職員に即時に対応しろというのはむずかしいと思うが，算定もれが発生している事実をみすみす見逃すのは問題である。会計担当者は少なくとも早期加算等の算定が適切か，機械上での判断に頼らず，指折り数えていただきたい。

正しいレセプトは以下のとおり。

➡	⑧⓪	＊心大血管疾患リハビリテーション料（Ⅰ） (4～8日) 早期リハ加算，初期加算	275×12

Q143 摂食機能療法の算定もれ

H004

〈病名〉嚥下障害（2024.2.13），がん性疼痛（2024.6.6）

〈内容〉2024年6月分，関連部分のみ抜粋

【入院年月日】2024.6.6

⑧⓪	＊摂食機能療法（1日につき）　30分以上の場合 治療開始日（2024.2.13）	185×4

〈カルテ〉

6/6　入院。主訴は疼痛，摂食困難。回復していた嚥下機能が悪化。6/10（木）より摂食機能療法を再開。週3回実施。

A 事例の患者は，食道癌による疼痛が増強し，嚥下機能障害の治療も併せて行うため，2カ月ぶりに入院して，H004摂食機能療法（**図表11-1**）を実施していた。レセプト提出前の点検を行うため，摂食機能療法の算定要件を確認した。

H004　**摂食機能療法**
1　30分以上の場合　185点
2　30分未満の場合　130点
注1　1については，摂食機能障害を有する患者に対して，1月に4回に限り算定する。ただし，治療開始日から起算して3月以内の患者については，1日につき算定できる。
（「**早見表**」p.642）

治療開始日は2月13日と注記があった。毎日算定が可能とされる3月以内の期間を超過しているため，4回分算定した。しかし，事務連絡には以下のようにある。

問　摂食機能療法治療開始とはどのような場合か。ある疾患で入院中に摂食機能療法を実施した後に退院し，1月後，同じ疾患が悪化したために再び摂食・嚥下機能が低下し，再び摂食機能療法を開始した場合にはどうか。
答　ある疾患により摂食・嚥下機能に障害を来して，摂食機能療法を新たに開始した日を治療開始日とする。また，摂食機能療法により，経口摂取が可能となり摂食機能療法を終了した後，病状の悪化等により再び摂食機能療法を開始した場合は，その開始日を「治療開始日」として再び算定できる。その際，摘要欄に治療開始日等を記載する。
（下線筆者）（平18.3.31事務連絡／「**早見表**」p.643）

事例の入院日が6月6日のため，病状悪化による再算定に当てはまるのではないかと考え，カルテを確認した。

カルテには嚥下機能の悪化と6月10日からの摂食機能療法の再開が記載されていた。理学療法士に確認したところ，前々月には嚥下機能が十分に回復したため，摂食機能療法を終了して退院していた。

よって，正しい請求は以下のとおり。

図表11-1　ベッドでの摂食機能療法

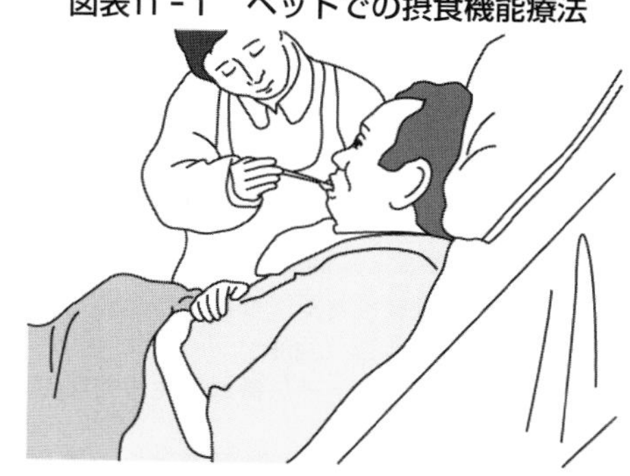

➡	⑧⓪	＊摂食機能療法（1日につき） （30分以上の場合） 治療開始日（2024.6.10）	185×10

医師が病名の転帰処理を失念していると，事務では請求誤りが発生することになる。疑問があれば，事務から積極的に問合せを行って算定もれを防がれたい。

【参考：摂食機能療法】
食べる・飲み込む機能を回復させるために行う訓練。呼吸機能（喀出能）訓練，顎運動訓練，舌運動訓練，喉頭挙上訓練，発声・発音訓練などを組み合わせて行う。

Q144　放射性同位元素内用療法管理料の算定もれ　M000-2

条件　DPC対象病院，500床，外来（2024年6月，関連部分のみ抜粋）
〈病名〉去勢抵抗性前立腺癌（C61），骨転移（C795）
〈内容〉

㉜	＊静脈内注射 ＊大塚生食注20ml　1管 ゾーフィゴ静注　1回分	37×1 （点数省略）×1

〈医師記録〉

6/17
本日よりXofigoを開始する。4週間ごとに計6回投与の予定だが，骨髄抑制に留意していく。放射性医薬品に関しての注意事項等は，パンフレットを用いて本人と家族に説明した。
（下線部筆者）

A　およそ1年前に，前立腺癌と骨転移で他院より紹介された患者の事例である。前立腺癌は，男性での臓器別がん罹患数が大腸癌や胃癌を抑えて第1位で（**図表11-2**），高齢化も伴い近年増加傾向にある。

手術や放射線治療後に再発・転移を起こした前立腺癌には通常ホルモン治療を行うが，それでも再発してしまったものが「去勢抵抗性前立腺癌」である。

レセプトを見ると静脈注射の手技と薬剤の算定が

ある。高額な薬剤で，単位（規格）が「１回分」と特殊であるため，まずはカルテ（上記の医師記録）を確認した。

カルテの「Xofigo」はゾーフィゴ静注を指す。続いてゾーフィゴ静注の添付文書を確認した。

> **ゾーフィゴ静注**
> 【薬効分類名】放射性医薬品・抗悪性腫瘍剤
> 【一般名】塩化ラジウム（223Ra）
> 【効能・効果】骨転移のある去勢抵抗性前立腺癌

ゾーフィゴ静注は，一般注射薬ではなく放射性医薬品であった。そこで，放射線治療の部を確認した。

> **M000-2　放射性同位元素内用療法管理料**
> 5　骨転移のある去勢抵抗性前立腺癌に対するもの　2,630点
> 注４　５については，骨転移のある去勢抵抗性前立腺癌の患者に対して，放射性同位元素内用療法を行い，かつ，計画的な治療計画を行った場合に，放射性同位元素を投与した日に限り算定する。　**（「早見表」p.869）**

M000-2放射性同位元素内用療法管理料「５」骨転移のある去勢抵抗性前立腺癌に対するものは,「放射性同位元素でありアルファ線という放射線を放出するRa-223を経静脈投与して施行する」治療法である（『臨床手技の完全解説　2024-25年版』p.325）。ゾーフィゴ静注はアルファ線を放出する放射性同位元素で，この治療は放射線治療の内部照射（内用療法）であり，M000-2「５」で算定する（**図表11－3，11－4**）。よって，正しいレセプトは次のとおり。

➡	㉜	＊静脈内注射　37×1 ＊大塚生食注20mL　1管 ゾーフィゴ静注　1回分（点数省略）×1
	⑧⓪	＊放射性同位元素内用療法管理料 「5」骨転移のある去勢抵抗性前立腺癌に対するもの 開始年月日：2024年6月17日　2,630×1

ゾーフィゴ静注は放射性医薬品であるため，放射線治療や核医学診断と同様，特別な環境下で投与される。また，副作用や投与後の日常生活での注意事項について患者本人やその家族に説明し，計画的に治療管理する必要がある。泌尿器科の医師と協議し，M000-2放射性同位元素内用治療管理料を電子カルテでオーダーできるようにして算定もれの対策を講じた。

なお，M000-2放射性同位元素内用管理料は，放射性同位元素の内用後４月間は，内用の有無にかかわらず算定できるため，その点も留意されたい。

図表11－2　がん罹患数の順位（2019年）

	1位	2位	3位	4位	5位
総数	大腸	肺	胃	乳房	前立腺
男性	前立腺	大腸	胃	肺	肝臓
女性	乳房	大腸	肺	胃	子宮

（国立がん研究センター　全国がん登録罹患データ）

図表11－3　ゾーフィゴ静注について

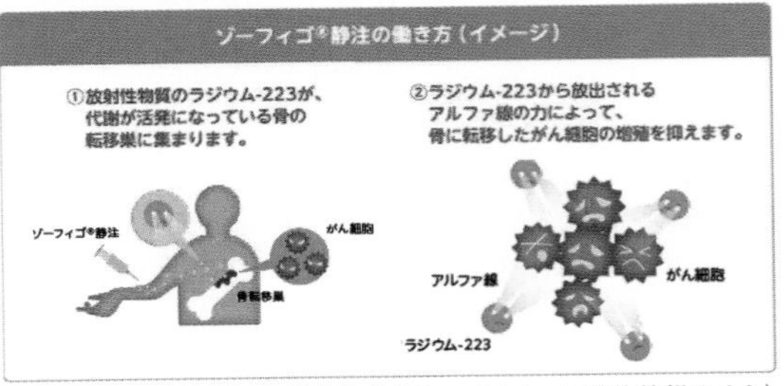

（バイエル薬品株式会社　ゾフィーゴ静注情報サイト）

図表11－4　放射線治療（内部照射）について

<table>
<tr><td rowspan="3">内部照射</td><td rowspan="2">密封小線源治療</td><td>X線,
β線,
γ線 など</td><td>組織内照射</td></tr>
<tr><td>γ線</td><td>腔内照射</td></tr>
<tr><td>非密封放射性同位元素による治療</td><td>α線,
β線,
γ線 など</td><td>内用療法</td></tr>
</table>

（国立がん研究センター　がん情報サービス）

12—DPCによる請求誤り

2003年４月より特定機能病院等（82病院）を対象として始まった「DPCによる包括支払い制度」は，年々その数を増し，2024年６月現在，1,786の病院が「DPC対象病院」と位置づけられ，病床数にすると一般病床の過半数がDPCによる診療報酬の請求を行っている。一方，データのみ提出するとして手上げを行った医療機関については，支払い方式は伴わないものの，データの収集に参加しデータを提出している。

DPC（Diagnosis Procedure Combinationの略）という言葉は多くの方がご存じだろうが，どんな仕組みのどんな支払い方式なのかを正確に理解されている方は少ないのではないか。まずは，その概略を説明しよう。

この制度による支払い方式は，今までの請求方式とはまったく異なる方式である。

DPCとは，患者の傷病名と医療資源の使い方に着目したグルーピングの方法である。つまり「診断群分類」の方法ということになる。この診断群分類は日本の状況等に配慮して作成された分類であり，日本独自の診断群分類といえる。

この診断群分類に対する支払方式については，「DPC/PDPS（Per-Diem Payment System）」と表すこととなった。この支払方式は，分類についてそれぞれに患者１人１日当たりの費用が定められ，入院日数を乗じることにより算定される。また，この包括されている部分はホスピタルフィーといわれる部分であり，ドクターフィーという部分が出来高で積算され合算される。

DPCでは傷病名，特に医療資源を最も使用した傷病名が，入院診療報酬の決定につながるために病院経営の鍵となる。

出来高での請求においては，どちらかというと診療行為があって，それに対応する傷病名を付すという考え方であった。しかし，DPCによる包括支払い方式では，まず医療資源を最も使用した傷病名があり，それによりホスピタルフィーが決定される。したがって，何が医療資源を最も使用した傷病名かの選択が最も重要視される。そのためには，統合EFファイルに反映される出来高情報の入力が正確に行われなければならない。この原則を誤り，包括だから入力は適当でよいと考えると，大きな請求誤りにつながるのである。

また，出来高データを基にして包括点数が定められている。疾病分類ごとの出来高点数が下がると，連動して包括点数も下がる仕組みなのである。自院のみが入力しなくても１件の影響は小さいからと，多くの医療機関が入力をおろそかにすると，その影響は大きくなる。その結果，実際のコストを反映できずに包括点数が下がっていくことにもつながるのである。

次にいくつかの事例を紹介したい。なお，事例では，ホスピタルフィー部分のみを掲載し，医療機関別係数は１として算出している。

図表12－１　診断群分類番号14桁の構成

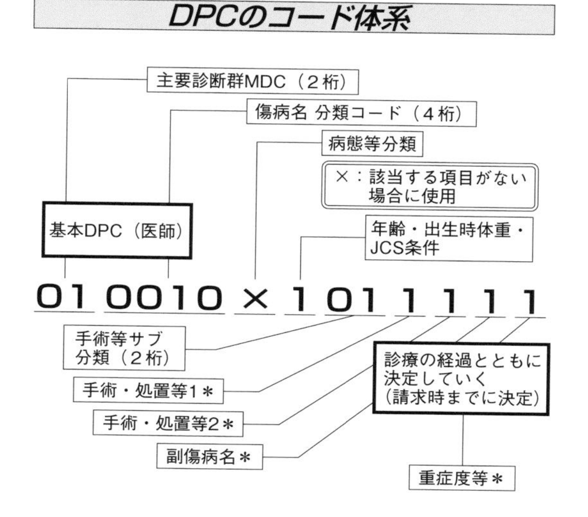

Q145　医療機器安全管理料１の算定もれ

B011-4

条件 **DPC対象病院（特定機能病院・専門病院以外），医療機器安全管理料１届出**（2024年７月分，関連部分のみ抜粋）

〈内容〉【診断群分類番号】140010x299x０xx

【診断群分類区分】妊娠期間短縮，低出産体重に関連する障害（出生時体重１,500g以上２,500g未満）手術なし，手術・処置等２なし

【入院年月日】2024.７.15

⑬	（請求対象なし）	
㊵	（請求対象なし）	
⑼	＊新生児治療回復室入院医療管理料（14日以内）	3,874×3

〈カルテ〉

【処置オーダー】　インキュベーター（閉鎖式）　15～17日　実施

A　事例では，特定入院料のA303-2新生児治療回復室入院医療管理料が算定されている。出生時低体重であって同管理料を算定する症例では，インキュベーター（保育器）の使用が一般的である。インキュベーターの種類によっては，B011-4医療機器安全管理料「1」が算定できるが，事例では算定がなかった。

インキュベーターの手技料はJ028インキュベーター（120点）で算定するが，DPC対象病院では，1,000点以下の処置に該当する項目は包括となり，レセプトには表示されない。そのため，カルテを確認した。

カルテより，インキュベーターの３日間使用が確認できた。さらに，そのインキュベーターが閉鎖式であることも確認できた。閉鎖式保育器は，医療機器安全管理料「1」の算定要件にある生命維持管理装置に該当する。

よって，正しいレセプトは，以下のとおり。

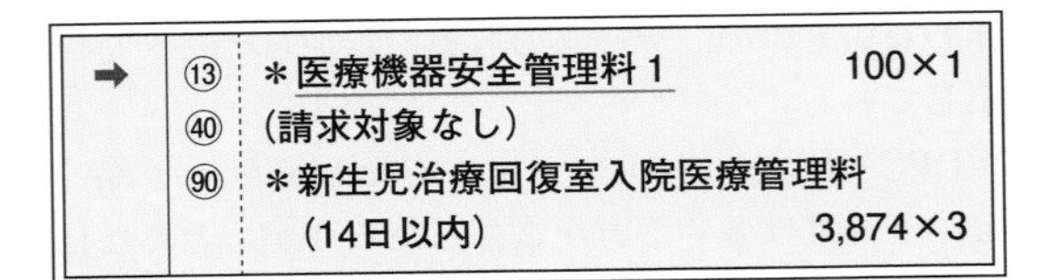

➡	⑬	＊医療機器安全管理料１	100×1
	㊵	（請求対象なし）	
	⑼	＊新生児治療回復室入院医療管理料（14日以内）	3,874×3

なお，インキュベーターには開放式と閉鎖式の機器がある（**図表12－２**）。

閉鎖式保育器に分類される場合のみ，医療機器安全管理料「１」が算定できる。自院の保育器の種類を把握し，両方の機器を使用している場合は，請求もれと請求誤りがないような仕組みを考えられたい。

図表12－２　インキュベーター：開放式（左）と閉鎖式（右）

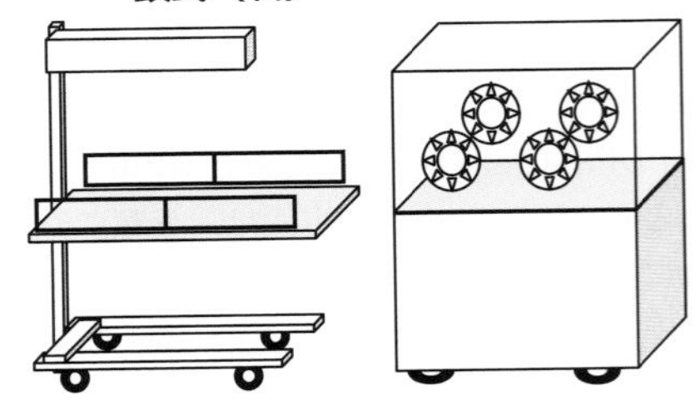

2―薬剤（投薬・注射）の査定

薬剤は，薬機法（旧・薬事法）の承認を受け，薬価基準への収載を受けることにより，はじめて保険診療に使用できる医薬品として定められる。その効能・効果，用法・用量を遵守しなければならない。いわゆる能書に示された範囲を守ることが原則となる。公知申請などで適応範囲が拡大される薬剤もあるが通知された極めて一部に限られ，その他は厳密に審査される。

また，一部の薬剤については，１回の処方についての投与日数の規定もある。これらの規定を超えた部分については，必ず減点の対象となる。

多くの医療機関では，この薬剤に係る減点が大きなウエイトを占める。また保険者による審査（過誤調整）でも減点されることが多い。審査基準が明確なため，事務サイドでも的確な判断ができる。したがって，能書に合致しないものは，必ず減点されるといっても過言ではない。

薬剤に対する減点の原因をきちんと把握し，的確な対処をすることは，審査への対応の大きなポイントと言える。また，審査支払機関でのコンピューターチェックにおいても「～に関する注意」とされる項目などの記載において投与期間などに関して定量的な記載がある場合には，その記述を審査基準として査定を受けることがあるので，より一層の注意が必要となる。

1 過剰投与とみなされた査定

薬剤は，その適応や用法用量にしたがって適正に使用することが定められている。用量に関しては，通常は常用量が定められており，最大使用量が明示されている場合もある。漫然とした使用でないかぎり，常用量の範囲内であれば査定を受けることはない。これらを超えた場合に過剰とみなされ，減点を受けることとなる。

いくつかの事例をみながら，そのポイントを考察したい。

Q1 ウルソデオキシコール酸（ウルソ）錠の査定

条件 DPC対象病院，400床規模，外来（2024年６月，関連部分のみ抜粋）

〈病名〉肝機能障害（R６.６７）

〈内容〉

㉑	＊ウルソデオキシコール酸錠100mg 6錠×14日	（点数省略）

⇨ 3錠に査定

A ウルソデオキシコール酸（ウルソ）錠100mg６錠がB（過剰）として「３錠×14日」に査定された事例である。同剤の適用病名には「肝機能障害」があり，問題がないと考えられたため，添付文書の「用法・用量」を確認した。

ウルソデオキシコール酸錠100mg

【効能・効果】（抜粋）

・コレステロール系胆石の溶解
・慢性肝疾患の肝機能の改善
・原発性胆汁性肝硬変の肝機能の改善
・C型慢性肝疾患の肝機能の改善

【用法・用量】（主なもの）

1．ウルソデオキシコール酸として，１回50mgを１日３回経口投与する。なお，年齢，症状により適宜増減する。

2．外殻石灰化を認めないコレステロール系胆石の溶解には，ウルソデオキシコール酸として，１日600mgを３回に分割経口投与する。なお，年齢，症状により適宜増減する。

3．原発性胆汁性肝硬変における肝機能の改善には，ウルソデオキシコール酸として，１日600mgを３回に分割経口投与する。なお，年齢，症状により適宜増減する。増量する場合の１日最大投与量は900mgとする。

4．C型慢性肝疾患における肝機能の改善には，ウルソデオキシコール酸として，１日600mgを３回に分割経口投与する。なお，年齢，症状によ

り適宜増減する。増量する場合の1日最大投与量は900mgとする。（下線部筆者）

「適宜増減」とは，一般的に医師の医学的判断で倍量までが認められるということである。つまり，「1」の用法では50mg×倍量×1日3回＝300mg/日までが適用の範囲となる。本例のように600mg/日が適用となるのは，「2」～「4」の用法である。医師に確認したところ，腹部エコーの結果「コレステロール性胆石」があったが，病名登録がもれていたことが発覚した。また，事務担当者はレセプト点検は行っていたものの，適応病名があると判断したため，医師への病名確認を行っていなかったことがわかった。

審査支払機関でのコンピューターチェックが主流となり，適応病名だけでなく，添付文書の用法・用量に則った病名があるかどうかで査定になる事例が増えている。レセプト担当者は薬剤の添付文書を確認し，より理解を深めていく必要がある。

Q2　オメプラール注用20の査定

〈病名〉出血性胃潰瘍（2024.7.10）
〈内容〉2024年7月分，関連部分のみ抜粋，7月10日から継続入院中

㉝	＊オメプラール注用20　2瓶	（点数省略）×20	⇨ ×7に査定

A　オメプラール注20回が7回に査定された事例である。

オメプラール注の添付文書を確認する。

効能･効果では「①経口投与不可能な下記の疾患：出血を伴う胃潰瘍，十二指腸潰瘍，急性ストレス潰瘍及び急性胃粘膜病変，②経口投与不可能なZollinger-Ellison症候群」となっており，適応には問題ない。添付文書を今一度確認した。

【用法・用量に関する使用上の注意】
1．本剤を，「経口投与不可能な，出血を伴う胃潰瘍，十二指腸潰瘍，急性ストレス潰瘍及び急性胃粘膜病変」に対して投与した場合，3日間までの成績で高い止血効果が認められているので，内服可能となった後は経口投与に切りかえること。
2．国内臨床試験において，本剤の7日間を超える使用経験はない。（下線筆者）

査定の根拠はこの下線の文言に由来している。

保険診療で使用できる医薬品は薬機法（旧・薬事法）で承認されたものであり，添付文書の内容そのものが承認事項となる。このことに留意して，新規採用した医薬品については薬局，医事課がともに添付文書を確認することとした。

このように，能書に具体的に数字（日数，期間）が示されているものは，コンピュータチェックに利用されているので，特に注意が必要である。

Q3　クラビット錠500mgの査定

〈病名〉右足関節挫傷，右足部捻挫（2024.3.4），急性扁桃腺炎（2024.6.14）
〈内容〉2024年6月分，関連部分のみ抜粋

㉑	＊クラビット錠500mg（レボフロキサシン）1錠	（点数省略）×14	⇨ ×7に査定

A　事例では，14日分投与されたクラビット錠500mgがB（過剰）を理由に7日分へ査定となった。添付文書を確認すると，以下のような使用上の注意が確認できる。

【重要な基本的注意】
本剤の使用にあたっては，耐性菌の発現等を防ぐため，原則として感受性を確認し，疾病の治療上必要な最小限の期間の投与にとどめること。
（下線筆者）

下線部の表現がポイントである。審査支払機関に確認したところ，「急性感染症に対する抗菌剤の投与において，1処方で14日分は過剰」を理由に査定したという。事例は，整形外科に通院する患者の急性上気道感染症への処方であり，レセプト担当者も投与期間には特に気をとめなかったとのことであった。

担当医に審査結果の報告と最低限の期間での処方の依頼を行い，さらにレセプトチェックシステムでは，「実日数1日」で「抗菌剤8日以上処方」との

警告コメントを表示させる対策を取った。

Q4　サムスカOD錠の査定

条件　**DPC対象病院，入院**（2024年6月，関連部分のみ抜粋）
〈病名〉アルコール性肝硬変（R2.5.18）
〈内容〉

入院日：R6.5.20		
＊サムスカOD錠7.5mg　1錠（退院時21日分投薬）	（点数省略）×21	⇨　×14に査定

A　事例は，アルコール性肝硬変に伴う難治性腹水症の患者に，入院中の6月1日からサムスカOD錠7.5mgを投与した後，同月9日に21日分の退院時処方を行ったものだが，「事由B（過剰）」を理由に，14日分に査定された。

サムスカOD錠7.5mgの効能・効果は「ループ利尿薬等の他の利尿薬で効果不十分な肝硬変における体液貯留」となっており，適応に問題はない。また，「警告」では，次のように記されている。

> **【警告】**（関連部分のみ抜粋）
> 1．心不全及び肝硬変における体液貯留の場合
> 　本剤投与により，急激な水利尿から脱水症状や高ナトリウム血症を来し，意識障害に至った症例が報告されており（中略）入院下で投与を開始又は再開すること。また，特に投与開始日又は再開日には血清ナトリウム濃度を頻回に測定すること。
> （下線筆者）

このように，投与にリスクを伴う薬剤は審査にもルールがある。添付文書の〔使用上の注意〕2．重要な基本的注意などをもとに，○県の審査委員会の場合は以下のとおりだ（文面は「心不全の場合」となっているが，その後「肝硬変」も同様とされた）。

> **「心不全」病名に対する取扱いについて**
> (1)　サムスカ錠の使用は，他の利尿剤が使用された後に併用追加されること。
> (2)　投与開始又は再開は入院中に限る。
> (3)　入院中の使用は原則2週間までとし，2週間を超える場合は症状詳記より考慮することとする。
> (4)　退院後の外来継続使用は，心不全の治療にサムスカ錠が必要な次の症例とする。
> 　ア　サムスカ錠の投与中止による心不全悪化がみられ，入院中に再開された症例で，外来処方期間は1処方原則14日までとする。（以下略）
> 〔支払基金○○県支部・審査委員会「医薬品の適応病名について」（H25.12.4）〕　（下線筆者）

レセプト担当者は，審査ルールを知っていたものの，単純に点検時に見逃してしまい，担当医へ症状詳記を依頼しなかったため，査定を受けた。その後，再審査請求時に入院中の症状，サムスカ錠の服用効果，退院時の患者の状態と投与の必要性を記載して請求し，無事に復活した。

審査側も投与期間の制限を設けることで医療の安全性を確保することに加え，審査ではコンピュータチェックを有効に利用しているため，請求側も適切なチェックを行う必要がある。

Q5　サムチレールの査定

条件　**DPC対象病院，600床規模，外来，呼吸器科**（2024年6月，関連部分のみ抜粋）
〈病名〉特発性間質性肺炎（H18.8.24），ニューモシスチス肺炎（R3.8.10）
〈内容〉

㉑	＊サムチレール内用懸濁液15% 750mg 5mL 2包	（点数省略）×32	⇨　×21へ査定

A　特発性間質性肺炎（公費54受給）の患者に日和見感染（ニューモシスチス肺炎）の予防のために処方されたサムチレール内用懸濁液15%が，「×32」→「×21」へと査定を受けた事例である。

特発性間質性肺炎では感染予防がきわめて重要で，急性増悪は上気道感染（風邪のような症状）がきっかけとなることも多いとされている。添付文書を確認すると，レセプト傷病名にある「ニューモシスチス肺炎」では，21日間という処方制限があるが，事例は予防目的であることがうかがえる。レセプト担当者に確認すると，以前からこちらの傷病名で請求しているが，今回，初めて査定されたとのことだった。

> **サムチレール内用懸濁液15%**
> **【用法・用量】**
> 〈ニューモシスチス肺炎の治療〉
> 通常，成人には1回5mL（アトバコンとして750mg）を1日2回21日間，食後に経口投与する。
> 〈ニューモシスチス肺炎の発症抑制〉
> 通常，成人には1回10mL（アトバコンとして1500mg）を1日1回，食後に経口投与する。
> （下線部筆者）

医師に確認すると，「発症抑制のために処方を継続している」とのことであった。そのうえで，レセプト傷病名を適正なかたちにするため，医師に「ニューモシスチス肺炎の発症抑制」と加筆いただき，再審査請求を行ったところ，復活となった。再審査にあたり，前月までと同じ状態での請求に対して急に行われた査定につき，すぐに審査支払機関へ問合せを行うなどの日頃からの取組みの成果といえる事例であった。

Q6　セレコックス錠の査定

条件 **DPC対象病院，外来**（2024年9月，関連部分のみ抜粋）
〈病名〉 両変形性膝関節症（主）（R4.4.15）
〈内容〉

㉑	＊セレコックス錠200mg 2錠	（点数省略）×14

⇨ 1錠（×14）に査定

A　事例では，セレコックス錠200mg 2錠がB査定（過剰）によって1錠とされた。そこで，セレコックス錠の添付文書を確認すると以下の記載があった。

> **セレコックス錠**
> **【用法・用量】**
> 〈関節リウマチ〉
> 通常，成人にはセレコキシブとして1回100～200mgを1日2回，朝・夕食後に経口投与する。
> 〈変形性関節症，腰痛症，肩関節周囲炎，頸肩腕症候群，腱・腱鞘炎〉
> 通常，成人にはセレコキシブとして1回100mgを1日2回，朝・夕食後に経口投与する。
> 〈手術後，外傷後並びに抜歯後の消炎・鎮痛〉
> 通常，成人にはセレコキシブとして初回のみ400mg，2回目以降は1回200mgとして1日2回経口投与する。なお，投与間隔は6時間以上あけること。（以下略）

「関節リウマチ」または「手術後，外傷後並びに抜歯後の消炎・鎮痛」に対する投与では1日400mgの使用が認められているが，「変形性関節症」に対する用法・用量は1日200mgまでとなっているため，今回査定されたと考えられる。

医師に確認したところ，今回は手術を行って退院した直後の外来受診であり，術後疼痛に対して処方していたことがわかった。そこで，手術実施日および術後疼痛の症状を記載して再審査請求したところ，復活となった。

また，今後の査定対策として，レセプトチェックシステムで400mg投与時には警告表示を出す対策をとった。

Q7　ゾビラックス錠200の査定

〈病名〉 口唇ヘルペス（2024.6.24）
〈内容〉 2024年6月分，患者は成人，関連部分のみ抜粋

㉑	＊ゾビラックス錠200　200mg　6錠	（点数省略）×7

⇨ 5錠×5に査定

A　口唇ヘルペスとは，「単純疱疹」（単純ヘルペス）であり，以下のように区分することができる。

単純疱疹（単純ヘルペス）	口唇ヘルペス	単純ヘルペスウイルス（HSV）を原因に水疱等ができる皮膚疾患
	性器ヘルペス	
	上記以外のヘルペス	

事例は，ゾビラックス錠200を口唇ヘルペスに対して7日分処方した場合に，5錠5日分に査定された事例である。ゾビラックス錠の効能・効果，用法及び用量を添付文書で確認すると以下のとおりである。

> **〔成人〕**（関連部分のみ抜粋）
> **【効能・効果】** 単純疱疹
> **【用法及び用量】** 通常，成人にはアシクロビルとし

て１回200mgを１日５回経口投与する。

したがって，用法及び用量にあるとおり，1日量は200mg 5錠で，１錠分が過剰。処方日数についても，添付文書の「用法及び用量に関連する注意」に〈単純疱疹〉本剤を５日間使用し，改善の兆しが見られないか，あるいは悪化する場合には，他の治療に切り替えること。（下線著者）と記載があり，やはり２日分の過剰となっている。

「用法及び用量」以外の使用上の注意事項で定められている投与期間等について厳密な査定が増加している。審査支払機関のコンピュータチェックに対応するためにも，医療機関側もレセプトチェックシステムをより有効に活用していく必要がある。

Q8　ネキシウムカプセル（プロトンポンプ阻害薬）の査定

条件 DPC対象病院，外来（2024年９月，関連部分のみ抜粋）

〈病名〉 胃潰瘍（主）（R６.7.16），逆流性食道炎（R６.7.16）

〈内容〉

㉑	＊ネキシウムカプセル20mg 1カプセル×28日分　（点数省略）×1 ※7月に2週分，8月に4週分，9月に4週分投与	⇨ 14日分に査定

A 事例では，ネキシウムカプセル20mg 1カプセル28日分がC査定（適応外）によって14日分とされた。そこで，ネキシウムカプセルの添付文書を確認すると，以下の記載があった。

ネキシウムカプセル20mg
【用法・用量】
胃潰瘍，十二指腸潰瘍，吻合部潰瘍，Zollinger-Ellison症候群
通常，成人にはエソメプラゾールとして１回20mgを１日１回経口投与する。なお，通常，胃潰瘍，吻合部潰瘍では８週間まで，十二指腸潰瘍では６週間までの投与とする。
逆流性食道炎
通常，成人にはエソメプラゾールとして１回20mgを１日１回経口投与する。なお，通常，８週間までの投与とする。
さらに再発・再燃を繰り返す逆流性食道炎の維持療法においては，１回10～20mgを１日１回経口投与する。　（下線部筆者）

ネキシウムを含むプロトンポンプ阻害薬（PPI）の一覧が**図表２-１**である。PPIは胃酸分泌抑制作用をもち，胃腸障害全般に処方される内服薬である。胃酸分泌抑制作用がある薬剤にはほかに，H_2ブロッカー（ヒスタミンH_2受容体拮抗薬）があるが，PPIにはより強力な胃酸分泌抑制作用があり，効き目も長時間持続する。

PPIの適応疾患には，胃酸過多・逆流性食道炎・胃潰瘍・十二指腸潰瘍・ピロリ菌の除菌があるが，通常８週までが適用であり，再発・再燃を繰り返す逆流性食道炎の維持療法のみ８週を超えて投与可能である。したがって，８週を超えた分が今回査定となった。医師へ確認したところ，今回は「維持療法の必要な難治性逆流性食道炎」に該当するが，病名を変更するのを失念したとのことだった。

今回は，７月に２週分，８月に４週分，９月に４週分投与したところ，８週を超えた分（最後の２週分）が査定となったのである。

PPIは投与日数や投与量によって適用が異なるため，レセプト点検時に注意が必要である。また，入院中に処方されている場合は，入外の縦覧点検で投与日数を確認する必要がある。今後はレセプトチェックシステムで投与日数を確認する旨の警告表示を出す設定に変更し，医師へ都度確認する運用に変更した。

なお，内視鏡検査等の実施がなく，胃潰瘍や十二指腸潰瘍の病名がレセプトに付いている場合，個別指導や適時調査で指摘されることがあるため，併せてご留意いただきたい。

図表２-１　プロトンポンプ阻害剤（PPI）内服製剤の一覧

成　分	製品名
エソメプラゾール	ネキシウム
オメプラゾール	オメプラゾン，オメプラール，オメプラゾール，オブランゼ，オメプロトン
ボノプラザンフマル酸塩	タケキャブ
ランソプラゾール	タケプロン，ランソプラゾール，タイプロトン，タピゾール，ランソラール，ランサップ，ランピオン
ラベプラゾールナトリウム	パリエット，ラベプラゾールナトリウム，ラベキュア，ラベファイン

Q9　パリエット錠の査定

〈病名〉腎移植後，２型糖尿病，難治性逆流性食道炎
〈内容〉2024年７月分，関連部分のみ抜粋

㉑	＊パリエット錠10mg　2錠	（点数省略）×56	⇨　1錠×56に査定

A　腎移植後，長期にわたり２型糖尿病やその他の疾患で通院中の事例である。今回，パリエット錠が２錠から１錠に査定された。パリエット錠の適用量を確認したところ，「再発・再燃を繰り返す逆流性食道炎の維持療法においては，１回10 mgを１日１回経口投与」とある。これで過剰と判断された可能性があるが，投与履歴は前回も20 mgで同様の投与となっていた。投与量の過剰が査定原因ではないようなので，添付文書をさらに確認した。

【用法及び用量に関連する注意】
〈逆流性食道炎〉病状が著しい場合及び再発性・難治性の場合に１回20 mgを１日１回投与できる（再発・再燃を繰り返す逆流性食道炎の維持療法，プロトンポンプインヒビターによる治療で効果不十分な場合は除く）。また，プロトンポンプインヒビターによる治療で効果不十分な患者に対し１回10 mg又は１回20 mgを１日２回，更に８週間投与する場合は，内視鏡検査で逆流性食道炎が治癒していないことを確認する。なお，本剤１回20 mgの１日２回投与は，内視鏡検査で重度の粘膜傷害を確認した場合に限る。（下線筆者）

上記のように，１日20 mgを継続的に投与する場合は，漫然と投与せず検査をして診断したうえで行わねばならない。これが査定の原因であったと考えて，主治医に相談した。難治性で継続投与が余儀なくされる症例であるので，内視鏡による検査または薬剤の減量を検討するということであった。

Q10　ペンタサ錠の査定（調剤明細書との突合点検）

条件 DPC対象病院，外来（2024年８月分，関連部分のみ抜粋）
〈病名〉潰瘍性大腸炎（2024.5.21），難治性逆流性食道炎（2024.8.8）
〈内容〉

⑫	＊外来診療料	76×1
⑬	＊難病外来指導管理料	270×1
⑳	＊処方箋料「３」（リフィル以外）	60×1

●調剤レセプト側の情報

8/8　〔内服〕１日１回朝食後		
イムラン錠50mg　１錠	（点数省略）×63	
8/8　〔内服〕１日２回朝夕食後		
ペンタサ錠500mg　８錠	（点数省略）×63	⇨　×56に査定

A　電子的な突合点検（医科レセプトと調剤レセプト）の結果，ペンタサ錠の63日分処方が「B：過剰」として56日分処方に査定され，医療機関の診療報酬から差し引くと連絡があった。病名には潰瘍性大腸炎があり，問題はないため，ペンタサ錠500mgの添付文書（効能・効果，用法・用量等）を確認してみた。

【用法・用量に関連する注意】
1．１日4000mgへの増量は，再燃緩解型で中等症の潰瘍性大腸炎患者（直腸炎型を除く）に対して行うよう考慮すること。
2．１日4000mgを，８週間を超えて投与した際の有効性及び安全性は確立していないため，患者の病態を十分観察し，漫然と１日4000mgの投与を継続しないこと。（下線筆者）

ペンタサ錠500mgの算定は８週間（56日分）までしか認められていないことがわかった。「用法・用量」欄だけでなく，「用法･用量に関連する注意」欄に記載される定量的制限値にまでコンピュータチェックがかけられていることが伺える査定内容である。

査定の原因分析は，レセプト請求・審査が電子化される以前から行われている業務であるが，これを

怠るとこのような査定が増える。査定の原因分析は今も事務部門にとって欠かすことのできない主要業務である。

Q11　イクスタンジ錠の査定

条件 **DPC対象病院，500床，外来，外科**（2024年10月，関連部分のみ抜粋）
〈病名〉 去勢抵抗性前立腺癌
〈内容〉【患者】85歳，男性

⑫	＊外来診療料	76×1
	＊イクスタンジ錠80mg　2錠	（点数省略）×35

⇨ ×30に査定

A　去勢抵抗性前立腺癌で外来診療していた患者への，イクスタンジ錠の投与日数が35日分から30日分に査定された事例である。

去勢抵抗性前立腺癌とは，ホルモン療法により男性ホルモンの分泌が抑えられているにもかかわらず悪化する前立腺癌のことである。まずイクスタンジ錠について添付文書を調べてみた。

> **【効能又は効果】**
> 去勢抵抗性前立腺癌，遠隔転移を有する前立腺癌
> **【用法及び用量】**
> 通常，成人にはエンザルタミドとして160mgを1日1回経口投与する。
> **【禁忌】**
> 本剤の成分に対し過敏症の既往歴のある患者

効能効果，用法用量，禁忌のいずれも特に問題はない。そこで審査機関に査定の経緯を問い合わせた。すると，イクスタンジ錠を含め，去勢抵抗性前立腺癌治療薬（ザイティガ錠，アーリーダ錠等）の1回当たりの処方日数は30日が限度との審査基準に従い査定したとのことであった。

県内の他医療機関で同様の査定があることもわかった。そこで，去勢抵抗性前立腺癌治療薬については院内の保険診療委員会で議題とし，電子カルテで処方する際，30日が限度となるように仕様変更し，再発防止を図った。

Q12　マヴィレット配合錠の査定

条件 **DPC対象病院（500床規模），外来**（2024年９月，関連部分のみ抜粋）
〈病名〉 C型慢性肝炎（R６.６.24）
〈内容〉

㉑	＊マヴィレット配合錠　３錠	（点数省略）×14

⇨ ×7に査定

〈症状詳記〉

> ジェノタイプ１のC型慢性肝炎の患者。HCV-RNA（TaqMan）6.5LogIU/mL（2024/５/７）。2024/８/２よりマヴィレット配合錠投与開始。12週投与予定。（中略）。9/21から８week目。9/18に14日分を処方。

A　マヴィレット配合錠３錠14日分が７日分に査定された。症状詳記も添付していたので確認してみる。

ここで，マヴィレット配合錠の用法用量を添付文書で確認してみると，投与期間は以下のように８週間のものと12週間のものがあることがわかった（**図表２-２**）。

ここから，ジェノタイプ１または２のC型慢性肝炎は，①NS3/4Aプロテアーゼ阻害剤，②NS5A阻害剤，③NS5Bポリメラーゼ阻害剤のいずれかの治療歴がある場合しか12週間投与を認めていないことがわかる。

具体的には**図表２-３**のいずれかの薬剤の治療歴のことである。

> **<用法・用量に関連する使用上の注意>**
> セログループ1（ジェノタイプ1）又はセログループ2（ジェノタイプ2）のC型慢性肝炎患者に対しては，前治療の有無により投与期間を考慮すること。国内臨床試験において，NS3/4Aプロテアーゼ

阻害剤，NS5A阻害剤又はNS5Bポリメラーゼ阻害剤の前治療歴を有する患者に対する本剤の投与期間は12週間であった。（下線筆者）

これらの前治療歴が症状詳記に記載されていなかったため，８週間分までしか認められず，９週目以降に服用するであろう１週間分が査定となったのである。

カルテを確認したところ，ダクルインザ錠＋スンベプラカプセル併用療法の治療歴があったため，症状詳記を追記して再審査請求を行ったところ復活した。

【併用療法とは？】
C型慢性肝炎の治療は，従来，注射薬（インターフェロン：IFN）によるものが主流であったが，IFNは効果が大きい反面，副作用もひどかった。そこで，副作用の軽い経口薬のみによる治療法が模索されたが，経口薬は抗ウイルス作用も弱いため，単剤ではウイルスに耐性がついてしまう。それを抑制すべく編み出されたのが，異なる効果をもつ複数の経口薬を投与する併用療法だった。ダグルインザ錠＋スンベプラカプセル併用療法は，経口薬のみによるC型慢性肝炎の治療法として初めて承認されたものである（2014年９月に薬価収載）。

C型慢性肝炎／肝硬変の治療では，次々と治療効果の高い薬が登場しているが，薬価も高額であり，請求に際しては，査定返戻とならぬように傷病名や症状詳記の記載内容に十分に注意したい。

図表２-２　マヴィレット配合錠の投与期間

傷病名	ウイルスの遺伝子型	投与期間
C型慢性肝炎	セログループ１（ジェノタイプ１）またはセログループ２（ジェノタイプ２）	８週間 C型慢性肝炎に対する前治療歴に応じて12週間
C型代償性肝硬変	セログループ１（ジェノタイプ１）またはセログループ２（ジェノタイプ２）	12週間
C型慢性肝炎	セログループ１（ジェノタイプ１）またはセログループ２（ジェノタイプ２）のいずれにも該当しない	12週間
C型代償性肝硬変		12週間

図表２-３　ジェノタイプ１又は２のC型慢性肝炎患者に投与する薬剤

	作用	商品名
①	NS3/4Aプロテアーゼ阻害剤	スンベプラカプセル100mg*
		グラジナ錠50mg*
②	NS5A阻害剤	ダクルインザ錠60mg*
		エレルサ錠50mg*
③	NS5Bポリメラーゼ阻害剤	ソバルディ錠400mg
④	①と②の配合	マヴィレット配合錠
⑤	②と③の配合	ハーボニー配合錠 エプクルーサ配合錠
⑥	①と②と③の配合	ジメンシー配合錠*

＊現在は販売中止

Q13　ロピオン静注の査定

条件　**DPC対象病院，600床規模，入院**（2024年９月，関連部分のみ抜粋）
DPC分類により出来高レセ

〈病名〉腰部脊柱管狭窄症
多発性骨髄腫，難治性疼痛，癌性疼痛

〈内容〉

⑬	＊がん性疼痛緩和指導管理料	200×1	
㉚	＊中心静脈注射		
	麻薬注射加算（16日）	145×1	
	＊ロピオン静注50mg 5mL 5A	（点数省略）	⇨ 0に査定
	＊フェンタニル注射液0.5mg「テルモ」0.005% 10	（点数省略）	
	（一部薬剤省略）		

〈症状詳記（要点のみ）〉

・多発性骨髄腫は再発・難治の状態である
・腰痛が高度であり全身状態の悪化にて内服が不安定である
・悪性腫瘍末期の癌性疼痛緩和療法を実施している
・本例は併用投与が奏効している

A　多発性骨髄腫ならびに腰部脊柱管狭窄症に対して腰椎固定術を実施したあとも高度な腰痛がある患者の例で，今回，入院の途中から麻酔用鎮痛剤のフェンタニル注射液に加え，非ステロイド性鎮痛剤ロピオン静注を追加し請求したが，ロピオン静注がB査定（過剰）を受けた。

すぐに主治医に確認したが，このような事例で疼痛緩和治療が認められないことはあり得ないとして，症状詳記を添付し，再請求することとなった。添付した症状詳記の要点は上記のとおりである。

事例のように，査定は細かに医師へ確認を行い，医師の意向，判断として請求が妥当と判断される場合は，もれなく再請求を行うべきである。

2 適応外使用とみなされた査定

Q14　アクトス錠の査定

条件 **外来**（2024年6月，関連部分のみ抜粋）
〈病名〉 2型糖尿病（H28.1.13），うっ血性心不全（R6.6.6）
〈内容〉

㉑	＊アクトス錠15　15mg　1錠	(点数省略) ×28

⇨ 0に査定

A 当該事例について，2型糖尿病治療薬であるアクトスが全量査定となった（査定事由C：不適当）。

患者は2016年から糖尿病治療を行っているが，過去には同一患者でアクトスは査定されておらず，今回が初めての査定であった。

査定分析にあたり，医薬品添付文書の効能・効果について確認を行った。

【効能・効果】
2型糖尿病。ただし，次のいずれかの治療で十分な効果が得られずインスリン抵抗性が推定される場合に限る。（以下略）

効能・効果のみを見れば，特に問題はなさそうである。そのため，用法・用量も確認した。

【用法・用量】
1．通常，成人にはピオグリタゾンとして15～30mgを1日1回朝食前又は朝食後に経口投与する。なお，性別，年齢，症状により適宜増減するが，45mgを上限とする。

処方内容は，1回1錠15mgであり，用法・用量と照らしても問題はない。

では査定理由はいったい何なのであろうか。審査機関へ問合せを行うこととした。

【審査機関への問合せ内容】
アクトス錠が査定されているが，病名もあり，効能効果，用法・用量から見ても査定理由がわからない。当該患者には過去にもアクトスが処方されているが，査定を受けるのは初めてである。今回査定となった理由を教えてほしい。

【審査機関からの回答】
当月より「心不全」の病名がついている。アクトスは心不全患者に「禁忌」のため，査定とした。

以上の回答から，添付文書の内容を再度確認すると，禁忌の項に次の記載があることがわかった。

【禁忌】（次の患者には投与しないこと）
1．心不全の患者及び心不全の既往歴のある患者
［動物試験において循環血漿量の増加に伴う代償性の変化と考えられる心重量の増加がみられており，また，臨床的にも心不全を増悪あるいは発症したとの報告がある］（以下略）　（下線筆者）

医薬品の効能・効果，用法・用量は確認していたが，禁忌にまでは確認が及んでいなかった。また，レセプトを再度確認してみると，確かに当月より心不全の病名が加わっている。レセプト点検時には適応のみでなく禁忌に該当しないかも確認し，必要に応じて症状詳記を記載するなどの対応が必要である。

Q15　アミティーザカプセルの査定

条件 **外来**（2024年6月，関連部分のみ抜粋）
〈病名〉 習慣性便秘症（R6.1.17）
〈内容〉

㉑	＊アミティーザカプセル24μg　2CP	(点数省略) ×7
⑳	＊処方箋料（1及び2以外）（リフィル以外）	60×1

⇨ 0に査定

A 便秘症にて定期的に通院している患者の事例である。2020年3月以前は酸化マグネシウムが処方さ

審査査定
投薬注射

れていたが，当月からアミティーザカプセル（**図表2-4**）が処方され始めた。しかし，患者は以前から通院しており，カルテには「習慣性便秘症」の病名が付いていたため，疑いもなくレセプト請求を行ったところ,「事由A（不適応）」を理由に査定された。

審査機関に査定理由を問い合わせたところ，「当該薬剤の適応は『慢性便秘症』であり，習慣性便秘症の病名では適応外と判断，またアミティーザは便秘の第一選択薬としては認められないため，総合的に適応外とし査定とした」との回答であった。

> **【効能・効果】** 慢性便秘症（器質的疾患による便秘を除く）
> **【効能又は効果に関連する使用上の注意】** 症候性の慢性便秘症患者を対象に本剤の有効性及び安全性を評価する臨床試験は実施していない。

しかし，ICD10コードを確認すると，慢性便秘症も標準病名では習慣性便秘に該当し，同一コード（K590）であることがわかった。また，当院の便秘の第一選択薬は酸化マグネシウムであり，本事例でも当初は酸化マグネシウムを処方していたが，効果が不十分だったため，当月よりアミティーザの処方を開始していたという事情もわかった。

これらを踏まえ，医師と相談のうえ，「通常の下剤のみでは効果不十分な習慣性便秘に対してアミティーザを使用しコントロールを行っています」という文章とともに，ICD10コードより習慣性便秘と慢性便秘が同一傷病である旨を記載して再審査を行ったところ，復活となった。

病名不備で査定となった項目であっても，ICD10コードなどを十分確認すれば，再審査請求の対象となりうることがわかった事例である。

> **チェックポイント！**
> ★ **病名不備として査定になった項目であっても，Iカルテの病名，薬剤の適応病名，ICD10コードを照合し確認することで同一傷病と判明することもある。症状詳記と併せて，必要時に適切な説明とともに請求する！**

図表2-4　アミティーザの作用と効果

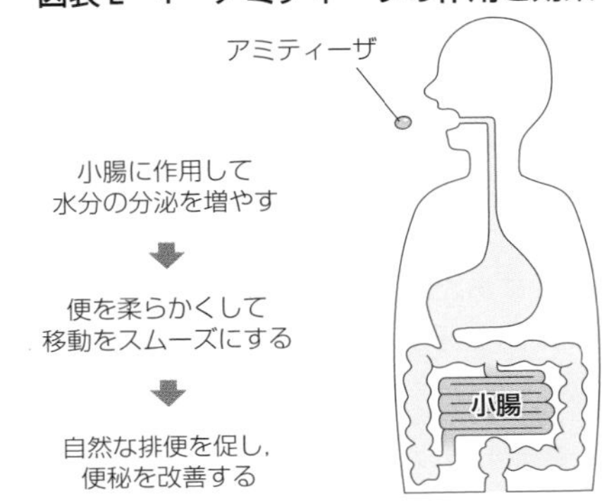

Q16　アリセプトD錠5mgの査定

〈**病名**〉アルツハイマー型認知症（R6.7.18）
〈**内容**〉2024年7月分，関連部分のみ抜粋

⑪	＊初診料	291×1
㉑	＊アリセプトD錠5mg　5mg　1錠	（点数省略）×30

⇨ 0に査定

A 事例では，アルツハイマー型認知症に適応のあるアリセプトD錠5mg 1錠×30日分がすべてD査定（不適当または不必要と認められるもの）された。

アリセプトD錠の添付文書をみてみる。

> **【用法・用量】**
> 通常，成人にはドネペジル塩酸塩として1日1回3mgから開始し，1～2週間後に5mgに増量し，経口投与する。高度のアルツハイマー型認知症患者には，5mgで4週間以上経過後，10mgに増量する。なお，症状により適宜減量する。

レセプト傷病名欄の病名開始日と投与状況を合わせて，用法どおりに3mgの初期投与から始めていないと判断されたと考えられる。

ここで，診療録を確認してみると，この患者は他院よりの紹介患者であった。前医にてアルツハイマー型認知症と診断され，3月よりアリセプトD錠の服用を開始していた。今回転居により当院に紹介入院したものである。

このように保険適用上の取扱いが定められている薬剤については，レセプト点検時に病名開始日と投与開始日について整合性を検証したうえで，誤解を招くようであれば，積極的にレセプト摘要欄に注釈を記載することが，査定を防ぐポイントとなる。今回も，注釈があれば防げたものである。

Q17　エリキュース錠の査定

〈病名〉難治性ネフローゼ症候群（H20.1.7），陳旧性脳梗塞（H27.6.23）
〈内容〉2024年7月分，関連部分のみ抜粋

㉑	＊エリキュース錠5mg 2錠	（点数省略）×14	⇨ 0に査定

A　事例では，エリキュース錠5mgがA査定（不適応：社保）となった。調べてみると，当該月からエリキュース錠5mgの投与が始まり，陳旧性脳梗塞もあることから，発症抑制として処方したと考え，請求を行っていた。

添付文書を確認したところ，以下のとおりであった。

> エリキュース錠2.5mg/5mg（一般名称：アピキサバン）（薬効分類名：経口FXa阻害剤）
> **【効能又は効果】** 非弁膜症性心房細動患者における虚血性脳卒中及び全身性塞栓症の発症抑制。
> ※　FXa阻害剤とは：活性化血液凝固第Ⅹ因子（FXa）を可逆的に阻害する経口抗凝固薬。抗血栓作用がある。
> （下線筆者）

ここで注目すべきなのは，「非弁膜症性心房細動患者における」という部分である。『不整脈薬物治療ガイドライン（2020年改訂版）』（日本循環器学会）も，「心房細動の患者は，心房細動のない人と比較して脳梗塞発症リスクが高まる」とされ，抗血栓薬の投与が必要とされている。

しかし事例の場合は，レセプトで心房細動の有無が判断できない。【効能又は効果】から判断し，非弁膜症性心房細動のない脳梗塞患者における適応はないとして，A査定となったと思われる。

医師にも適応疾患や薬理作用，機序をよく確認したうえでの投与をお願いして査定対策とした。

Q18　ザイボックス錠の査定

〈病名〉右足褥瘡（R6.7.9），右足褥瘡感染（R6.7.9），MRSA感染症（R6.7.9）
〈内容〉2024年7月分，関連部分のみ抜粋

㉑	＊ザイボックス錠600mg 2錠	（点数省略）×14	⇨ 0に査定

A　事例は，MRSA感染症に対するザイボックス錠すべてがA事由（不適応，病名もれ）で査定となった。担当者が審査支払機関に問い合わせたところ，「詳細な感染部位等がなければ認められない」と説明されたという。

「MRSA感染症」は，審査機関では「確かにMRSAに感染はしているのだが，どこが感染し，どのような感染症を引き起こしているかがまったくわからない意味不明な病名」と位置づけられているようである。MRSA感染症のICD-10コードは「A490ぶどう球菌感染症，詳細不明」で，DPCでは留意すべきICD分類名称とされている。事例の医療機関では，「右足MRSA感染症」として，細菌培養同定検査の結果を添えて再審査請求し，幸いにも復活したとのことであった。コンピュータチェックが主流となっている現在では，あらかじめ病名やコメントなどで表示がない事例は認められないとされている。レセプト請求時にしっかりと病名をつけて査定防止に努めていただきたい。

病名について，厚生労働省の集団指導用テキスト「保険診療の理解のために」では「診断の都度，医学的に妥当適切な傷病名を，診療録に記載する」とし，具体的な治療行為（事例では投薬）の実施に対して部位が不明なことは不適切だとしている。

部位の記載が必要な抗MRSA剤としては，①塩酸バンコマイシン，②タゴシッド，③ハベカシン，④ザイボックス，⑤キュビシンがある。今回の事例に取り上げた④ザイボックスだけが内服薬もあり，ほかはすべて注射薬のみである。これらの薬剤は非常に高額であり，査定されないように対応したい。

Q19　タケルダ配合錠の査定

条件 **出来高病院60床，外来，循環器内科**（2024年７月分，関連部分のみ抜粋）
〈病名〉 狭心症，高血圧症，維持療法の必要な難治性逆流性食道炎，末梢神経障害，脂質異常症（R３.6.26）
〈内容〉

㉑	＊エックスフォージ配合錠1錠 リバロOD錠1 mg1錠 タケルダ配合錠1錠（20日）	（点数省略）×91

⇨ タケルダ配合錠1錠が0に査定

A　事例では，タケルダ配合錠がすべてA事由（適応外）で査定となった。薬剤に対する査定分析の定石どおりに，添付文書を確認した。

> **【効能・効果】** 下記疾患又は術後における血栓・塞栓形成の抑制（胃潰瘍又は十二指腸潰瘍の既往がある患者に限る）
> ・狭心症（慢性安定狭心症，不安定狭心症），心筋梗塞，虚血性脳血管障害〔一過性脳虚血発作（TIA），脳梗塞〕
> ・冠動脈バイパス術（CABG）あるいは経皮経管冠動脈形成術（PTCA）施行後　　　（下線筆者）

下線部の記載に注目していただきたい。「胃潰瘍又は十二指腸潰瘍の既往がある患者に限る」と治療対象が限定されている。以前は審査支払機関からの連絡文書には，「タケルダ配合錠には既往の記載が必要です」とあり，返戻対応であった。しかし，周知期間が過ぎたのか，現在では査定の対象であり，

図表２-５　タケルダ配合錠への対応方法

対応	内容
コメント対応	胃潰瘍あり，十二指腸潰瘍あり
病名対応	胃潰瘍瘢痕，十二指腸潰瘍瘢痕

図表２-６　既往と瘢痕

既往	病歴，これまでにかかったことのある病気。
瘢痕	潰瘍によって傷ついた粘膜の組織が修復された状態。一度瘢痕化すると，胃や十二指腸の粘膜にそのまま傷痕として残ることが多い。

コメントまたは病名付与の対応が必要となっている（**図表２-５，２-６**）。

なお，レセプトに病名記載があればコメントでの対応は不要である。コンピュータチェック導入以来，薬剤添付文書のカッコ書きや使用上の注意に査定が集中する傾向がある。新たに薬剤を採用する場合等には，必ず添付文書を確認するようにされたい。

審査
査定

投薬
注射

Q20　ヒアレイン点眼液0.1％の査定

条件 **眼科外来**（2024年８月分，関連部分のみ抜粋）
〈病名〉 結膜炎（R６.８.26）
〈内容〉

	診療実日数：1日　時間外初診，4歳	
⑬	＊薬剤情報提供料	4×1
㉓	＊ヒアレイン点眼液0.1％ 5 mL 1瓶	（点数省略）×1
	※他に，調剤料，処方料，調剤技術基本料で計64点	

⇨ 0に査定

A　事例は，結膜炎に対してヒアレイン点眼液0.1％を処方したが，A（適応外）を理由に薬剤が査定となり，薬剤料と併せて薬剤情報提供料，調剤料，処方料，調剤技術基本料も査定となった。A査定は病名不足のことが多いため，添付文書にて適応疾患を確認した。

> **【効能・効果】** 下記疾患に伴う角結膜上皮障害
> ・シェーグレン症候群，スティーブンス・ジョンソン症候群，眼球乾燥症候群（ドライアイ）等の内因性疾患
> ・術後，薬剤性，外傷，コンタクトレンズ装用等による外因性疾患

適応疾患には結膜炎は記載されていない。担当医に確認すると，「４歳の小児で，目をこすってしまい，感染性の炎症を起こしていたのでヒアルロン酸（ヒアレイン）を処方した」との回答であった。

ポイントは目をこすって起きた炎症であった点である。ヒアルロン酸（ヒアレイン）は角結膜上皮保護・保湿剤である。角結膜上皮とは，**図表２-７**に示すとおり，眼球の最も外側にあたる。皮膚をもたない角膜を守る役割であり，また外気から直接酸素

を取り入れ，血液が通っていない角膜の細胞に酸素を供給する機能ももっている。

事例の場合は，目をこすれば，当然角膜にも少なからず傷等ができ，細菌が入って結膜炎を引き起こす可能性がある。医師と相談したところ，傷病名を結膜炎として終わらせるのではなく，細菌感染による急性角結膜炎としていれば「角結膜上皮障害」として認められたのではないかとのことであった。

図表２－７　眼の構造

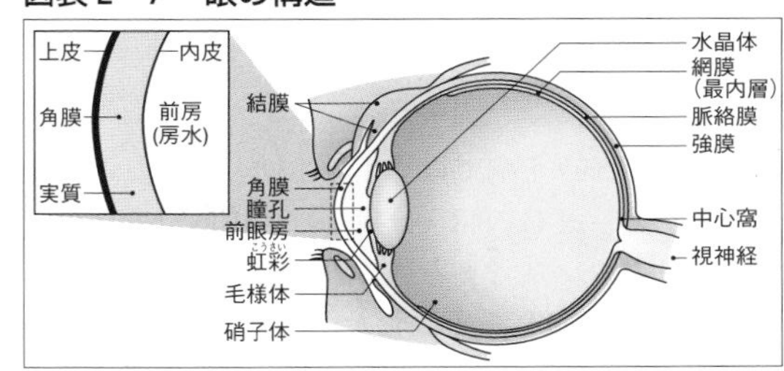

Q21　ヒルドイドソフト軟膏の査定

条件　**DPC対象病院，外来**（2024年７月，関連部分のみ抜粋）
〈病名〉　下行結腸癌（H28.８.24），手足症候群（Ｒ３.10.19）
〈内容〉　診療実日数：５日

㉓	＊ヒルドイドソフト軟膏0.3%　50g	(点数省略）×1	⇨　0に査定

A　当該事例について，ヒルドイドソフト軟膏が「事由A」（不適応）により査定となった。

【ヒルドイドソフト軟膏の効能・効果】
血栓性静脈炎（痔核を含む），血行障害に基づく疼痛と炎症性疾患（注射後の硬結並びに疼痛），凍瘡，肥厚性瘢痕・ケロイドの治療と予防，進行性指掌角皮症，皮脂欠乏症，外傷（打撲，捻挫，挫傷）後の腫脹・血腫・腱鞘炎・筋肉痛・関節炎，筋性斜頸（乳児期）　（下線筆者）

A査定で，効能・効果に基づく病名もないことから，単純に「病名不足」として医師に報告したところ，意外にも再審査請求を行うという。医師の意見を聞き，それを反映した症状詳記は次のとおり。

【再審査請求コメント】（関連部分のみ抜粋）
当患者は，肝転移を伴う下行結腸癌に対してスチバーガによる化学療法を行っており，手足症候群を認めています。手足症候群とは，手足の毛細血管が詰まり，梗塞などを起こす病気です。これはヒルドイドの対象疾患である「血行障害に基づく疼痛と炎症性疾患」と同義であり，ヒルドイドにより血行促進を行う必要がございます。
再審査をよろしくお願い申し上げます。

ヒルドイドソフト軟膏の適応には「血行障害に基づく疼痛と炎症性疾患」があり，手足症候群が血行障害に該当するのであれば適応となる。こうして再審査請求をしたところ，復活となった。医師と話をして病名を正しく理解できていなければ，査定で完結し適正な収入が得られなくなるところであった。

Q22　ベネット錠の査定

条件　**外来**（2024年８月分，関連部分のみ抜粋）
〈病名〉　骨粗鬆症
〈内容〉

㉑	＊ベネット錠17.5mg 1T	(点数省略）×42	⇨　×20に査定

A　事例は，内分泌内科にて骨粗鬆症の治療で通院中の症例である。ベネット錠17.5mgを１回に42日分処方した請求を行ったところ，20日分に査定された。同錠は「骨粗鬆症」に適応があるため病名に問題はない。原因を探るため用法を確認した。

○**骨粗鬆症**：通常，成人にはリセドロン酸ナトリウムとして17.5mgを１週間に１回，起床時に十分量（約180mL）の水とともに経口投与。（以下略）
（下線筆者）

１週間に１回の服用のため，42日分は42週（約10カ月）分に相当する。投与期間が長過ぎるため過剰として査定されたのであろう。しかし，同錠は「骨ページェット病」にも適応なので，その可能性も確認が必要と考えた。

○**骨ページェット病**：通常，成人にはリセドロン酸ナトリウムとして17.5mgを 1日1回，起床時に十分量（約180mL）の水とともに8週間連日経口投与。（以下略）　（下線筆者）

骨ページェット病では「1日1回の服用」と記載されている。連日の42日分投与は用法内での投与であり，問題ないと考えられる。病名もれの可能性を考えカルテの内容を確認したところ，「1日1回起床時服用」とあり，骨ページェット病の用法であることが確認できた。

主治医に確認すると，骨粗鬆症で通院後，骨ページェット病を発症した患者であり，査定の原因は病名登録もれにあることが判明した。

主治医は，骨ページェット病に対する投与の場合は，全例を対象に使用成績調査への報告を行っていた。しかし，この事例では同病の病名登録をもらしていることに気付いていなかった。また，医事は「骨粗鬆症」が記載されているため，レセプト点検で見過ごしていた。「骨ページェット病」のような稀な疾患ではないであろうとの先入観もあったようである。

幾多の要因が重なった査定事例である。難病等の傷病名の場合は，添付文書にて使用条件を確認するなどの注意が必要であろう。

Q23　メインテート錠0.625mgの査定

条件 **出来高病院，外来**（2024年6月分，関連部分のみ抜粋）

〈内容〉【傷病名】狭心症，維持療法の必要な難治性逆流性食道炎，高コレステロール血症，PTCA術後，高尿酸血症（開始日はいずれも1年以上前の日付）

【診療実日数】 1日

㉑	＊メインテート錠0.625mg 2錠 バイアスピリン錠100mg 1錠 クレストール錠2.5mg 1錠 タケプロンOD錠15　15mg 1錠 フェブリク錠10mg 1錠	（点数省略）×70

⇨ メインテート錠2錠×70日分が査定

A　メインテート錠0.625mg 2錠×70日分が「A：適応外」で査定された。担当者から「狭心症はメインテート錠適応の虚血性心疾患なのに，なぜ査定されるのでしょうか」と相談があった。同錠0.625mgの適応を確認すると，添付文書〔2017年8月改訂（第15版）〕にわかりやすく記載されていた（**図表2－8**）。

この図表から，同錠0.625mgは狭心症には効能・効果がないことがわかる。「狭心症」と「慢性心不全」の組合せであれば認められたであろうが，「狭心症」だけであることを理由に審査対象となった。従来の目視審査ならば査定となっていなかったこのような事例に対しても，コンピュータチェックの範囲が順次拡大されている現在では，登録されている効能・効果から外れると査定対象となるのである。この傾向はますます強まり，「○○を伴う△△」という場合も同様に査定対象となる。医師の裁量権が大幅に制限されつつあるのである。

このような審査側の体制に対応するためには，医療機関側もコンピュータチェックシステムやツールを導入して，注意表示が出た項目にはコメントを記載したり，病名を確認することで，査定を減らせるものと考える。

また，アーチスト錠1.25mg，2.5mgも同様に狭心症には効能・効果が認められていない（同錠10mg・20mgは効能・効果あり）。こちらも査定にならないようご確認いただきたい。

図表2－8　メインテート錠の効能・効果

効能・効果	錠0.625mg	錠2.5mg	錠5mg
本態性高血圧症（軽症～中等症）	－	○	○
狭心病	－	○	○
心室性期外収縮	－	○	○
虚血性心疾患又は拡張型心筋症に基づく慢性心不全	○	○	○
頻脈性心房細動	－	○	○

○：効能あり　－：効能なし

Q24　エフィエント錠3.75mgの査定

条件 **DPC対象病院（300床規模），外来，内科**（2024年８月，関連部分のみ抜粋）
〈病名〉 労作性狭心症（Ｒ６.７.30）
〈内容〉【診療実日数】１日（外来診療料は省略），院外処方

㉑	＊エフィエント錠3.75mg　１錠	
⑳	＊処方箋料（1及び2以外）	（点数省略）×1

⇨ 0に査定

A　労作性狭心症で通院している患者に院外処方したエフィエント錠3.75mgにつき，アスピリンとの併用がないとして，調剤レセプトとの突合審査でA査定（適応外）となった事例である。

査定内容と再審査の記載，および念のために添付文書の記載を確認する。

【査定内容と再審査の際の記載】

①		A・21	エフィエント錠3.75mg １錠×28→０ 調剤料×１→０
②		A・80	処方箋料（その他）×１→０

令和６年７月30日より他院から紹介あり，その後，当院に通院中の患者さんです。エフィエント錠はアスピリンとの併用が必要とされますが，紹介元医療機関でバイアスピリンが処方されており，当院ではエフィエント錠のみの処方とさせていただいております。何卒，ご高配のほど，よろしくお願い申し上げます。

【用法・用量】
通常，成人には，投与開始日にプラスグレルとして20mgを１日１回経口投与し，その後，維持用量として１日１回3.75mgを経口投与する。
【用法及び用量に関連する使用上の注意】
1．アスピリン（81～100mg/日，なお初回負荷投与では324mgまで）と併用すること。（以下略）
（下線筆者）

再審査の結果，無事復活が認められた。

この医療機関ではレセプトチェックシステムを採用しており，院外処方の内容も取り込んで，エフィエント錠3.75mgの処方がある場合は「アスピリンとの併用が必要」のメッセージを警告として出し，他院でのアスピリン処方がある場合は「他院にてアスピリン処方あり」とコメントする対応をとっていたが，多数の外来レセプト点検のなかでその対応がもれてしまっていた。

業務の効率化を図る取組みは重要だが，せっかくのメッセージやエラーを見逃してしまわないよう，丁寧な対応をご留意いただきたい。

Q25　エルカルチンFF錠の査定

条件 **DPC対象病院（600床），外来，内科**（2024年６月，関連部分のみ抜粋）
〈病名〉 膵頭部癌（H30.１.13），カルニチン欠乏症（Ｒ６.６.27）
〈内容〉

㉑	＊エルカルチンFF錠250mg　６錠	（点数省略）△×28
⑳	＊生化学的検査（Ⅰ）10項目以上 （内容・判断料等省略）	（点数省略）×1
⑳	＊腹部X-P	（点数省略）×1

⇨ 0に査定

A　カルニチン欠乏症治療薬であるエルカルチンFF錠が全量査定（査定事由A：不適応）となった事例である。

カルニチン欠乏の原因は膵頭部癌である。患者は2018年に膵臓がんの手術を行っており，引き続き経過観察中であるが，今回からエルカルチンの処方が開始された。医師も当日から「カルニチン欠乏症」の病名をカルテに記載しているのだが，「不適応」（一般的には病名不足）という理由での査定であるため，病名以外の理由があるのではと考え，添付文書を確認した。

【効能・効果に関連する使用上の注意】
2．本剤の投与に際しては，原則として，カルニチンの欠乏状態の検査に加え，カルニチン欠乏の原因となる原疾患を特定すること。　（下線筆者）

当該薬剤を投与するに当たっては，「カルニチンの欠乏状態の検査」が必要であることがわかった。

レセプトを見返すと，血液検査は生化学的検査（Ⅰ）の包括検査のみであった。では，「カルニチンの欠乏状態の検査」とはいったい何なのかと点数表を確認したところ，D007血液化学検査のうち，包括検査とならない項目に，「23」総カルニチン，遊離カルニチンという項目が確認できた。

つまり，当該検査項目の算定なくエルカルチンFF錠の投薬が開始されていたため，「検査」を行っていないと判断され，不適応として査定された――ことがわかった。

ちなみに「総カルニチン，遊離カルニチン」は2016年と2018年の改定の間で保険適用となった項目であることが，後の調べで判明した。

薬剤の処方にあたり，必要な検査を行ったうえで処方しなければならないものもあると教えられる事例だった。

Q26　イミフィンジ点滴静注500mgの返戻

条件 **DPC対象病院，700床規模，入院，呼吸器内科**（2024年６月，関連部分のみ抜粋）
〈病名〉 右上葉肺癌（C341）（主）（R４.２.９）
〈内容〉 〈包括評価対象外の理由〉医科点数表算定コードに該当するため
DPCコード　040040xx9909xxに該当する患者

㉝	＊無菌製剤処理料1（その他）	45×1
	＊生理食塩液「ヒカリ」50mL 2瓶 イミフィンジ点滴静注500mg 10mL 1瓶 大塚生食注250mL 1瓶	（点数省略）×1
	詳細は省略するが，直前の入院（2/4 ～ 4/7）では040040xx9913xxとして「手術・処置等1」あり，「手術・処置等2」の「3」（化学療法ありかつ放射線療法あり）を算定している。	

A　事例のレセプトを提出したところ，審査支払機関から以下のような内容で返戻がなされた。

> **返戻付せん**（関連部分のみ抜粋）
> 治療内容から右上葉肺癌の病名がありますが，ご再調ください。

高額薬剤であるイミフィンジ（310,154円）であり，詳細な病名を得たいとの思いからの返戻であると推察できる。つまり，右上葉肺癌に対するイミフィンジの投与は適応外ではないか，との指摘であろう。――「やられた！」との思いであった。

イミフィンジ点滴静注500mgの添付文書での効能・効果を確認したところ，「切除不能な局所進行の非小細胞肺癌における根治的化学放射線療法後の維持療法」（下線部筆者）とあり，組織型で効能・効果が限定されているのである。

ここで，肺癌の基本的な組織型について確認したい（**図表２-９**）。

参考までに，**図表２-９**の組織型のいずれもがICD-10の中分類ではC34となる。コードでの判別ができない点も今回の返戻の要因といえる。

また，非小細胞肺がんの治療の選択において，StageⅠ～Ⅲは手術適応だが，StageⅢの一部では手術ができない（切除不能）こともあり，その場合は，抗がん剤と放射線治療を併用する化学放射線療法が実施され，その後，経過観察となる。この経過観察期間中に使用できるイミフィンジはStageⅢの非小細胞肺がんに使用できる初の免疫チェックポイント阻害剤であることも確認しておきたい。

そのうえで，担当医に確認を依頼し，「切除不能な肺腺癌（StageⅢA）として放射線化学療法後，治療効果を認め，標準治療であるイミフィンジの投与を開始した」とのコメントをいただき，再請求した。査定等はない。

肺がんのステージ（病期）ごとにどの治療を選択するか（**図表２-10**）についても，可能な限り理解に努めたい。なお，**図表２-10**はあくまで概略であり，症例によって治療の選択や組合せが異なることに留意されたい。また，イミフィンジについては，「最適使用推進ガイドライン」にその有効性に関して記載がある（**図表２-11**）。同ガイドラインは審査のよりどころ（エビデンス）にもなるため，押さえておきたい内容である。

なお，非小細胞肺がんの治療の選択については，国立がん研究センターがん情報サービスHP「肺がん　治療」を参照されたい。

図表２－９ 肺がんの分類

		組織型分類	多く発生する場所	特徴
肺がん	非小細胞がん	腺がん	肺野	肺がんの中で最も多い 症状が出にくい
		扁平上皮がん	肺門	痰や血痰などの症状が現れやすい 喫煙との関連が大きい
		大細胞癌	肺野	増殖が速い
	小細胞がん	小細胞がん	肺野・肺門ともに	増殖が速い大きい 転移しやすい 喫煙との関連が大

（出典：国立がん研究センターがん情報サービスHP）

図表２－10 ステージ（病期）ごとの肺がん治療の概略

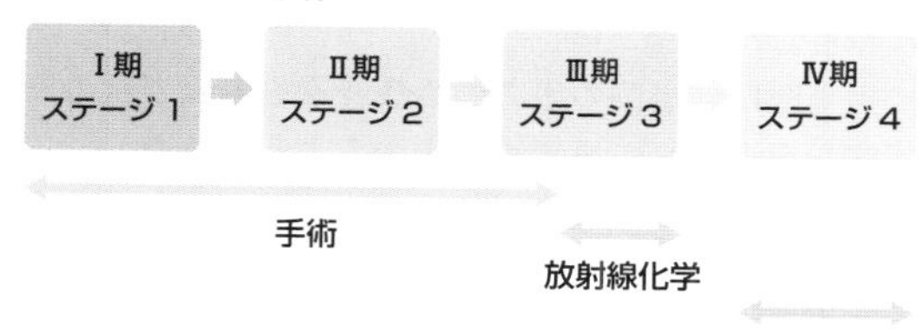

（国立がん研究センター中央病院HPより）

図表２－11 イミフィンジの有効性に関する記載

５．投与対象となる患者
【有効性に関する事項】
① 化学療法歴のない進展型小細胞肺癌患者において本剤，白金系抗悪性腫瘍剤（カルボプラチン又はシスプラチン）及びエトポシドとの併用投与の有効性が示されている。
② 下記に該当する患者に対する本剤の投与及び使用方法については，本剤の有効性が確立されておらず，本剤の投与対象とならない。
・①で本剤の有効性が示されていない他の抗悪性腫瘍剤との併用投与

（令和２年８月厚生労働省「最適使用推進ガイドライン デュルバルマブ（遺伝子組換え）」より）

※白金製剤：がん細胞のDNAと結合し，DNAの複製とがん細胞の自滅を誘導する薬。商品名に「ランダ」「エルプラット」「シスプラチン」「カルボプラチン」などがある。

Q27 シムビコートタービュヘイラー吸入の査定

条件 DPC対象病院，400床規模，外来，内科（2024年６月，関連部分のみ抜粋）
〈病名〉急性気管支炎（R６.６.14）
〈内容〉診療実日数：２日

㉓	＊シムビコートタービュヘイラー 60吸入1キット （点数省略）×1

A 急性気管支炎に対して吸入薬を処方した事例である。シムビコートタービュヘイラー60吸入１キットがA査定（不適応）となったため，医薬品添付文書を確認した。

> **【効能・効果】** 気管支喘息（吸入ステロイド剤及び長時間作動型吸入b2刺激剤の併用が必要な場合）。慢性閉塞性肺疾患（慢性気管支炎・肺気腫）の諸症状の緩解（吸入ステロイド剤及び長時間作動型吸入b2刺激剤の併用が必要な場合）。

効能・効果欄には，「慢性気管支炎」はあるが「急性気管支炎」の記載はない。しかし，同じ気管支炎であるため問題はないと考え，再審査を行うべく処方した呼吸器内科専門医に相談を行ったところ，「『急性気管支炎』と『慢性気管支炎』は，名称としては似ているがまったく異なる病態だから，今回の査定は妥当だね」との返答があった。

そこで，気管支炎について詳しく調べてみることにした。

> **気管支炎**
> 気管支に炎症の中心があり，咳やたんなどの呼吸器の症状を引き起こす病気で，数日から数週間で治まる「急性気管支炎」と，年余にわたって咳やたんなどの症状が続く「慢性気管支炎」とがある。急性気管支炎の大半は，ウイルスやマイコプラズマなどによる感染症が原因で起こる。一方，慢性気管支炎の原因としては百日咳，抗酸菌や緑膿菌などの感染症のほか，副鼻腔気管支症候群，びまん性汎細気管支炎，喫煙に伴う慢性閉塞性肺疾患（COPD）などが考えられる。（「Doctors File」HPより）

上記のように，原因が異なることがあるとわかった。また，添付文書も詳しく読んでみた。

> **【効能・効果に関連する注意】**
> 〈慢性閉塞性肺疾患（慢性気管支炎・肺気腫）の諸症状の緩解〉慢性閉塞性肺疾患（慢性気管支炎・肺気腫）の諸症状の緩解の場合，本剤は増悪時の急性期治療を目的として使用する薬剤ではない。
> （下線筆者）

急性期の治療を目的として使用する薬剤ではないとされていることから，「急性気管支炎に対しては適応ではない」ことが説明できる。投薬と病名の関係のみでなく，薬剤の作用も確認しなければならないと学んだ事例であった。

Q28 リクシアナOD錠の査定

条件 **DPC対象病院，600床規模，外来**（2024年８月，関連部分のみ抜粋）
〈病名〉肝門部胆管癌（H31.1.8），肝硬変症（R6.5.23），門脈血栓症（R6.5.23）
〈内容〉

㉑	＊リクシアナOD錠30mg　1錠	（点数省略）×56

A FXa阻害剤〔血液凝固因子の因子Xa（FXa）を阻害して，抗凝固作用により血栓の形成を抑える〕であるリクシアナOD錠30mgが全量査定を受けた（査定事由A：病名不備）。

肝門部胆管癌術後の外来経過観察中の患者で，門脈血栓を指摘された患者に対して同剤を投与した事例である。

【効能又は効果】
・非弁膜症性心房細動患者における虚血性脳卒中及び全身性塞栓症の発症抑制
・静脈血栓塞栓症（深部静脈血栓症及び肺血栓塞栓症）の治療及び再発抑制
・下肢整形外科手術施行患者における静脈血栓塞栓症の発症抑制

リクシアナOD錠30mgの添付文書を確認したところ，効能又は効果がレセプトの傷病名と一致していなかった。これが査定理由と思われたため，担当医に報告した。

担当医は，事例の患者の治療経過を鑑みて次の症状詳記を添付して再審査請求するよう求めた。

レセプト（症状詳記を抜粋）
肝門部胆管癌術後の外来経過観察中の患者です。経過観察目的で施行したCTで門脈血栓を指摘され，肝機能障害等も認められるため，入院し血栓溶解療法施行しました。その後の維持療法としてリクシアナを処方し，経過観察を続けています。

事例は，再審査請求にて症状詳記の内容が認められ復活となった。ただし，この取扱いは地域や，症例ごとに差異があると考えられるため，請求時には医師との申合せが重要となる。

Q29 骨粗鬆症治療剤ボノテオ錠の査定

条件 **DPC対象病院，300床規模，外来，整形外科**（2024年６月，関連部分のみ抜粋）
〈病名〉骨粗鬆症（H25.7.4），腰部脊柱管狭窄症（H26.4.30）
〈内容〉【患者】70歳，女性

⑫	＊外来診療料（22日）	76×1
㉑	＊ボノテオ錠50mg　1錠（22日）	（点数省略）×1
㉛	＊イベニティ皮下注105mgシリンジ 1.17mL　2筒 投与開始日：R4.1.21 骨折の危険性の高い骨粗鬆症のため YAM値　46％	 （点数省略）×1

A 事例では骨粗鬆症の患者に投与したボノテオ錠がC査定（その他の医学的理由）を受けた。ボノテオ錠は骨粗鬆症治療剤であり，効能効果も骨粗鬆症のみである。なお，YAM値とは，骨密度を判定するための代表的な指標であり，70％未満だと骨粗鬆症の疑いがあるとされる。

査定の理由がわからなかったため審査支払機関へ問合せを行ったところ，「骨粗鬆症薬の併用投与に係る審査基準（**図表２-12**）をもとに審査をしております」との回答を得た。

レセプトではボノテオ錠はイベニティ（一般名：ロモソズマブ）との併用があるが，これが審査基準では「×」とされていた。医学的な背景，同種同効薬および内服薬との併用等が審査基準となっているものと推察できた。

なお，事例については再審査請求を試みたが，原審どおりとして復活することはなかった。

図表2－12 骨粗鬆症併用投与に係る審査基準

薬剤	SERM	BP	Vit.D3	PTH	カルシトニン	デノスマブ	ロモソズマブ	主な薬品名
SERM	－	×	○	×	△	×	×	ビビアント，エビスタ，ラロキシフェン
BP	×	－	○	×	△	×	×	ボノテオ，リカルボン，ミノドロン酸，ベネット，アクトネル，リセドロン酸，ボナロン，フォサマック
Vit.D3	○	○	－	△	△	○	○	エディロール，アルファロール
PTH	×	×	△	－	×	×	×	テリボン，フォルテオ
カルシトニン	△	△	△	×	－	△	×	エルシトニン，アデビロック，エスカトニール，エルカトニン，ラスカルトン
デノスマブ	×	×	○	×	△	－	×	プラリア
ロモソズマブ	×	×	○	×	×	×	－	イベニティ

SERM：選択的エストロゲン受容体モジュレーター　BP：ビスホスホネート　VIT.D3：活性型ビタミンD3製剤　PTH：テリパラチド

Q30 インクレミンシロップの査定

条件 **DPC対象病院，400床規模，外来，産婦人科**（2024年6月，関連部分のみ抜粋）

〈病名〉鉄欠乏性貧血（R6.6.12）

〈内容〉【患者】女性，28歳

㉑	＊インクレミンシロップ5％ 30mL×30	（点数省略）×1

A 当該事例は，鉄欠乏性貧血の患者にインクレミンシロップを処方した事例である。インクレミンシロップ5％が全量査定〔A査定（不適応）〕となった。

査定分析を行うにあたり，医薬品添付文書を確認したところ，「効能・効果」は問題なかったが，「用法・用量」は以下のように記載されていた。

インクレミンシロップ5％
【用法・用量】
通常次の量を1日量とし，3～4回に分けて経口投与する。

年　齢	シロップとして(mL)	溶性ピロリン酸第二鉄として(mg)	鉄として(mg)
1歳未満	2～4	100～200	12～24
1～5歳	3～10	150～500	18～60
6～15歳	10～15	500～750	60～90

なお，年齢，症状により適宜増減する。

年齢表記が「15歳」までしかないことにお気づきだろうか。つまり，成人に対する適応がないのである。

「効能・効果」には問題がなくとも，「用法・用量」によって年齢制限がなされていることに，レセプト点検時には気づいていなかった。担当の産婦人科医師に処方した理由を確認したところ，「この患者は貧血で，最初は鉄剤（錠剤）を処方していたが，妊娠悪阻（つわり）により固形物が飲み込みづらく，液体ならなんとか飲めるということでインクレミンシロップ5％を処方した」との回答を得た。

請求したレセプトに「妊娠悪阻」の病名はないが，必要性の説明はできるため再審査請求をしてほしいと医師から頼まれたため，再審査請求を行うこととなった。

現在結果待ちの状態ではあるが，適応病名を「効能・効果」と照らし確認するだけでなく，「用法・用量」も適応基準を満たしているか十分に確認を行ってレセプトを作成する必要があるということを思い知らされる事例であった。

Q31 グリセリン・果糖配合点滴静注の査定

条件 DPC対象病院，500床，入院（2024年７月，関連部分のみ抜粋）
〈病名〉大腸ポリープ
〈内容〉

㊿	＊内視鏡的大腸ポリープ・粘膜切除術（12日） （長径2cm未満）	5,000×1
	＊グリセリン・果糖配合点滴静注「HK」 200mL　1本 ムコアップ・内視鏡用粘膜下注入材　1本 （他薬剤省略）	（点数省略）×1

⇨ 0に査定

A 大腸ポリープで内視鏡的粘膜切除術（EMR）（K721）を施行した際の薬剤，グリセリン・果糖配合点滴静注が査定された事例（A査定：適応外）である。

査定された薬剤について，医薬品添付文書を確認した。

> **グリセリン・果糖配合点滴静注**
> 【効能・効果】
> ・頭蓋内圧亢進，頭蓋内浮腫の治療
> ・頭蓋内圧亢進，頭蓋内浮腫の改善による下記疾患に伴う意識障害，神経障害，自覚症状の改善
> ・脳梗塞（脳血栓，脳塞栓），脳内出血，くも膜下出血，頭部外傷，脳腫瘍，脳髄膜炎
> ・脳外科手術後の後療法
> ・脳外科手術時の脳容積縮小
> ・眼内圧下降を必要とする場合
> ・眼科手術時の眼容積縮小

上記のような適応（効能・効果）となっており，たしかに内視鏡治療（EMR）は適応外である。

消化器内科の医師に聞いてみると，**図表２-13**のようにポリープ切除直前にムコアップを注入する際，グリセリン・果糖配合点滴静注を一緒に使用することでムコアップの効果が促進され，「より病変と正常組織の境界がはっきりするため」使用したとのことであった。レセプト審査で査定された旨を医師へ共有し，使用を控えていただくことにした。

図表２-13　大腸ポリープへのムコアップの注入

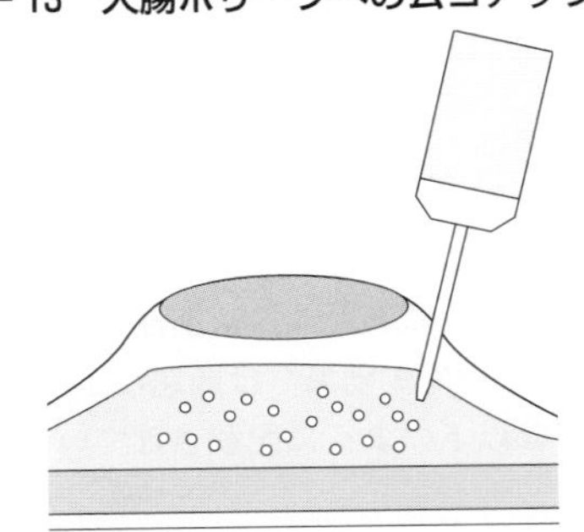

Q32 オフェブカプセルの査定

条件 DPC対象病院，600床規模，外来，呼吸器内科（2024年８月，関連部分のみ抜粋）
〈病名〉多発性筋炎（H18.12.４），びまん性間質性肺炎（H30.７.２）
〈内容〉

㉑	＊オフェブカプセル100 mg　2CP　×28	（院外処方）

⇨ 0に査定

〈カルテ〉

> ＃1　慢性間質性肺炎（膠原病肺）
> ＃2　多発性筋炎
> H18年筋肉生検にて筋炎に矛盾しない所見，ステロイド加療開始，H22膠原病肺を指摘，多発性筋炎に伴うものとして矛盾しない。
> （下線部筆者）

A 間質性肺炎にて外来通院治療を行っている症例で，処方薬である「オフェブカプセル100mg」が全量査定〔C査定（不適当）〕となった。

査定分析を行うにあたり，医薬品の添付文書を確認した。

> **オフェブカプセル100mg**
> 【効能・効果】
> ・特発性肺線維症

審査査定
投薬注射

・全身性強皮症に伴う間質性肺疾患
・進行性線維化を伴う間質性肺疾患

本例は強皮症合併症例ではないため，オフェブカプセルを算定するに当たっては，特発性肺線維症（特発性間質性肺炎）か進行性線維化を伴う間質性肺炎である必要がある。

特発性間質性肺炎（肺線維症）とは

間質性肺炎の原因には，関節リウマチや皮膚筋炎などの膠原病（自己免疫疾患），職業上や生活上での粉塵（ほこり）やカビやトリなどの抗原の慢性的な吸入（じん肺や慢性過敏性肺炎），病院で処方される薬剤・漢方薬・サプリメントなどの健康食品（薬剤性肺炎），特殊な感染症など様々あることが知られていますが，いろいろ詳しく調べても原因がわからない間質性肺炎を「特発性間質性肺炎」といいます。（下線部筆者）

〔難病情報センターホームページ（2024年6月現在）から引用〕

改めてレセプトを見直してみると，病名は「びまん性間質性肺炎」となっており，「特発性」なのか「進行性線維化」を伴っているのかがわからない。そこでカルテを確認したところ，下記のように記載されていた。

（カルテ）（抜粋）

令和６年７月５日のCTにて蜂巣肺が増悪し，両側肺下葉にすりガラス影が出現。線維化進行としてオフェブを開始する。（下線部筆者）

カルテの記述より，多発性筋炎に合併する間質性肺炎であることがわかり，原因が特定できていることから，「特発性間質性肺炎」とは診断されないことがわかった。

残る適応は「進行性線維化を伴う間質性肺疾患」となるが，カルテの続きに上記のように記載されていた。

「蜂巣肺」を調べてみたところ，線維化が進んで肺が硬く縮んでいる状態であることがわかった。

このカルテ記述より，「進行性線維化を伴う間質性肺炎」に該当する症例であり，オフェブカプセルの適応となることが明確となった。そこで諸種の治療経過と適応である旨を記載し再審査請求を行ったところ，復活となった。

Q33　クレナフィン爪外用液の査定

条件　900床規模，外来，皮膚科（2024年11月，関連部分のみ抜粋）
〈病名〉足白癬（Ｒ３.６.１），爪白癬（Ｒ６.５.30），２型糖尿病（H30.３.６）
〈内容〉【診療実日数】1日

⑫	＊外来診療料（28日）	76×1	
㉓	＊クレナフィン爪外用液　7.12g（28日）	（点数省略）×1	⇨ 0に査定
⑥⓪	＊グルコース，HbA1cのみ ※判断料等は詳細省略	（点数省略）×1	

A　足白癬の患者に対するクレナフィン爪外用液7.12gがC査定（療養担当規則等に照らし，A・B以外で医学的に保険診療上適当でないもの）となった事例である。

増減点連絡書の補正・査定後内容で，審査結果の理由等の記載には，「事前の真菌，培養検査の実施がありません。クレナフィン爪外用液10%の請求は認められませんのでご留意願います」とあった。そこで添付文書を確認した。

クレナフィン爪外用液10%
【効能・効果に関連する注意】（抜粋）
1．直接鏡検又は培養等に基づき爪白癬であると確定診断された患者に使用すること。
（下線部筆者）

たしかに「鏡検又は培養等に基づき爪白癬であると確定診断」する必要があり，本事例では鏡検（D017排泄物，滲出物又は分泌物の細菌顕微鏡検査）や培養（D018細菌培養同定検査）の算定がないことも確認できた。

担当医に確認すると，「しまった。５月以来（半年空いて）の受診だったけど，検査してなかったね。これからは気をつけます」とのこと。担当医も普段は各々の検査を行っているが，今回は必要とされる検査がもれていたのである。

3 抗悪性腫瘍剤

死亡原因のトップを占める「癌」は，人類最大の敵とされ，その撲滅に多くの学者や医師が日夜努力を重ねている。癌に対する薬物療法は，その副作用との戦いであるとも言える。正常細胞として肩を並べていた細胞が，ある日突然異変を起こし，悪玉となり，とどまるところを知らない増殖を続けるのであるから，ことはやっかいである。

これを抑えるために使われる薬剤は，もともと同じ仲間であった正常細胞にまで作用してしまうため，激しい副作用を起こす。いかに「癌細胞」のみに的を絞れるかの試行錯誤が続けられており，いろいろな薬剤の組合せや，新しい投与法などが試みられることが多い。しかし，それらは保険では認められず査定を受ける結果となる。抗悪性腫瘍剤は高価なものが多く，いったん査定を受けると医療機関にとっては大きな損失である。十分な注意が必要となる。

Q34 グラン注射液の査定

「子宮癌」「貧血」「好中球減少症」の病名で，グラン注射液１管６回とシスプラチン注１瓶１回，２瓶４回が算定され，グラン注が０(ゼロ)に査定されたものである。

A グラン注射液は，抗悪性腫瘍化学療法の補助薬であり，その適応は次のようになっている。

【効能・効果】 関連部分のみ抜粋
①造血幹細胞の末梢血中への動員
②造血幹細胞移植時の好中球数の増加促進
③がん化学療法による好中球減少症，〈急性白血病，悪性リンパ腫，小細胞肺癌，胚細胞腫瘍（卵巣腫瘍，睾丸腫瘍など），神経芽細胞腫，小児がん，その他のがん腫〉
④ヒト免疫不全ウイルス（HIV）感染症の治療に支障をきたす好中球減少症
⑤骨髄異形成症候群に伴う好中球減少症
⑥再生不良性貧血に伴う好中球減少症
⑦先天性・特発性好中球減少症
⑧神経芽腫に対するジヌツキシマブ（遺伝子組換え）の抗腫瘍効果の増強

この場合は，「子宮癌」および「好中球減少症」の病名とシスプラチン注（抗悪性腫瘍剤）の投与より，適応③に該当すると判断できる。しかし，よくみると適応病名のなかに「子宮癌」の病名は記されていない。したがって，適応外として査定を受けたものである。

また，用法･用量に，③の効能･効果に対して「ただし，好中球数が最低値を示す時期を経過後5,000/mm^{3}に達した場合は投与を中止する」とあり，前後の状態がレセプト上から読みとれないと判断されるケースでは，経時的な検査数値の記入も必要となろう。もちろん，適応病名と合致することは言うまでもない。

審査
査定

投薬
注射

4 その他薬剤に関連する査定

Q35 １型糖尿病に対する２型糖尿病治療薬の査定

条件 DPC対象病院，400床，外来，腎臓内科（2024年６月，関連部分のみ抜粋）
〈病名〉 (1)１型糖尿病・糖尿病合併症なし（主）H18.9.14，(2)高血圧症
〈内容〉 実日数：１日

⑫	＊外来診療料	76×1
⑭	＊在宅自己注射指導管理料（1以外，月28回以上）	750×1
	＊ランタス注ソロスター 300単位 5キット ノボラピッド注フレックスタッチ300単位 8キット（在宅処方日数70日分）	（点数省略）×1
	＊ニューロタン錠50mg 1錠 グラクティブ錠50mg 1錠	（点数省略）×70 ⇨ 0に査定

A　１型糖尿病に対して，２型糖尿病治療薬であるグラクティブ錠50mg１錠を70日分投与した事例である。A事由（適応外・不適当）にてすべて査定となった。

医師に確認すると，医学的必要に応じて処方されたとのことだった。

対応を考えるため，審査支払機関のレセプト審査担当の専門医に伺ったところ，「原則としては認められない。しかし，１型糖尿病であっても２型の要素を併せもつような場合には投与がありうるため，その場合は予め入力されたコメントを見て判断する」とのことであった。

適応病名がないとされた場合には，復活へのハードルが相当に高いことがうかがえるため，再審査は行わずに，処方を行った医師にその旨を伝えて，次回の処方から医学的理由を予め付記するか，薬剤を変更するのかの選択をお願いした。

１型，２型の区別のない「糖尿病」を未だに多く見る。審査支払機関にて適応や用法用量がコンピュータチェックでされているため，今回のような査定減点は増える傾向にある。こうした審査の現状を踏まえ，型式指定の薬剤を使用している場合には，病名と薬剤の適応に気をつけたい。

現時点で査定等がない医療機関に特段の対応を求めるものではないが，今後のリスクとして捉え，薬剤に対する適応病名確認を常に行っていただけるよう担当医に継続して依頼していくことが望まれる。

Q36　処方箋料の査定

F400

条件　**出来高病院（150床），外来**（2024年６月，関連部分のみ抜粋）

〈病名〉高血圧（H25.４.23），不眠症（H27.９.18）

〈内容〉【患者】70歳　女性

⑫	＊再診料	75×1	
⑧⓪	＊処方箋料（1及び2以外）	60×1	⇨「2」32×1へ査定
	（以下省略）		

A　高血圧，不眠症で定期的に外来診療を受けている患者のF400処方箋料が「３」(60点）から「２」(32点）に減点された事例である。

今回の査定は初めての事例であり，原因を探求するために，まず点数表を確認した。

> **F400　処方箋料**
> ２　１以外の場合であって，７種類以上の内服薬の投薬（中略）を行った場合又は不安若しくは不眠の症状を有する患者に対して１年以上継続して別に厚生労働大臣が定める薬剤の投薬（中略）を行った場合　32点
> （下線筆者）(「**早見表**」**p.584**)

カルテを確認すると，リスミー錠が2019年より継続処方されていた。そこで関連通知を確認した。

> **処方箋料**
> (8)「２」において，「不安若しくは不眠の症状を有する患者に対して１年以上継続して別に厚生労働大臣が定める薬剤の投薬を行った場合」については，F100処方料の(6)に準じる。
> （下線筆者）(令６保医発0305・４／「**早見表**」**p.586**)

> **処方料**
> (6)「２」において，「不安若しくは不眠の症状を有する患者に対して１年以上継続して別に厚生労働大臣が定める薬剤の投薬を行った場合（以下「向精神薬長期処方」という）」とは，(中略）ベンゾジアゼピン受容体作動薬を１年以上にわたって，同一の成分を同一の１日当たり用量で連続して処方している場合をいう。なお，定期処方と屯服間の変更については，同一の１日当たり用量には該当しない。また，以下のいずれかに該当する医師が行った処方（中略）については，向精神薬長期処方に該当せず，「３」を算定する。
> ア　不安又は不眠に係る適切な研修を修了した医師である。
> イ　精神科薬物療法に係る適切な研修を修了した医師である。
> （下線筆者）(令６保医発0305・４／「**早見表**」**p.577**)

リスミー錠はベンゾジアゼピン受容体作動薬に該当し，用量の変更もなく，１年以上継続して処方されていたため，縦覧点検により減点されたと思われる。

当該医療機関には精神科の医師が不在だが，上記通知(6)より，適切な研修を修了した医師が処方している場合は「３」60点で算定が可能なため，各医師へ上記の情報を提供し，研修の受講を含め対応を検討することにした。都道府県により状況は異なるが，

審査査定　投薬注射

図表 2 -14 はF400「２」の「向精神薬長期処方」を避け，「３」を算定するための対策および留意事項を筆者がまとめたものである。参考にされたい。

図表 2 - 14 「向精神薬長期処方」の対策と留意事項

対策	留意事項
適切な研修の受講	レセプトへの記載 （研修を修了した医師の処方）
精神科医師からの助言	レセプトへの記載 （助言のあった医師の処方） カルテへの記載 （精神科医師からの助言内容）
用量の見直し（※休薬を含む）	処方医師への確認

Q37 中心静脈注射から点滴注射への査定

G005

条件 **入院**（2024年６月分，関連部分のみ抜粋）

〈内容〉

㉝	＊中心静脈注射（8日）	140×1	⇨ 点滴注射102×1へ査定
	＊ソルラクトS輸液500mL 1袋 ブドウ糖注射液（50% 20mL）5A	（点数省略）×1	
	＊中心静脈注射（9日）	140×1	⇨ 点滴注射102×1へ査定
	＊ビーフリード輸液500mL 2キット	（点数省略）×1	
	＊植込型カテーテルによる中心静脈注射（13日～16日）	125×4	
	＊ピーエヌツイン-2号輸液1キット ネオラミン・スリービー液（静注用）10mL 1A	（点数省略）×4	
	（ポート設置は同月には算定していない）		

A 事例では，G005中心静脈注射の手技料（140点×2）がG004点滴注射（102点×2）に査定された。

重要な血管内（事例では中心静脈）に継続して栄養剤や薬液を注入する必要がある場合，感染防止と注射のつど血管内へカテーテルを挿入する患者の苦痛を軽減させるために，器具を完全に皮下に埋め込み長期間体内留置させ，この器具に外部から注射を行うことがある。この際に使用する器具をポート，リザーバーなどと呼んでいる（以下，「ポート」という）。

事例では，ポートが設置してある際に算定するG006植込型カテーテルによる中心静脈注射が算定されている。同月にポートの設置手術がないので，８，９日の注射薬剤もポートから注入されたと判断され，査定されたと思われる。

「高カロリー輸液（ピーエヌツイン）がないから，IVH（中心静脈注射）で算定した」という担当者の声が聞こえそうだが，「植込型カテーテルから，（高カロリー輸液のない）電解質やブドウ糖のみを注入した場合は，静脈注射を行っているだけなので，（量的）算定要件を満たせばG004点滴注射で算定する」とする従来からの解釈がある。

このこととは別に，G006の算定に当たっては，ポートが設置されていることとポート等を利用して注入されていることを必ずご確認いただきたい。電解質やブドウ糖のみの注入は，別の点滴ルートから実施される場合もあり，あらかじめ手技確認を行う必要があることを申し添えておきたい。

なお，ポートの設置に関しては，国立がん研究センターがん対策情報センターのホームページ「がん情報サービス」が詳しいので是非，参考にされたい。

Q38 緊急時ブラッドアクセス用留置カテーテルと挿入手技料の査定

G005-2，材料042

〈内容〉2024年７月分（診療実日数18日），関連部分のみ抜粋

㉝	＊中心静脈注射用カテーテル挿入（緊急時ブラッドアクセス）	1,400×4	⇨ ×3に査定
	＊アローブラッドアクセスダブルルーメンカテーテルセット （ブラッドアクセスカテD一般）1本	（点数省略）×4	⇨ ×3に査定

審査査定
投薬注射

〈カルテ〉
入院日：2024.7.3
透析ルート確保日：３日，８日，10日，17日

A 透析ルート確保のために使用した「緊急時ブラッドアクセス用留置カテーテル」の挿入手技料１回分とカテーテルが１本査定された事例である。

G005-2中心静脈注射用カテーテル挿入の通知において，以下のとおり規定されている。

中心静脈注射用カテーテル挿入
(7) 緊急時ブラッドアクセス用留置カテーテル（ただし，カフ型緊急時ブラッドアクセス用留置カテーテルを除く）を挿入した場合は，中心静脈注射用カテーテル挿入に準じて算定する。
（令６保医発0305・４／「**早見表**」**p.605**）

また，材料価格基準を併せて確認する。

緊急時ブラッドアクセス用留置カテーテルの算定
緊急時ブラッドアクセス用留置カテーテルは１週間に１本を限度として算定できる。
（令６保医発0305・８／「**早見表**」**p.981**）

透析ルート確保の第１回目の算定が３日。次に１週間以内の８日に２回目を算定している。ここが「１週間に１本」の算定ルールに抵触した。算定担当者に確認すると挿入手技ができたことは改定の勉強会で覚えたが，「週１本」のルールは知らなかったとのこと。しかし，交換回数は多いと思ったので，医師には注釈を書いてもらい請求していた。積極的に担当医の注釈をつけることは歓迎されるが，事前に医師に「週１本のみ」使用できる算定ルールであることを説明していなかった点は問題であり，算定担当者は留意事項を確認する必要がある。

Q39 無菌製剤処理料の査定

G020

条件 **無菌製剤処理料届出**（2024年６月分，関連部分のみ抜粋）
〈病名〉骨転移癌，高カルシウム血症
〈内容〉

㉝	＊点滴注射（入院外）	53×1
	＊大塚生食注100mL 1瓶 ゾメタ点滴静注4mg/5mL 1瓶	（点数省略）×1
	＊無菌製剤処理料1「ロ」	45×1 ⇨ 0に査定

A 事例では，骨転移癌に対してゾメタ注射液を点滴投与し，G020無菌製剤処理料「１」の「ロ」（イ以外の場合）を算定したが，「不適当」との理由で査定された。

無菌製剤処理料１の対象患者は，「悪性腫瘍に対して用いる薬剤であって細胞毒性を有するものに関し，（中略）点滴注射が行われる患者」（令６保医発0305・4）と規定されている。

ゾメタ注射液は，悪性腫瘍による高カルシウム血症に有効な薬効を示すカルシウムの骨吸収抑制剤として悪性腫瘍の患者に使用される薬剤ではあるが，直接癌細胞を攻撃する抗癌剤ではなく，細胞毒性を有する薬剤でもない。

ゾメタ注射薬は無菌製剤処理料１の対象薬剤に該当しないため，査定されたと考えられる。読者の方も，無菌製剤処理料の対象について今一度確認されたい。

無菌製剤処理料
(2)（略）「悪性腫瘍に対して用いる薬剤であって細胞毒性を有するもの」とは，独立行政法人医薬品医療機器総合機構法（平成14年法律第192号）第４条第６項第１号の規定に基づき厚生労働大臣が指定した医薬品〔医薬品等副作用被害救済制度の対象とならない医薬品等（平成16年厚生労働省告示第185号）に掲げる医薬品〕のうち，悪性腫瘍に対して用いる注射剤をいう。
（令６保医発0305・４／「**早見表**」**p.607**）

上記の通知でこのように示されており，上記の独立行政法人のホームページからも確認できる。

【参考】高カルシウム血症
血液中のカルシウム濃度が異常な高値となる状態で，進行癌や末期癌で生じる率が高い。症状は全身倦怠感・食欲不振・口渇など。さらに重症化すると悪心・嘔吐・混乱・意識障害が見られる。これらの症状は癌末期の症状と似ているため，見過ごされやすいと言われている。

審査査定
投薬注射

Q40 ツムラ芍薬甘草湯エキス顆粒（医療用）の査定

条件 DPC対象病院，250床規模，外来（2024年８月，関連部分のみ抜粋）
〈病名〉頚椎症，腰痛症
〈内容〉

⑫	＊外来診療料	76×1
㉑	＊ツムラ芍薬甘草湯エキス顆粒（医療用） 7.5g×28日	（点数省略）×1

A 整形外科に通院している患者に対し，漢方製剤を処方した事例である。ツムラ芍薬甘草湯エキス顆粒（医療用）がA査定（不適当）となり，直近で他の患者についても同様の査定が多発しているため，医薬品添付文書を確認した。

> **ツムラ芍薬甘草湯エキス顆粒（医療用）**
> **【効能又は効果】** 急激におこる筋肉のけいれんを伴う疼痛，筋肉・関節痛，胃痛，腹痛

これまで整形外科では腰痛症等の傷病名があれば査定されていなかったが，審査がきびしくなったと思われる。そこで，今後は「こむら返り」「筋肉痛・関節痛」など，より適切な傷病名が必要であることを主治医に説明した。

保険診療で使用できる医療用漢方製剤は148種類ある。昨年，漢方製剤を含む市販品類似薬（市販の医薬品と同じような効果があり代替が可能な薬）について，保険診療の対象から除外することが検討された経緯がある。今後も漢方製剤に対する審査がきびしくなることが予想されるため，適切な傷病名が付いているかの確認が必要である。

Q41 内分泌療法後のザイティガ錠の査定

条件 DPC対象病院，600床規模，入院）（2024年６月，関連部分のみ抜粋）
〈病名〉前立腺癌（R６.５.31），前立腺癌骨転移（R６.５.31）
〈内容〉

㉑	＊ザイティガ錠250mg 4錠 プレドニン錠5mg 1錠 退院時投薬：14日間	（点数省略）×14
㊿	＊精巣摘出術（左右実施）（25日）	3,180×2

A 前立腺癌の手術目的で入院した患者の退院時処方であるザイティガ錠が査定された事例である。

前立腺癌，多発骨転移である患者に対し，K830精巣摘出術（両側）を実施した。前立腺癌は精巣（睾丸）で作られるテストステロンという男性ホルモンに刺激されて大きくなる。このテストステロンを減少させることで前立腺癌の増殖を抑えたり，小さくしたり，一部を死滅させることができるので，精巣摘出術は現時点では最も有効で基本的な治療の一つとなっている。

ザイティガ錠の効能効果は，「去勢抵抗性前立腺癌，内分泌療法未治療のハイリスクの予後因子を有する前立腺癌」である。退院時に処方されたザイティガ錠は14日分すべて査定となった。

精巣摘出術は内分泌療法（ホルモン療法）（**図表２-15**）と考えられるために査定となったのではないかと院内で検討された。男性ホルモンの分泌や働きを抑えてがん細胞の増殖を抑制しようとする内分泌療法は薬物によって行うのが主流だが，男性ホルモンを分泌する精巣そのものを手術で取り除く精巣摘出術も内分泌療法の一つとする考え方があるためだ。

退院後，通院にてザイティガ錠の投与が継続されたため，入院での査定情報を主治医に相談し，外来レセプトでは以下の症状詳記を添付のうえ請求した。

> **外来レセプト**（症状詳記を抜粋）
> Gleason score：４＋５＞８であること，多発骨転移であることより，ハイリスクの転移性ホルモン感受性前立腺癌と診断。まずはゴナックスを開始し，両側精巣摘出術施行。ザイティガ内服併用によるアップフロント治療の適応と判断し，ザイティガの内服を開始した。その後の採血では大きな有害事象はなく，PSAも順調に低下し奏功している。

現時点ではザイティガ錠の査定はない。

図表２-15　精巣摘出術以外の内分泌療法（ホルモン療法）について

分類		
薬剤名	**投与方法**	**効能・使用方法など**
LH-RH（黄体形成ホルモン放出ホルモン）アゴニスト		
ゴセレリン酢酸塩（ゾラデックス） リュープロレリン酢酸塩（リュープリン）	皮下注射	下垂体に働き，アンドロゲンの一種であるテストステロンの産生を低下させます。１カ月，３カ月あるいは６カ月に一度外来で注射します。投与初期に一過性のテストステロン値上昇（フレアアップ）が起こることがあります。
抗アンドロゲン剤		
クロルマジノン酢酸エステル（プロスタール）	経口	アンドロゲンの働きを抑えるステロイド性抗アンドロゲン剤です。抗アンドロゲン剤は副腎から分泌されるアンドロゲンの働きも遮断します。
フルタミド，ビカルタミド（オダイン，カソデックス）	経口	アンドロゲンの働きを抑える非ステロイド性抗アンドロゲン剤です。LH-RH（黄体形成ホルモン放出ホルモン）アゴニストと併用することにより，治療成績の向上が期待できます（CAB療法）。
エンザルタミド（イクスタンジ）	経口	アンドロゲン受容体を阻害する薬です。去勢抵抗性前立腺がんの治療として，ドセキタキセル水和物での治療が終わったあとに使用して効果が示されています。副作用には疲労感，食欲不振，脱力感などがありますが，比較的安全性が高いといわれています。
アビラテロン酢酸エステル（ザイティガ）	経口	アンドロゲン合成を阻害する薬です。
LH-RHアンタゴニスト		
デガレリクス酢酸塩（ゴナックス）	皮下注射	下垂体に働き，アンドロゲンの一種であるテストステロンの産生を低下させます。即効性があり，一過性のテストステロン値上昇（フレアアップ）を回避することが特徴的です。
エストロゲン（女性ホルモン）		
エチニルエストラジオール（プロセキソール）	経口	内分泌療法に抵抗を示す場合に用いることがあります。

（「国立がん研究センターがん情報サービス」HPより）

Q42　ジメチコン内用液の査定

条件　**DPC対象病院，800床規模，外来，消化器科**（2024年６月，関連部分のみ抜粋）
〈病名〉S状結腸癌（主），イレウス（H28.7.12）
〈内容〉【患者】71歳，女性

⑥⓪	＊大腸内視鏡検査（ファイバースコピー・上行結腸及び盲腸）（10日）　1,550×1 ＊ジメチコン内用液2%「ホリイ」12mL, キシロカインゼリー２%　15mL, ブスコパン注20mg　2% 1mL　1管, 検査前投薬, ニフレック配合内用剤　1袋　（点数省略）×1

A　S状結腸癌術後のフォローアップで年１回の定期検査としてD313大腸内視鏡検査が実施された事例である。検査時に使用されたジメチコン内用液がD査定（算定要件に合致しない）を受けた。

「大腸内視鏡検査を受ける方へ」と書かれた患者向けパンフレットによれば，患者は大腸内視鏡検査当日の前処置で，洗浄剤（ニフレック2L）にジメチコン内用液を混ぜたものを飲むことになっており，本事例は通常の検査手順だったことを確認した。しかし，添付文書を見ると，以下のことが確認できた。

> ジメチコン内用液２%「ホリイ」
> **【効能・効果】**胃内視鏡検査時における胃内有泡性粘液の除去。
> **【用法・用量】**検査15～40分前に，通常成人40～80mgを約10mLの水とともに経口投与。

ここから，大腸内視鏡検査でのジメチコン内用液の使用が問題にされたと解釈された。ジメチコン内用液はガスコンドロップ内用液のジェネリック医薬品であるため，先発品が過去に査定を受けているのではないかとレセプト担当者に確認したところ，次のように返ってきた。

「ガスコンドロップ内用液の査定は過去にありました。その後，薬剤がジェネリック医薬品のバロス消泡内用液へ変更，さらに現在はジメチコン内用液へと変更されています。コンピュータチェックの設定で，ガスコンドロップ内用液，バロス消泡内用液についてはチェックがかかるようにしていたのですが，ジメチコン内用液は最近切り替わったばかりで設定ができていませんでした」

院内で薬剤変更があった際，変更後の薬剤へのレセプト請求上での対応の継続が必要か否かの確認がもれてしまったことが査定の要因の１つであった。

当該病院では，ジメチコン内用液についても，ガスコンドロップ内用液やバロス消泡内用液と同様に，コンピュータチェックで査定対象としてエラーがかかるように設定し，定期的に確認することにした。

使用される薬剤の変更は診療現場ではしばしば起こるため，医事課部門においては，薬剤部門等と連携し，変更の情報共有（使用上の注意や効能・効果，用法・用法など）に取り組んでいただきたい。

Q43　デトキソール静注液の査定

条件　DPC対象病院，外来（2024年７月，関連部分のみ抜粋）

〈病名〉 食道癌（Ｒ３.５.25）

〈内容〉

⑥⓪	＊EF-胃・十二指腸 粘膜点墨法加算 デトキソール静注液2g 10% 20mL 1瓶　（点数省略）×1

A　D308胃・十二指腸ファイバースコピーに使用したデトキソール静注液２gがD査定（算定要件に合致していない）を受けたため，すぐに添付文書を確認した。

【効能・効果】
シアン及びシアン化合物による中毒，ヒ素剤による中毒
【用法・用量】
チオ硫酸ナトリウム水和物として，通常，成人１日１～２gを静脈内注射する。シアン及びシアン化合物中毒には，通常，成人１回12.5～25gを静脈内注射する。なお，年齢，症状により適宜増減する。

適応疾患および用法ともに該当しない。担当医に確認すると，食道癌における内視鏡時（**図表２-16**）は，ルゴール法という色素内視鏡を実施していることがわかった。

図表２-16　消化管内内視鏡診断の方法

➢**通常内視鏡**
➢**色素内視鏡**
　ルゴール，トルイジンブルー，インジゴカルミン，酢酸メチレンブルー，コンゴレッドピオクタニン
➢**特殊光観察**
　NBI（狭帯域光観察），AFI（蛍光観察）
➢**拡大内視鏡**

（兵庫県保険医協会 HP）

正常な食道粘膜は多量のグリコーゲンを含み，ルゴール液の散布により，粘膜全体は褐色に染色される。しかし，食道がんや食道異形成（良性悪性の境界病変）ではグリコーゲンが著しく減少・消失し，不染帯として白い状態のままで観察されるので，その部分の生検により診断する。
（公益社団法人　福岡県薬剤師会HP）

また，ルゴール法は胸痛や胸が染みるといった症状が続く場合があるため，デトキソールで洗い流しているとのことであった。

このため，「医薬品の適応外使用にかかる保険診療上の取扱い」（支払基金・審査情報提供事例）を確認したところ，「チオ硫酸ナトリウム水和物」の掲載はあったが，「シスプラチン動脈注射時における副作用軽減目的」で今回は該当しないものであった。そこで審査機関に照会を行ったところ，「従来はこの適応外使用について算定を認めていたが，審査委員会としては今後認めない方針である。しかし，今回は周知より先行して査定してしまったため再審査してほしい」との回答であった。社保・国保の協議会での決定であるとのことだった。

担当医師と協議した結果，正式な通知があるまでは現在の請求を続けたいということで，今回の事例について再審査請求を行うこととした。

普段と異なる査定がある，査定を受けたが理由がわからない，といった場合には，病院の判断を仰いだうえで，審査機関に問合せをすることも重要となることを改めて実感した事例となった。

Q44　オプジーボ等の査定

条件 **DPC対象病院,，900床規模，外来，泌尿器科**（2024年８月，関連部分のみ抜粋）
〈病名〉切除不能な右腎癌（R５.12.16）
〈内容〉

⑬	＊外来腫瘍化学療法診療料1　4回目以降（16日）	450×1	
	＊連携充実加算（16日）	150×1	
㉑	＊（減）カボメティクス錠20mg　2錠（8日）	（点数省略）×5	
	＊（減）カボメティクス錠20mg　2錠（14日）	（点数省略）×25	
㉝	＊無菌製剤処理料1（16日）	45×1	
	＊点滴注射（その他）（入院外）	53×1	
	＊大塚生食注 250mL　1袋 生理食塩液 50mL　1瓶 オプジーボ点滴静注240mg 24mL　2瓶	（点数省略）×1	⇨　0に査定
	〈オプジーボ点滴静注について〉 初回投与開始日：R4.1.26 施設要件：ア，エ，オ 医師要件：イ 他にTNM分類，IMDCリスク分類（intermediate），オプジーボとカボザンチニブの併用療法の開始に関する詳記あり。		

A　オプジーボとカボメティクス（カボザンチニブリンゴ酸塩錠）の併用療法事例であるが，D査定（告示・通知の算定要件に合致していない）として，注射の項のすべての点数が査定を受けた。オプジーボの査定理由を解明するにあたりガイドライン（**図表2-17**）で改めて確認を行った。

事例が併用療法として間違いのない請求であることは確認できたが，レセプトへの記載が求められる「併用投与イ」の記述はもれていた。しかしながら，薬剤投与，治療内容からオプジーボとカボメティクス（カボザンチニブリンゴ酸塩錠）との併用療法として算定要件に合致していると考えられたため，**図表2-17**を請求根拠として審査支払機関に確認を行ったところ，「ヤーボイ〔イピリムマブ（遺伝子組換え)〕との併用は存じておりましたが，カボザンチニブとの併用については存じておりませんでした。再審査請求を行っていただけますか」との回答があった。早速，記載不備であった「併用投与イ」を追加したうえで再審査請求を実施したところ，注射の項がすべて復活した。

医療機関側で実施した増減点通知書の内容確認および再審査請求を含めた対応が改めて重要な業務であることを痛感する事例となった。

なお，「抗PD-1抗体抗悪性腫瘍剤に係る最適使用推進ガイドラインの策定に伴う留意事項の一部改正について」は，各厚生局ホームページに「医薬品の保険適用関係」，「薬価基準，医薬品医療機器等法関係」として掲載されるので必ず定期的に確認いただきたい。

図表2-17　ガイドラインの概要（抜粋）

薬剤	オプジーボ点滴静注 20mg，同 100mg，同 120mg 及び同 240mg	
対象	根治切除不能又は転移性の腎細胞癌	
摘要欄への記載事項	施設要件	省略
	医師要件	
	併用療法	該当するもの（「併用投与ア」又は「併用投与イ」と記載） ア イピリムマブ（遺伝子組換え） イ カボザンチニブ　（下線部筆者）

〔保医発 0825 第３号「抗 PD-1 抗体抗悪性腫瘍剤に係る最適使用推進ガイドラインの策定に伴う留意事項の一部改正について」（令和３年８月25日）より抜粋〕

3―処置・手術・麻酔の査定

処置や手術に関する査定・減点は，薬剤や検査に比べると，それほど多くはない。しかし，処置や手術の点数は医師や看護師の医療行為に対する技術料であり，確実に請求しなければならない。

処置料および手術料のレセプト請求のポイントは，病名や処置名などに部位を明確に記載することである。術後の処置や，皮膚科軟膏処置などの算定の際に，部位を明記しなかったために，処置の範囲を減らされたり，大きな減点を受けたりすることもある。細かい注意が必要となる。

1 処 置

処置にかかわる減点が多くみられるのは，創傷処置，術後処置および皮膚科軟膏処置などの処置範囲にかかわる部分である。病名などからみて，処置の範囲が適切でないとなれば，減点される結果となる。

また通常，患部の範囲は，創の回復に従って縮小していくはずである。したがって，長い期間同じ点数のまま算定するということはありえない。もし，同一範囲が長く続くのであれば他の原因が考えられる。

一方，処置には重複算定ができないものがある。特に呼吸にかかわる処置に多い。コンピュータのチェック機能をフルに活かすなどの対策を講じ，正しい算定を心がけなければならない。

Q45 局所陰圧閉鎖処置（入院）の査定

J003

条件 DPC対象病院（200床以上）（2024年８月，関連部分のみ抜粋）

〈**病名**〉下腿潰瘍（L97）

〈**内容**〉【診断群分類番号】100100xx99x1xx【入院年月日】R６.７.21【退院年月日】R６.８.18

㊵	＊局所陰圧閉鎖処置（入院）（100cm²未満） （初回加算算定日：R６年７月21日） 1,040×18	⇨	×10に査定

A 重度の犬咬傷にて縫合処置を行ったが，皮膚壊死となり不良肉芽を伴う皮膚潰瘍となった事例。７月21日に入院し，J003局所陰圧閉鎖処置「１」100cm²未満を開始した（**図表３－１**）。難治性の皮膚潰瘍であり，29日間処置を実施。８月に18日間処置料を算定したところ10日に査定された。

通知で確認したところ，下記の記載があった。

> **局所陰圧閉鎖処置（入院）（1日につき）**
> (9) 局所陰圧閉鎖処置（入院）を算定する場合は，特定保険医療材料の局所陰圧閉鎖処置用材料を併せて使用した場合に限り算定できる。
> （下線筆者）（令６保医発0305・４／「**早見表**」**p.697**）

159局所陰圧閉鎖処置用材料には「V.A.C.ATS治療システム」や「PICO創傷治療システム」等がある。また，その算定には下記の条件がある。

図表３－１ 陰圧閉鎖療法*の原理

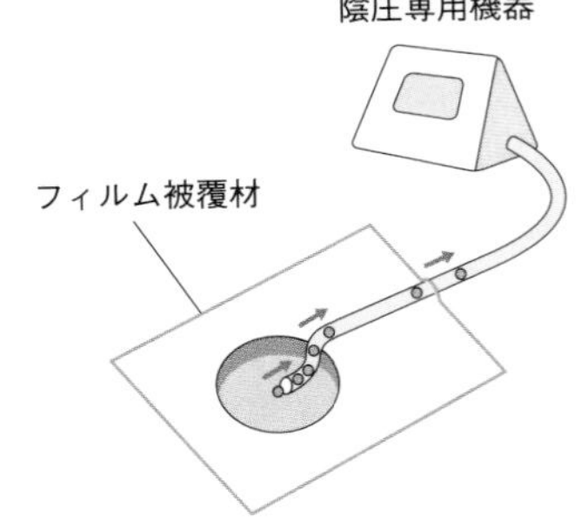

＊創部を被覆材で閉鎖し，専用機器（局所陰圧閉鎖処置用材料）で陰圧状態をつくり，滲出液を吸引する物理療法。陰圧にすることで創部の血行促進作用や細菌量の減少作用があり，創部の治癒を促す。

審査査定

処置手術麻酔

局所陰圧閉鎖処置用材料の算定

ウ　局所陰圧閉鎖処置用材料は局所陰圧閉鎖処置開始日より３週間を標準として算定できる。特に必要と認められる場合については４週間を限度として算定できる。3週間を超えて算定した場合は，診療報酬明細書の摘要欄にその理由及び医学的な根拠を詳細に記載する。（以下略）

（下線筆者）（「**早見表**」p.1026）

局所陰圧閉鎖処置用材料には，原則３週間という使用期限がある。今回は７月に11日間算定済なので８月に算定できるのは10日間となる。

本例では，処置料の算定については期限の記載がないことから，４週間以降は材料の算定はせず処置料のみを算定をした（DPCレセプトのため材料は出来高算定できない）。３週間を超えて算定する場合はその理由と医学的根拠の記載が必要だが，今回はその理由を添付していなかったため，21日（３週間）に査定されたのである。

処置や材料には算定要件が決められているものがあるので，要件を確認したうえで正しく算定されたい。そしてコメントを添付することで防げる査定については，コメントを添付し提出するようにしたい。

Q46　持続的胸腔ドレナージの査定

J019

条件　**出来高病院，入院**（2024年７月分，関連部分のみ抜粋）
〈**病名**〉胸膜炎（2024.７.８），胸水貯留（2024.７.８）
〈**内容**〉

㊵	＊持続的胸腔ドレナージ（開始日）（８日）	825×1	⇨　0に査定
	＊套管針カテーテル（シングルルーメン）　１本	（点数省略）×1	
(60)	＊胸腔鏡検査（８日）	7,200×1	

A　胸膜炎に対して局所麻酔下にて胸膜生検目的のD303胸腔鏡検査を行い，その後に胸水の排除目的で留置した套管針カテーテル（トロッカーカテーテル）に対してJ019持続的胸腔ドレナージを算定した事例である。それぞれ実施目的が異なるため，同日，同一部位であっても算定できると考え，別々に算定したが，持続的胸腔ドレナージの手技料が不適当として査定された。

局所麻酔下胸腔鏡検査は切開を１カ所のみ行い，そこからファイバーを挿入して胸腔内を観察し，病変があればその部位を生検するものである。その後にトロッカーカテーテル挿入の必要がある場合，多くはその切開部位を利用して同カテーテルが挿入される。別皮切の必要はないため，一連の行為と判断されたものと考えられる。

【参考】胸膜炎と胸水

胸膜炎とは，肺を取り囲んでいる２枚の薄い膜である胸膜に何らかの理由で炎症が生じている状態で，胸膜の中にある血管から血液中の蛋白や水の成分が２枚の膜の間の胸腔に滲み出して胸水という病態となる。

図表３-２　胸膜炎の観察と生検

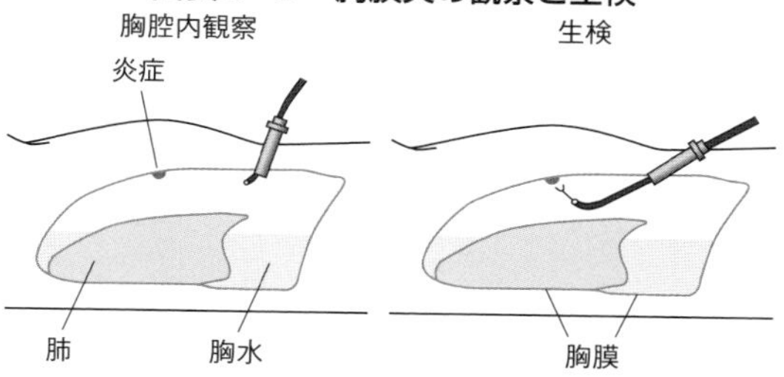

Q47　イレウス用ロングチューブ挿入法の査定

J034

条件　**出来高病院，300床規模，入院**（2024年６月，関連部分のみ抜粋）
〈**病名**〉S状結腸軸捻転，急性呼吸不全
〈**内容**〉診療実日数：２日

㊵	＊イレウス用ロングチューブ挿入法	912×1	⇨　0に査定
	＊イレウス用ロングチューブ（標準型・経肛門挿入型）１セット	（点数省略）×1	
	＊キシロカインゼリー2%　10mL	（点数省略）×1	
	＊ドレーン法（その他）	25×1	

A 嘔吐が続き，腹部も緊満の状態にて救急受診され，身体所見から即入院となった事例で，入院後のCTと所見よりS状結腸軸捻転と診断し，内視鏡検査とイレウスチューブの挿入を実施した。

この事例について，イレウスチューブの挿入手技料，医療材料（ロングチューブ），薬剤料（キシロカインゼリー）が事由A（不適応）にて査定となった。

査定原因を探るため，カルテにて治療内容の確認を行った。

【医師記録】（関連部分のみ抜粋）
O：緊急CS（大腸内視鏡検査）
S状結腸ストマからスコープを挿入して捻転部位を確認。同部位は血流障害の影響と考えられる暗赤変化を起こしていた。（中略）スコープが捻転を通過し，捻転部位が直線化していることを透視下にて確認，終了した。
O：CS２回目
同部位に再捻転を認めた。癒着が強固であり，再捻転リスクが非常に高い。軸保持の意味も含めて，対処的にイレウスチューブを挿入して終了とした。

「イレウスチューブの挿入」には，イレウス（腸閉塞）に対する治療が行われたことがわかる病名もしくは注記が必要だと考えられる。

しかし，医師記録にはＳ状結腸軸捻転の記述しかなく，イレウスをきたしていたか判断がつかない。それでも請求の担当者は，「再発を繰り返すＳ状結腸軸捻転」は手術適応の症例であり，イレウスチューブの挿入術が認められるだろうと解釈していた。

確かに，医師記録からは，繰り返す捻転の再発防止としてイレウスチューブの挿入が必要であったことが読み取れる。このような事例では，再発抑制のために対処的なイレウスチューブ挿入の医学的必要性について，あらかじめ症状詳記しておくことがポイントであったと考え，主治医と相談して再審査請求を行った。

図表３－３　腸捻転

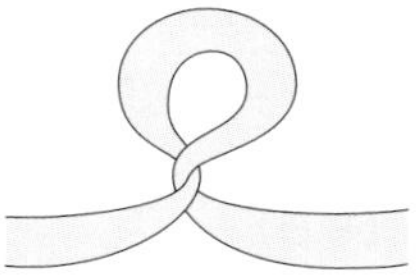

腸捻転とは腸がねじれた状態のことで，捻転部に絞扼をきたすと腸閉塞の症状が発現する

Q48　人工腎臓（慢性維持透析を行った場合）のダイアライザーの査定　J038

条件 DPC対象病院入院（2024年６月分，関連部分のみ抜粋）

〈内容〉【出来高部分】

㊵	＊人工腎臓（慢性維持透析1・「イ」4時間未満） 透析液水質確保加算（5,8,10,12,15,17日）	1,886×6	⇨	1,886×2 1,580×4 に査定
	＊ダイアライザー　Ⅱb型1,520円	152×6	⇨	×2に査定
㊿	＊人工関節置換術（股）（11日）	37,690×1		
	＊閉鎖循環式全身麻酔「5」（麻酔困難患者）（11日）3時間20分	（点数省略）×1		

A 維持透析を継続実施中の患者に，全身麻酔下での人工関節置換術が施行された事例である。透析液水質確保加算を除いて，下記のように査定となった。

【査定状況】

人工腎臓（慢性維持透析Ⅰ・「イ」４時間未満）1,886×6 ダイアライザー　152×6	⇒	人工腎臓（慢性維持透析Ⅰ・「イ」４時間未満）1,886×2 人工腎臓（その他の場合）1,580×4 ダイアライザー　152×2

J038人工腎臓の手技料は「慢性維持透析を行った場合１・２・３」，「４　その他の場合」と分類されている。「その他の場合」を算定する場合は通知で明確に示されている。点数表を確認してみる。

人工腎臓
(8)「４」その他の場合は次の場合に算定する。（中略）
（ヌ）L002硬膜外麻酔，L004脊椎麻酔又はL008マスク又は気管内挿管による閉鎖循環式全身麻酔による手術を実施した状態（手術前日から術後2週間に限る）
（下線筆者）（令６保医発0305・４／「**早見表**」**p.705**）

全身麻酔による手術日は11日なので，手術前日に当たる10日以降の４回分の透析は，「その他の場合」で算定することになる。また，ダイアライザーは，DPC適用の場合では「慢性維持透析を行った場合

1・2・3」のみ出来高算定が認められる。つまり，事例のケースでは10日以降のダイアライザーは出来高算定できないことから，査定されたのである。

Q49　カウンターショックの査定

J047，K599-3

条件 DPC対象病院（2024年６月，関連部分のみ抜粋）
〈病名〉心室細動（R 1.10.30）
〈内容〉診療実日数：24日

㊵	＊カウンターショック（その他）	3,500×1　⇨　0に査定
㊿	＊両室ペーシング機能付き植込型除細動器移植術（CRT-D移植術）「２」経静脈電極の場合	35,200×1

A　当該事例について，J047カウンターショックが事由C（不適当）を理由に査定となった。査定分析を行うに当たり，カウンターショックの告示・通知を確認した。

J047　カウンターショック
⑶　心臓手術に伴うカウンターショックは，それぞれの心臓手術の所定点数に含まれ，別に算定できない。（令６保医発0305・４／**「早見表」p.715**）

ここで注目したのが，K599植込型除細動器移植術に関する事務連絡である。

問　植込型除細動器移植術又は植込型除細動器交換術に当たり実施される，誘発した心室細動に対する除細動については，どの様に算定するのか。
答　誘発心室細動に対する除細動は，J047 カウンターショックに準じて手術料とは別に算定できる。
（平18.４.28　一部修正）（**「早見表」p.797**）

しかし，当該事務連絡はK599に対するものであり，K599-3両室ページング機能付き植込型除細動器移植術は含まれていない。そこでK599-3の手技・材料について詳細を確認すると添付文書に以下のような記載があった。

除細動機能付植込み型両心室ペーシングパルスジェネレータ（CRT-D）（添付文書から抜粋）
【使用方法等】
Ⅰ．植込み方法
８）心室細動又は心室頻拍を誘発し，本装置の作動試験を行う。（下線筆者）

添付文書から，植込時には心室細動等の不整脈誘発による作動試験が必ず行われることが示されていた。

この結果をもって，地方厚生局と協議を行った結果，「事務連絡発出当時には，術式としてK599しかなく，K599-3はその後に保険収載された術式であるため，事務連絡が存在しない。しかし，術式としては同様の手技を伴うものであるため，誘発した不整脈に対する除細動はK599と同様にJ047カウンターショックに準じて算定できる」との回答を得た。厚生局の回答を添付して再審査請求を行い復活となった。改定により術式が追加され，従来の手技と類似する手技の場合は，事務連絡なども十分に確認する必要があると気付かされる事例であった。

【参考：除細動が必要な状態】
心室細動がいったん起こると自然に回復することはほとんどなく，また心室頻拍に続いて心室細動が起こる場合もあり，突然死を引き起こします。対応として，電気ショックを与える方法があります。電気ショックの装置〔体外式除細動器（カウンターショック），自動体外式除細動器（AED）〕はどこにでもあるものではないので，危険性の高い人には植込み型除細動器（ICD）を植込みます。さらに心拍出量が安定しない人には，除細動機能付植込み型両心室ペースメーカー（CRT-D）を植込みます。
（大阪大学HPより一部改変）

図表３-４　植込み事例

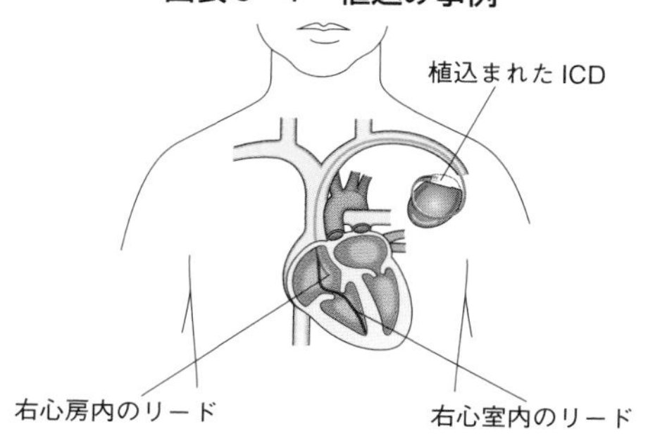

審査査定
処置手術麻酔

Q50 耳垢栓塞除去の査定

J113

条件 **患者15歳，外来**（2024年7月分，関連部分のみ抜粋）

〈内容〉

㊵	＊耳垢栓塞除去（複雑なもの）（片側）（両側耳垢栓塞除去）	90×2	⇨ （両側）160×1に査定

A 上記のレセプトが，「90×2→160×1」と査定された。

以前（2008年改定より前）は，J113耳垢栓塞除去（複雑なもの）には片側，両側の区別がなかった。

第9部処置「通則6」には次のようにある。

> **処置「通則6」**
> 6 対称器官に係る処置の各区分の所定点数は，特に規定する場合を除き，両側の器官の処置料に係る点数とする。
> （「早見表」p.693）

したがって，以前は両側を行っていても，「耳垢栓塞除去（複雑なもの）100×1」と算定していたのだが，現在の点数表は以下のとおりである。

> **J113 耳垢栓塞除去（複雑なもの）**
> 1 片側 90点
> 2 両側 160点
>
> 注 6歳未満の乳幼児の場合は，乳幼児加算として，55点を加算する。
> （「早見表」p.721）

もっとも会計担当者に聞くと，オーダーが左右で，実施入力もされていたことから，会計担当者は×2で何の疑問ももたなかったとのこと。

算定担当者は，耳垢栓塞除去は両方やっても90点と思い込んでいた。2008年改定以後も区分が新設されたことには気づかずに算定を続けていた。単純なことであるが，思い込みや誤った認識で算定してしまうことがある要注意事例である。

正しい算定は以下のとおりとなる。

➡	㊵	耳垢栓塞除去（複雑なもの）（両側） 160×1

Q51 交換用胃瘻カテーテルの査定

J043-4，材料037

条件 **出来高病院，300床，入院**（2024年6月，関連部分のみ抜粋）

〈病名〉脳梗塞後遺症，胃瘻造設状態，入院後発症病名：胃瘻自然抜去

〈内容〉診療実日数：31日

㊵	＊経管栄養・薬剤投与用カテーテル交換法	200×2	
	＊キシロカインゼリー2％ 2％ 10mL	（点数省略）×2	
	＊交換用胃瘻カテーテル（胃留置型・バンパー型・ガイドワイヤーあり）1セット	2,170×2	⇨ 0に査定

A 療養病棟で長期療養中，寝たきりで全介助の状態という事例である。今回，胃瘻のカテーテル交換を月に2回実施している。そのうち，医療材料である037交換用胃瘻カテーテルのみが査定された。手技料と薬剤は査定がないので，医療材料の算定条件を確認してみる。

> **037 交換用胃瘻カテーテルの算定**
> Ⅰの2の012（在宅医療の部の交換用胃瘻カテーテル）と同様である。
> イ バンパー型の交換用胃瘻カテーテルは，4か月に1回を限度として算定できる。
> （下線筆者）（「早見表」p.443）

上記にあるとおり，今回のカテーテル交換時に使用した材料は2回ともにバンパー型（**図表3-5**）であったことから査定されたものと考えられた。

医師にこの点を確認したところ，バンパー型が4カ月に1回しか算定できないという算定条件を把握していなかった。また，レセプト担当者はこの条件を知っていたが，見逃してしまったとのことだ。

算定条件が多様化している昨今，目視だけの点検で査定を防ぎきることは困難であるため，できる限りレセプトチェックツールを活用したい。4カ月に1回という算定条件をチェックツールできっちり対応することは容易でないため，同月内に2回の算定があればエラーとなるような仕組みを作り，取り組みたいところである。

また，このような算定条件があっても，どうしても使用する必要があった場合は，事情が伝わるように症状詳記を添付して算定をしたい。今回はお風呂で自然抜去してしまったため交換が生じたということであった。医療従事者が入浴介助をしているため，自然抜去とならないように十分注意が必要である。よって，今回の再審査請求は見送ることとした。

チェックポイント！

★　算定条件が多様化し，また改定により変化していく今日にあって，医師をはじめ，現場では算定条件をしっかりと把握していないことがある。できる限りレセプトチェックツールの活用し，またシステム上でエラーがわかるような仕組みを作るなどして対応に取り組みたい。

図表 3－5　胃瘻カテーテルの種類

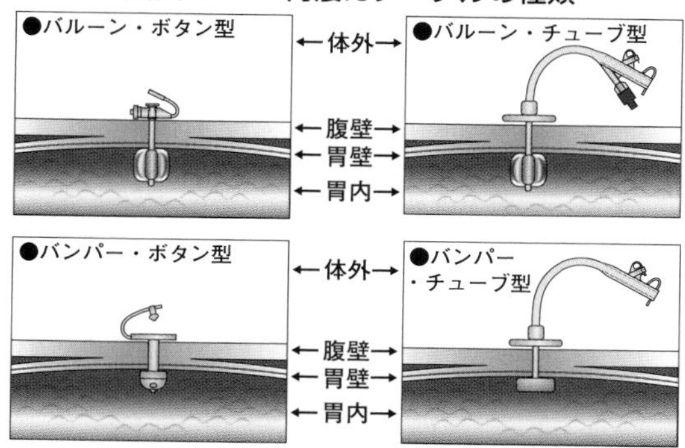

（NPO 法人 PDN の HP より一部改変）

2 手　術

Q52　真皮縫合加算の査定

K000

〈病名〉右第２指挫創
〈内容〉2024年６月分，関連部分のみ抜粋

㊿	＊創傷処理「4」真皮縫合加算	990×1	⇨ 530×1に査定

A　右手指に対する創縫合での真皮縫合加算が査定された事例である。

真皮縫合とは，皮下組織の浅筋膜から真皮深層レベル，真皮表層，皮膚の３層をそれぞれ分けて縫い合わせる方法で，体内で溶ける縫合糸を使用する。これにより抜糸を必要とせずに目立たない細いきれいな線状瘢痕になる。女性の顔面など，傷跡を目立たせたくない部位などに行われるものである。

手指は露出している部分だが，解剖学的に指趾の背側の真皮は薄く，真皮縫合ができない。指趾の腹側には神経などが集まっているため，皮下に縫合糸が残っていると不快感が際立つために行われない。また，手掌，眼瞼では真皮が存在しないため，真皮縫合は行われない。

事例は，真皮縫合（中縫い）を行う必要がないため査定を受けたものと考えられる。算定の可否については**図表 3－6** を参考にしていただきたい。

図表 3－6　真皮縫合加算の算定の可否

部位	可否
①前額部	○
②眼瞼	×
③鼻尖	○
④赤唇	○
⑤耳介	○
⑥指・趾	×
⑦手掌	×
⑧手背	○
⑨足背	○
⑩頭部（前額部以外）	×
⑪頭頸部	○
⑫踵	○
⑬足底部	○

※露出部に該当しても，医学的に真皮縫合を行わない部位がある。

問　創傷処理等の真皮縫合加算における露出部の範囲について，足底部が算定できることとなったが，踵についても算定できるか。
答　算定できる。　（平24.8.9事務連絡）

（参考） 真皮縫合加算（指）：指にあっては真皮縫合加算は認められない（平成18.3.27支払基金更新 平26.9.22）

審査査定
処置手術麻酔

Q53 皮膚，皮下腫瘍摘出術の査定

K005，K006

条件 **出来高，一般病床200床未満，外科外来**（2024年６月，関連部分のみ抜粋）
〈病名〉創部感染症（R６.６.７），左足底皮膚腫瘍の疑い（R６.６.17），頸部リンパ節腫瘤の疑い（R６.６.28），気管支喘息（H.26.７.24）
〈内容〉診療実日数：４日

⑸⓪	＊皮膚，皮下腫瘍摘出術（露出部）（長径2cm未満）（7日）1,660×1	⇨ 0に査定
	＊キシロカイン注ポリアンプ1％　5mL　1A　（点数省略）×1	
⑹⓪	＊病理組織標本作製「１」組織切片によるもの（1臓器）（部位；皮膚）860×1	
	＊病理診断料（組織診断料）520×1	

A 事例では，「皮膚，皮下腫瘍摘出術」と麻酔薬剤の「キシロカイン注ポリアンプ」が事由A（適応外）にて査定となった。再審査請求を行うためにレセプト精査を行った。

手術の記載を確認すると，手技に部位が明記されていない。そこで病名欄を見ると，手術部位と考えられるものとして左足底と頸部があった。手術は６月７日に実施されていることから，左の足底が手術部位と推測される。カルテにて確認を行った。

【電子カルテ】（抜粋）
皮膚科　〇〇時〇〇分
　左の足底に黒色調皮疹。破れて膿汁＋　本日生検予定
　手術記録：局所麻酔下，母斑？（とも考えられる）切除術を実施。左足底の７×３mm大の平坦な黒色の皮疹，辺縁にて切除，洗浄を行い創閉鎖。
オーダーNo. 〇〇〇▲
　＊皮膚，皮下腫瘍摘出術（露出部以外）直径２cm未満
オーダーNo. 〇〇〇◆
　＊病理組織（１臓器）／＊部位：皮膚

やはり手術部位は左足底であった。手術を実施した医師はオーダーで「露出部以外」を選択していたが，足底は露出部と認められているため，事務側で部位を確認して修正を行っていた。この判断は正しい。

問題は病名と考えられる。手術を実施しているにもかかわらず，病名が皮膚腫瘍の「疑い」のままであった。切除した時点で確定診断がつけられなくても，病理の結果が出た時点で，確定病名が必要である。事務担当者に確認をしたところ，医師にはレセプト点検後に今回の手術に対する確定病名がないかを打診したが返答がなく，電子カルテに創部感染症が入力されていたため，算定に問題ないと判断したとのことであった。

しかし，創部感染症だけでは腫瘍であることが明らかでないため，腫瘍摘出術の適用外である。また，レセプトで手術部位が不明であれば，機械的に査定の対象となる。

事務担当者にてレセプトに手術部位の補記は必ず行っていただきたい。手術部位と病名をレセプト上で確認できるように表現すること，ならびに手術手技と病名・部位の整合性を確認することは重要である。

Q54 筋肉内異物摘出術（創傷処理へ）の査定

K029

条件 **DPC対象病院（320床），入院，救急科**（2024年６月，関連部分のみ抜粋）
〈病名〉⑴左前腕挫創（主）（R６.６.３），⑵左手掌筋肉内異物残留（R６.６.３）
〈内容〉【診断群分類番号】040040xx97x00x
【入院年月日】R６.６.３【診療実日数】11日　緊急入院

⑸⓪	（深夜の受診。基本診療料は省略）	
	＊筋肉内異物摘出術	
	深夜加算2　6,192×1	⇨ 0に査定
	＊キシロカイン注ポリアンプ0.5％　5mL　2管　（点数省略）△×1	

A　K029筋肉内異物摘出術（深夜加算２含む）が，「6,192点×０」と査定を受けたため，左手背部異物に対してガラス片が刺さっているレントゲン写真を添付して再審査請求を行ったところ，K000創傷処理「１」筋肉，臓器に達するもの（長径５cm未満）（深夜加算２含む）（2,520点）に変更された事例である。

> **再審査請求の理由**
> 左手背側の異物は，１つは長さ35mm，もう１つは長さ15mmのガラス片で，筋肉内にとどまっている状態であった。１cmの創を開放し摂子で除去した。

なお，同時に審査支払機関から以下のような連絡文書が送付されてきた。

> **連絡事項**
> K029筋肉内異物除去術（3,440点）とK097手掌，足底異物摘出術（3,190点）を算定される際には，下記の事項を詳記願います。
> １　異物の状況（種類，数，大きさ，存在部位など）
> ２　手術内容（麻酔の有無，皮膚切開の長さ，摘出手技，ドレーンの有無，皮膚縫合の有無，手術時間）
> ３　術後管理（術後創傷処置，抗生剤投与など）

上記より，創部の切開や皮膚縫合，ドレーン留置，術後の感染管理としての処置や薬剤投与等がなければ，K029とK097の算定は認められないと解釈できる。案の定，再審査（異物の状況をレントゲン写真で示す）には連絡事項でいう「２」手術内容や「３」術後管理への言及がなかったため，認められなかった。実際のところ，ドレーン留置や皮膚縫合，抗生剤の処方や翌日以降の術後創傷処置は行われていなかった。したがって，再審査により創傷処理への変更を認められただけでも，よかったと考えるしかない。

再審査が通ったわけではないが，再審査をしなければ０点のままであった。納得できない査定については積極的に再審査請求を行うことが，収入の確保と審査基準を知る機会につながることを改めて実感させられた事例である。

Q55　皮膚腫瘍冷凍凝固摘出術の査定

K006-4

〈病名〉胸部皮膚良性腫瘍（2024. 5 .13）
〈内容〉2024年７月分，関連部分のみ抜粋

㊿	＊皮膚腫瘍冷凍凝固摘出術（一連につき） 「１」長径３cm未満の良性皮膚腫瘍（８日）　1,280×１	⇨　0に査定

A　胸部皮膚良性腫瘍に対して，外来で算定したK006-4 皮膚腫瘍冷凍凝固摘出術が査定された。

この手技料は,「一連につき」算定するものである。保医発通知によれば，ここでの一連は，「治療の対象となる疾患に対して所期の目的を達するまでに行う一連の治療過程をいい，概ね３月間にわたり行われるもの」と規定されている。つまり，同一病名，同一部位について，病巣の除去が行われるまでは前回実施（算定）からの３カ月間，算定することができないということである。

事例の場合，診療開始日が５月13日であるため，3カ月以内の再算定と判断され，査定されたものと思われる。カルテを確認したところ，５月の治療開始からまもなく腫瘍は一度除去できたものの，今回，また同じ部位に再発したことがわかった。対策としては，①診療開始日（５月13日）の病名は，医師に治癒かどうかの確認を行ったうえで，治ゆ等何らかの転帰を付けて病名を新たに記入してもらう，②前回の疾患は治癒であった旨をレセプトに明記する――などが考えられる。

> **【皮膚腫瘍冷凍凝固摘出術】**
> 液体窒素を綿棒に含ませて腫瘍に塗布することにより，腫瘍を凍らせて組織を壊死させる。１回で除去できる場合もあるが，何回か同様のことを繰り返して徐々に腫瘍を縮小化させ，除去する場合もある。

なお，2018年改定で「脂漏性角化症，軟性線維腫に対する凍結療法については，J056いぼ等冷凍凝固法により算定する」と，J056いぼ等冷凍凝固法との区分が明確にされた点についてもご注意願いたい。

Q56　骨移植術の査定

K059

〈内容〉2024年６月分，関連部分のみ抜粋
【傷病名】両側膝関節離断性骨軟骨炎（M932）
【入院年月日】2024.6.20

㊿	＊骨移植術「１」自家骨移植（左）（21日）	16,830×１	
	＊半月板縫合術（左）（21日）	11,200×１	
	＊骨移植術「１」自家骨移植（右）（21日）	16,830×１	⇨ 0に査定
	＊半月板縫合術（右）（21日）	11,200×１	

A　整形外科で，両側の膝手術を同日に実施した事例だが，保険者審査により右の骨移植術が査定となった。

K059骨移植術の算定条件を確認した。

> **骨移植術（軟骨移植術を含む）**
> (2)　移植用に採取した健骨を複数か所に移植した場合であっても，１回のみ算定する。
> （令６保医発0305・４／「早見表」p.755）

移植用に採取した健骨を左右の膝に移植したとして，査定されたと考えられた。高額レセプトではなかったため症状詳記の添付はなく，カルテで手術内容を確認した。

> **【診療録】**（手術記録）（関連部分のみ抜粋）
> 手術日　：2024.6.21
> 術式　　：両膝半月形成術　両膝離断骨軟骨片固定
> 手術所見：
> 1．全身麻酔下，仰臥位で右膝から手術開始。（中略）
> 5．右腸骨から海綿骨を採取，欠損部にオスフェリオン充填。軟骨欠損部母床をドリリング，海綿骨を移植した上に骨軟骨片を整復し，骨釘４本で固定。
> 6．次に左膝の手術を開始。（中略）
> 9．右と同様に海綿骨採取，移植術を行い，骨釘３本挿入。各層を縫合して手術を終了（**図表３－７**）。

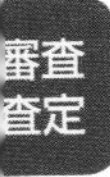

手術記録からは海綿骨採取の部位が判明しなかったので，執刀した医師に確認したところ，骨採取は左右別に実施したという。

骨移植術の算定条件は，「移植用に採取した健骨を複数か所に移植した場合」であって，採取した回数には言及されていない。この症例でも左右の膝に対する手術でそれぞれの採骨も別に実施している。部位が別であることを詳細に記載して再審査を行ったところ，復活した。

図表３－７　術中記録（膝切開部の表示）

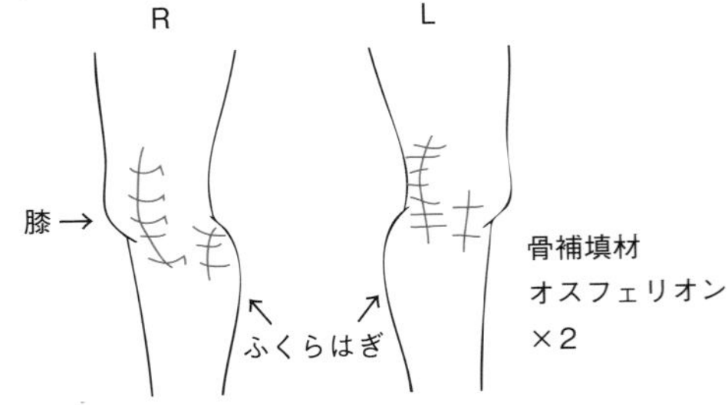

Q57　神経剥離術の査定

K188，K093

〈病名〉手根管症候群
〈内容〉関連部分のみ抜粋

㊿	＊神経剥離術（その他のもの）	10,900×１	⇨ 手根管開放手術　4,110×1に査定

A　手根管症候群は，圧倒的に女性に多く，神経絞扼症候群のなかの代表的疾患である。

はじめは手指のしびれが自覚され，とくに親指，人差し指，中指，薬指の中指側（いずれも手のひら側）に起こる。急性期には強い痛みが起こり，夜の眠りが妨げられるほどになることもある。慢性化すると痛みはなくなりしびれだけが残るが，さらに進行すると親指の筋肉が萎縮し，「ボタンが掛けにくい，物がつかみにくい」などの，日常生活にも支障をきたす結果となる。

手根管は**図表３－８**のように手関節のやや上部に位置している。ここには「横手根靱帯」という靱帯が存在し，手根骨との間でトンネルをつくっている。この中を腕の付け根から手掌にかけて走る正中神経と指を曲げる屈筋腱が９本通っている。手根管症候群のしびれや痛みは，この正中神経がいくつかの原因により圧迫されるために起こる症状である。

治療は，薬物による保存療法が基準となるが，この事例では神経剥離術を算定し，手根管開放手術に査定されたものである。

K188神経剥離術は神経の外傷や神経腫，腫瘍などによる神経麻痺などに行われる術式である。この手術は，瘢痕組織などで圧迫されている場合に神経組織外の瘢痕を剥離したり切除したりして神経を癒着より開放する手術である。

一方，K093手根管開放手術は**図表３－８**にみられるように，正中神経を圧迫している横手根靱帯を切離する手術である。

つまり神経剥離術は神経に直接かかわる手術であり，手根管開放手術は神経を圧迫している靱帯を切離する手術である。

事例は，病名からみて不適当な算定として査定されたものである。術式と病名の関係のチェックは入念に行う必要がある。

図表３－８　手根管開放手術の部位

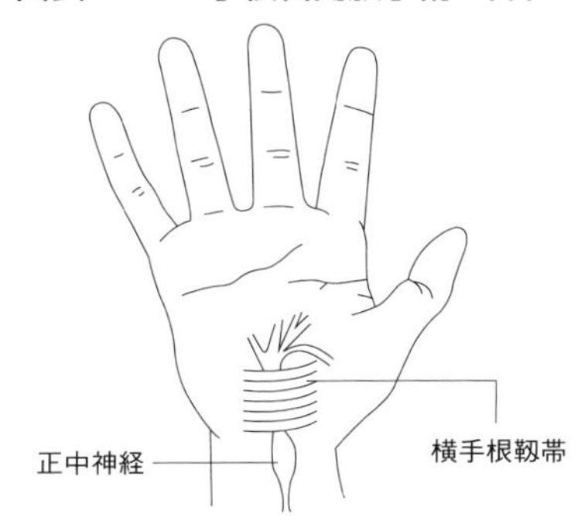

Q58　食道狭窄拡張術の査定

K522

条件 **出来高病院（300床），外来**（2024年６月，関連部分のみ抜粋）
〈病名〉 早期食道癌（Ｒ６.４.８），食道狭窄（Ｒ６.５.20）
〈内容〉 【患者】70歳　男性
【診療実日数】３日

⑫	＊外来診療料	76×3
⑸⓪	＊食道狭窄拡張術（拡張用バルーンによるもの）（3日・17日・24日）	12,480×3

⇨　×2に査定

A　早期食道癌の患者の食道狭窄に対してK522食道狭窄拡張術「３」拡張用バルーンによるものを３回請求したが，２回に査定された事例である。手術料の査定で，12,480点の高額査定である。まずはレセプトへ添付した症状詳記を確認した。

症状詳記（関連部分のみ抜粋）
早期食道癌に対して４月24日にESDを施行。
その後狭窄を来たし，２週間に１回のバルーン拡張を行っていたが，狭窄は高度で嘔吐症状となった。
そこで１週間に１回の拡張に変更したところ，嘔吐症状はほとんどなくなったものの，狭窄は依然高度で，しばらく拡張術継続が必要と考えている。

４月に入院でESD（K526-2「２」早期悪性腫瘍粘膜下層剥離術）を施行した事例で，その後の経過や拡張術の必要性も記載されている。

K522　食道狭窄拡張術

1	内視鏡によるもの	9,450点
2	食道ブジー法	2,950点
3	拡張用バルーンによるもの	12,480点

注２　３については，短期間又は同一入院期間中，２回に限り算定する。
（下線筆者）（**「早見表」p.785**）

改めて点数表を確認すると，外来の場合は，下線部の「短期間」にあてはまると思われるが，「２回に限り算定」となっている。そこで「短期間」の解釈を審査機関へ問い合わせたところ，「短期間は概ね２週間と考えているが，審査は症状詳記を含めレセプト全体での判断」との回答が得られた。当該診療科の医師にも審査機関からの回答を伝え，情報の共有を図り，実施日を調整するなどの対策を講じることとなった。

審査査定
処置手術麻酔

Q59　体外ペースメーキング術の査定　K596

〈病名〉心室細動，術後不整脈
〈内容〉2024年６月分，関連部分のみ抜粋

(50)	＊植込型除細動器移植術「２」経静脈リードを用いるもの（24日）　31,510×1	
	＊体表面ペーシング用電極　1本	
	＊血管造影用シースイントロデューサーセット（蛇行血管用）　2組	
	＊植込型除細動器用カテーテル電極（シングル）　1本	
	＊植込式心臓ペースメーカー用リード（経静脈・標準型）　1組	
	＊植込型除細動器（Ⅲ型）（標準型）1個　（材料点数省略）	
	＊体外ペースメーキング術（24日）　3,770×1	⇨　0に査定
	＊体外式ペースメーカー用心臓植込ワイヤー（単極・固定機能あり）2本　（材料点数省略）	

〈カルテ〉

6/24　植込型除細動器移植術施行
同日，術後に帰室して8時間後に不整脈を発症，一時ペーシングを行い対応した。

A　K599植込型除細動器移植術と同日に実施したK596 体外ペースメーキング術が過剰として査定された事例である。

同移植術は，血行動態が破綻する（いわゆる致死的な）心室頻拍または心室細動に対して，他の治療法が有効でない場合に適応となる。術後は常に拍動の一定化を図っているために，体外式ペースメーキングは必要ない。査定は当然と考えられた。

しかし，医師に確認すると，同移植術実施後に病室に戻ってから８時間経過後に，心臓内部に不整脈が急性発症し，何らかの理由で埋め込んだ除細動器のカテーテルからでは拍動がコントロールできなくなり，やむを得ず除細動器とは別皮切で，胸部皮下に電極を挿入して体外ペースメーカーと接続し，救命処置としてペーシングを行ったものであった。このような事例は，２～３%の確率で発生するという。

同日に併算定すると不自然な算定となる場合には，事前に医師と協議し，それらの治療の経緯を症状経過等によって説明しておく必要があったと考えられる。

Q60　大動脈バルーンパンピング法の査定　K600

〈病名〉特発性拡張型心筋症，手術後発症病名：心原性ショック
〈内容〉2024年７月分，関連部分のみ抜粋

(50)	＊大動脈バルーンパンピング法（IABP法）（初日）（10日）8,780×1	⇨　0に査定
	＊経皮的カテーテル心筋焼灼術（心房中隔穿刺又は心外膜アプローチ）（10日）　40,760×1	

A　拡張型心筋症でCRT-D（両室ペーシング機能付き植込み型除細動器）植込み後，心房粗動を来したため，K595経皮的カテーテル心筋焼灼術「1」を実施した。しかし，同日のK600大動脈バルーンパンピング法「1」が査定となった。

K600　大動脈バルーンパンピング法（IABP法）
(2)　大動脈バルーンパンピング法（IABP法），K601人工心肺，K601-2体外式模型人工肺，K602経皮的心肺補助法，K603補助人工心臓又はK602-2経皮的循環補助法（ポンプカテーテルを用いたもの）を併施した場合においては，１日ごとに主たるもののみにより算定する。また，これら６つの開心術補助手段等とK552-2冠動脈，大動脈バイパス移植術等の他手術を併施した場合は，当該手術の所定点数を別に算定できる。
（令６保医発0305・４／**「早見表」p.797**）

手術の「通則14」により，同一手術野では２以上の手術を実施しても主たる手術のみの算定である。

審査査定　処置手術麻酔

しかし，IABP法などの補助手段では別の手術と併算定が可能とされている。レセプトに添付されている症状詳記で確認を行った。

> 手術終了後，止血にプロタミンを使用したところ，著明な血圧低下を呈した。プロタミンショックに陥ったものと判断，アドレナリン，ネオシネジン，イノバンを投与して昇圧を実施した。このイベントによって心不全の状態悪化から心原性ショックに陥ったため，IABPを挿入。

手術終了後の急変に対応するための救命行為としてIABP法が実施されたことがわかる症状詳記であった。心筋焼灼術と同時に実施した手術ではないので，IABP法が算定不可とは考えられない。また，２日目以降のIABP法は11日間の長期実施が査定なく認められているので，必要性についても問題ないと考えられる。主治医と相談して，経時的に詳細が記載されている血管造影室用の記録用紙を添付して再審査請求を行った。

Q61　血管塞栓術の休日加算の査定

K615

条件 DPC対象病院（300床），入院（2024年６月，関連部分のみ抜粋）

〈病名〉大腸憩室出血（医療資源病名），再発性憩室出血（入院後発症病名）

〈内容〉【入院日】６月11日（緊急入院）

⑬	＊初診料	291×1	
㊿	＊小腸結腸内視鏡的止血術（12日） （薬剤省略）	10,390×1	
	＊血管塞栓術（腹腔内血管）（その他のもの） （16日）（休日加算２） （薬剤，医療材料省略）	36,864×1	⇨ 20,480×1に査定

〈カルテ〉

6/12	大腸憩室出血（肝弯曲付近）にて，クリップで血管と憩室を縫縮し止血した。
6/16	大量の血便あり，再発性憩室出血にて15時より血圧50台に低下し，輸血2単位を実施。動脈塞栓術にて中結腸動脈の分岐をコイルで塞栓。

A　大腸憩室出血で緊急入院し，K722小腸結腸内視鏡的止血術を施行し，再出血時にK615血管塞栓術を施行している。再手術時である血管塞栓術の休日加算２（16,384点）が査定された事例である。

図表３-９のとおり，治療内容は特に問題ないと思われる。考えられる査定理由としては，①再出血（同一部位）なので「一連の治療行為」として査定された，②休日に実施した理由が不十分であった―の２点が候補となった。そこで，②の詳細を調査するために，カルテを確認した。

血圧が50台まで低下しショック状態に陥ったことがわかるが，レセプト提出時の症状詳記では，そのあたりまでの詳細が記載されていなかった。復活するかは不明（①の理由で査定された可能性もある）であるが，消化器内科の医師と相談のうえ，緊急手術の必要性を訴え，再審査請求となった。現在，結果待ちである。

図表３-９　大腸憩室出血診断・治療フローチャート

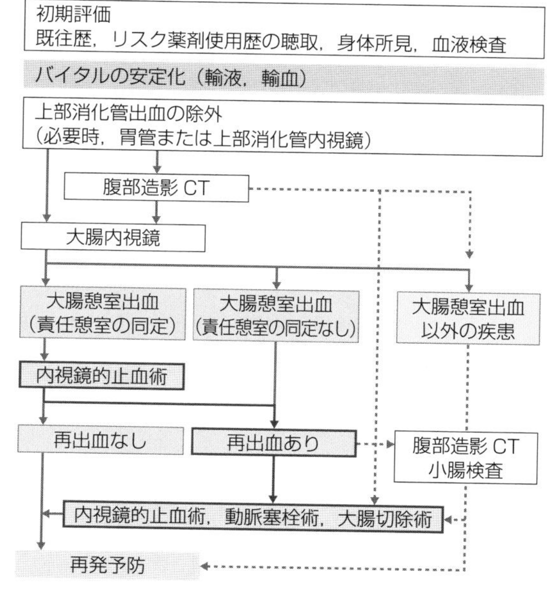

（日本消化管学会「大腸憩室症（憩室出血・憩室炎）ガイドライン」より）

Q62 血管造影用ガイドワイヤーの査定

K620，材料197

〈病名〉深部静脈血栓症
〈内容〉2024年6月分，関連部分のみ抜粋

⑩ 入院年月日：R6.6.27
＊下大静脈フィルター留置術（27日） 10,160×1
＊ガイドワイヤー（1,870円）1個，下大静脈留置フィルターセット（標準型）（156,000円）1個 15,787×1

⇨ ガイドワイヤーが査定

A 外来受診時の検査でDダイマー上昇が認められ，緊急で血管造影を実施，血栓フィルターを留置した事例である。

下大静脈フィルター留置時に使用したガイドワイヤーが過剰として査定となった。再審査請求を行う前に，算定条件等に誤りがないか確認したが，K620下大静脈フィルター留置術や血管造影用ガイドワイヤーの通知等には制限が見当たらなかった。

下大静脈留置フィルタセットの定義
イ（中略）下大静脈内に留置して使用するフィルタセット（フィルタ，フィルタ・デリバリー・カテーテル，ガイドワイヤ，ダイレーター，シース，ローディング・コーン及びローディング・ツールを含む）である。
（下線筆者）（令6保医発0305・8／「早見表」p.1015）

しかし，よく見るとフィルターセットのなかにガイドワイヤーが含まれている。そのため，セットと別で請求したガイドワイヤーが過剰と判断されて，査定されたものと考えられた。

医師に確認したところ，「ガイドワイヤーは医学的に必要があって使用しているので，再審査請求をしてほしい」とのことであった。

再審査請求にあたり，審査支払機関に問い合わせたところ，「フィルターセットにある医療材料で完結してほしい。基本的に，セットに含まれる医療材料と別に重複して請求があれば査定する。しかし，医学的な必要に応じてセット以外の医療材料を使用して請求するのであれば，あらかじめその理由を記載していただければ判断する」と口頭で返答があった。そこで，再審査請求には医学的に必要であったことを付記したが，原審どおりとして復活しなかった。

なお，ガイドワイヤーは血管造影カテーテルを造影部位まで誘導することを目的に使用するものであり，今回は，この点を含めて，重複的に定義外使用としての査定として理解すべき内容であった。

197 ガイドワイヤーの定義
(2) カテーテルを目的の部位に誘導する，血管造影用，腎瘻若しくは膀胱瘻用又は経皮的若しくは経内視鏡的胆管等ドレナージ用ガイドワイヤーである。 （令6保医発0305・11／「早見表」p.1031）

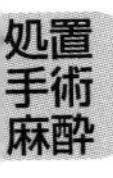

処置
手術
麻酔

Q63 胆道結石除去用カテーテルの査定

K688，材料136

〈病名〉急性胆管炎
〈内容〉2024年6月分，関連部分のみ抜粋

⑩ ＊内視鏡的胆道ステント留置術（21日） 11,540×1
＊胆道ステントセット（一般型・一時留置型・ステント）1本，胆道ステントセット（一般型･一時留置型･デリバリーシステム）1本，胆道結石除去用カテーテルセット（経内視鏡バルーンカテーテル・トリプルルーメン）2本 （点数省略）×1
胆道結石除去用カテーテルセットについて
胆泥，胆砂，残渣，血塊などの異物を除去するため使用した。

⇨ （胆道結石除去用カテーテルセット2本）0に査定

Q69　経尿道的尿路結石除去術（レーザー）の査定　K781

条件 **DPC対象病院（295床），入院**（2024年６月分，関連部分のみ抜粋）
〈病名〉右尿管結石症（主）（Ｒ６.１.29）
〈内容〉【診断群分類番号】11012xxx02xx0x

(50)	＊経尿道的尿路結石除去術（レーザー） 尿管ステント留置術併施　22,270×1

〈手術記録〉

2024.3.25	ESWL①	3,500SHOTS×Mid	Level3
2024.4.3	ESWL②	3,500SHOTS×Mid	Level5
2024.4.10	ESWL③	3,800SHOTS×Mid	Level5
2024.5.15	ESWL④	4,000SHOTS×Mid	Level5
2024.6.12	ESWLの砕石効果不十分にてrTUL目的にて入院		
2024.6.13	rTULにて完全砕石		

※ESWL：体外衝撃波結石破砕術，rTUL：経尿道的尿管結石破砕術（硬性鏡）

A　K781経尿道的尿路結石除去術「１」レーザーによるものの手術手技料が査定された事例である。手術経緯を手術記録より確認した。

当該患者には３カ月前から体外衝撃波腎・尿管結石破砕術を４回にわたり実施している。その砕石効果が不十分であったため，今回，rTUL目的で入院となり，破砕できなかった結石を除去するために当該手術を実施したことがわかった。

K768　体外衝撃波腎・尿管結石破砕術
(2)　体外衝撃波腎・尿管結石破砕によっては所期の目的が達成できず，他の手術手技を行った場合の費用は，所定点数に含まれ別に算定できない。
（下線筆者）（令６保医発0305・４／**「早見表」p.822**）

算定要件を確認すると，今回の入院で施行された経尿道的尿路結石除去術が査定されたのは，その費用が３カ月前から実施されていた体外衝撃波腎・尿管結石破砕術に含まれたためであることが判明した。

また，K699-2体外衝撃波膵石破砕術も同様の算定要件になっているため併せて注意されたい。

Q70　経尿道的尿管ステント留置術の査定　K783-2

条件 **DPC 対象病院（700 床規模），外来**（2024年６月，関連部分のみ抜粋）
〈病名〉左尿管結石症（Ｒ６.３.18），左水腎症（Ｒ６.３.18）
〈内容〉

(50)	＊経尿道的尿管ステント留置術（左）	3,400×1	⇨　0に査定
	＊キシロカインゼリー２％ 10mL, 大塚生食注500mL １瓶	（点数省略）×1	
	＊尿管ステントセット（一般型・異物付着防止型）	（点数省略）×1	

A　左尿管結石症，左水腎症の患者に実施したK783-2経尿道的尿管ステント留置術が査定された事例である。病名不備とは考えられないため，カルテの経過記録を確認したところ，前月（５月）に入院にてK768体外衝撃波腎・尿管結石破砕術（一連につき）を実施したが，残った結石の自然排石がむずかしい状況で，退院後も外来通院していたことがわかった。

体外衝撃波腎・尿管結石破砕術の通知(2)に，「体外衝撃波腎・尿管結石破砕術によっては所期の目的が達成できず，他の手術手技を行った場合の費用は，所定点数に含まれ別に算定できない」とあるため，今回の経尿道的尿管ステント留置術も体外衝撃波腎・尿管結石破砕術（一連につき）に含まれると判断され査定となったのである。このように，同一結石に対する手術は「一連」と考えられるため，入院と外来で治療の経過を確認することが重要である。

●尿管ステントとは
腎臓から膀胱への尿路（尿の通り道）に入れる管のことで，尿路結石手術後に留置される。尿の通過障害

審査査定　処置手術麻酔

などの合併症のリスクを低減するほか，発熱などの尿道感染対策や結石の痛みを軽減させる際にも使用される。

●尿管ステントの役割

・手術後の尿管のむくみの改善
・尿管拡張のサポート
・結石片の体外排出のサポート
・尿の通りをよくする
・排石時の痛みの軽減

●尿管ステントの留置期間

手術後数日から２週間程度

●尿管ステント留置により発生する症状

・側腹部・下腹部痛（膀胱内敏感部位に与える刺激より生じる）
・血尿
・頻尿・排尿痛・残尿感・排尿困難感

●種類とサイズの選択

尿管の太さや長さによりサイズが選択される。また，異物を入れることで起こる違和感や痛みを軽減するために，膀胱側素材が柔らかいステントや形状が工夫されたステントが留置されることもある。

●尿管結石はいつまで自然排石が期待できるか？

長径10mm 未満の尿管結石の多くは，自然排石が期待できるため，保存的な経過観察（薬物治療を含む）が選択肢の１つである。結石が小さいほど自然排石率が高く，排石までの期間が短い。一般に，結石部位が遠位である（編注：腎臓から遠い）ほうが，自然排石率が高い傾向がある。

症状発現後１か月以内に自然排石を認めない場合には，腎機能障害や感染を回避するために，積極的治療介入を考慮すべきである。

（日本泌尿器科学会／日本泌尿器内視鏡学会／日本尿路結石症学会「尿路結石症診療ガイドライン 2013 年版」）

Q71　手術材料（膀胱留置用ディスポーザブルカテーテル）の査定

K803，材料039

条件 **DPC対象病院，300床規模，入院**（2024年６月，関連部分のみ抜粋）

〈病名〉 膀胱側壁部膀胱癌（C67.2）

〈内容〉

(50)	＊膀胱悪性腫瘍手術（経尿道的手術）（電解質溶液利用）　13,530×1	
	＊膀胱留置用ディスポーザブルカテーテル〔2管一般（Ⅱ）・標準型〕1個	⇨　0に査定
	膀胱留置用ディスポーザブルカテーテル（圧迫止血）1個	
	（薬剤・点数省略）	

A　膀胱留置用ディスポーザブルカテーテル〔２管一般（Ⅱ）・標準型〕１個がB（過剰）査定となった事例である。会計担当者は再度手術コスト伝票を確認したが，査定理由がわからないとのことで筆者に相談があった。

特定保険医療材料には算定要件が定められているものがあり，039膀胱留置用ディスポーザブルカテーテルの通知には「24時間以上体内留置した場合に算定できる」と明記されている。つまり，この材料は24時間留置してはじめて算定できるものだ（**図表３-14**）。しかし，尿道は１つしか存在しないため，膀胱留置用カテーテル２個を体内に留置したとは考えにくい。調べてみると，本症例では，カテーテルが上手く挿入できず，新しいカテーテルを出して留置したことが手術記録に記載されていた。

手術室では，材料が体内留置されたかどうかに関わらず，使用した材料をすべてコスト伝票に記載していることが多い。そのため，会計担当者はそれぞれの特定保険医療材料の算定要件を理解して会計入力することが求められる。

本事例の会計担当者には，漫然とコスト伝票の記載（またはオーダー）どおりに会計入力するだけでなく，診療点数早見表や手術記録を確認し，正しい算定を行うことが責務であると指導した。

図表３-14　24時間以上体内留置した場合のみ算定できる主な保険医療材料

023 涙液・涙道シリコンチューブ
024 脳・脊髄腔用カニューレ
025 套管針カテーテル
026 栄養カテーテル
027 気管内チューブ（やむを得ず24時間未満で使用した場合，１個を限度に算定可）
028 胃管カテーテル
029 吸引留置カテーテル
030 イレウス用ロングチューブ
031 腎瘻又は膀胱瘻用材料（カテーテル）
032 経鼓膜換気チューブ
033 経皮的又は経内視鏡的胆管等ドレナージ用材料（カテーテル）
034 胆道ステントセット
035 尿管ステントセット
036 尿道ステント
039 膀胱留置用ディスポーザブルカテーテル

Q72　新生児仮死蘇生術の査定

K913

条件 DPC対象病院（2024年７月，関連部分のみ抜粋）
〈病名〉重症新生児仮死（R６.７.１）
〈内容〉診療実日数：31日

㊿	＊新生児仮死蘇生術「２」仮死第２度のもの（手術時体重1500g未満）　13,500×1	⇨ 仮死第1度のもの　5,050×1に査定

A　事例では，K913新生児仮死蘇生術「２」仮死第２度のものが,「D査定（不必要）」によりK913「１」仮死第１度のものとなった。病名は重症新生児仮死（＝第２度）であるため，考えられる理由を調査したところ，症状詳記に次のような記載があった。

【症状詳記】
24週１日超低出生体重児（598g），呼吸窮迫症候群，動脈開存症，Apgar Score５点（１min.）/７点（５min.）。出生後啼泣なし，CPAPにて補助のあと，ピンクアップ，生後８分頃挿管し，サーファクタント投与治療開始。（以下略）

ここで注目したいのが，詳記中に記載のある「Apgar Score（アプガースコア）」である（**図表３-15**）。

Apgar Scoreは通常，生後１分後と５分後に評価・採点されるもので，そのときの合計値によって児の状態を診断し，適切な処置が行われる。

【Apgar Score　判定】
０～３点：重症新生児仮死
４～６点：軽症新生児仮死
７～10点：正常

今回の症状詳記によれば，出生１分後のApgar Scoreは５点で，軽症新生児仮死＝仮死第１度となり，術式の選定が誤っていたことがわかる。医師が記載した症状詳記の内容とレセプト請求内容に矛盾がないか確認したうえでの請求が必要である。

図表３-15　Apgar Score（アプガースコア）

観察項目	スコア		
	0点	1点	2点
皮膚色（Appearance）	チアノーゼ，蒼白	体幹ピンク，四肢はチアノーゼ	全身ピンク
心拍数（Pulse）	なし	<100回/分	≧100回/分
刺激に対する反射（Grimace）	なし	顔をしかめる	咳，くしゃみ
筋緊張（Activity）	四肢弛緩	やや屈曲	活発に動かす
呼吸（Respiration）	なし	緩徐(不規則)	強く泣く

Q73　輸血における不規則抗体検査加算の査定

K920「注６」

〈内容〉2024年７月分，関連部分のみ抜粋

㊿	＊保存血液輸血（1回目）	450×1	
	＊不規則抗体検査加算	197×1	
	＊保存血液輸血（2回目）	350×1	
	＊不規則抗体検査加算	197×1	⇨ 0に査定

A　赤血球製剤輸血を同月内に２回実施した場合において，不規則抗体検査加算が２回から１回に査定された事例である。

K920輸血「注６」の不規則抗体検査加算は，検査実施回数にかかわらず月１回のみの算定が原則だが，頻回に輸血を行う場合は週１回を限度として加算できる。ただし，輸血が週１回以上，輸血実施月において３週以上にわたり行われていなければならないと規定されている。つまり，最低でも月３回以上の輸血が行われており，その実施日が暦週で別の週にそれぞれ実施されていることが，算定要件となる。

また，輸血前検査の実施奨励期間は次のとおりである。

①過去３カ月以内に輸血歴，妊娠歴がない場合：
　輸血前１～７日前
②過去３カ月以内に輸血歴，妊娠歴がある場合：
　輸血前１～３日前
③血液疾患など頻回に輸血を実施している場合：

審査査定
処置手術麻酔

輸血前１～３日前
（１週間に１回程度の検査を実施）

頻回に輸血を実施している場合は週１回の輸血前検査実施が奨励されていることもあり，逆に起票もれ・算定もれにも留意が必要である。

よって，輸血の実施日を確認したうえで，算定要件に該当するかどうかの判断が重要となるので留意したい。

【参考：赤血球不規則抗体検査】
妊娠や輸血などで産生が起こり，溶血を起こす不規則性抗体の同定検査で，Rh式血液型不適合妊娠や頻回輸血時に検索される。

Q74　術中血管等描出撮影加算の査定

K 939-2

〈病名〉 手掌瘢痕（L905）（2024.6.3）
〈内容〉 2024年6月分，関連部分のみ抜粋
〈症状詳記〉 ICG蛍光測定にて血流確認。

㊿	＊瘢痕拘縮形成手術「２」その他	8,060×1
	＊皮弁作成術「１」25cm^{2}未満（併施）	2,590×1
	＊術中血管等描出撮影加算	500×1 ⇨ 0に査定
	＊ジアグノグリーン注射用25mg　１Ａ	（点数省略）×1 ⇨ 0に査定

A　K939-2 術中血管等描出撮影加算とジアグノグリーン注射（ICG注）が査定された事例である。同加算は，2012年改定時において手術医療機器等加算として保険導入された項目である。ジアグノグリーン（一般名：インドシアニングリーン）は，体内注入しても人体への悪影響が少ないことが長年にわたる使用経験で判明している。

ジアグノグリーンには，赤外線を当てると微弱な蛍光を発する性質がある。その蛍光を検出する測定機器を使用すると，血行が不良な部分は血行が良好な部分に比べて暗く描出され，血流量に応じた明るさの違いも観察できる。血行不良の場所や程度がその場で判明すればそのつどの対応が可能となり，手術の成績が向上する。

《ジアグノグリーン注射用25mgの効能・効果》
○肝機能検査，肝疾患の診断，予後治癒の判定
○循環機能検査（心拍出量等の測定）
○心臓血管系疾患の診断
○血管及び組織の血流評価
○脳神経外科手術時における脳血管の造影
○乳癌，悪性黒色腫におけるセンチネルリンパ節の同定

術中血管等描出撮影加算は対象手術が下記のとおり規定されており，手掌の皮弁作成術は対象外となっている。応用として全身各部位の手術時における血流確認に使用されていると聞くが，適用拡大の申請は行われていない。速やかな効能，効果の拡大が望まれる。

術中血管等描出撮影加算
術中血管等描出撮影加算は脳神経外科手術，冠動脈血行再建術，Ｋ017遊離皮弁術（顕微鏡下血管柄付きのもの）の「１」，Ｋ476-3動脈（皮）弁及び筋（皮）弁を用いた乳房再建術（乳房切除術），Ｋ695肝切除術の「２」から「７」まで，Ｋ695-2腹腔鏡下肝切除術の「２」から「６」まで又はＫ803膀胱悪性腫瘍手術の「６」においてインドシアニングリーン若しくはアミノレブリン酸塩酸塩を用いて，蛍光測定等により血管や腫瘍等を確認した際又は手術において消化管の血流を確認した際に算定する。なお，単にＸ線用，超音波用又はMRI用の造影剤を用いたのみでは算定できない。
（令６保医発0305・４／**「早見表」p.852**）

審査査定
処置手術麻酔

Q75　眼科手術補助剤シェルガンの査定

手術薬剤

条件 DPC対象病院，600床規模，入院，眼科（2024年6月，関連部分のみ抜粋）
〈病名〉右増殖性糖尿病性網膜症（H360）
〈内容〉

㊿	診断群分類番号：020180xx97x0x0 今回入院年月日：R6.6.12 ／診療実日数：5日 ＊硝子体茎顕微鏡下離断術（網膜付着組織を含むもの） （右）（13日）　38,950×1 ＊シェルガン0.5眼粘弾剤0.5mL　1筒　（点数省略）×1	⇨ 0に査定

A　事例では，シェルガン0.5眼粘弾剤をK280硝子体茎顕微鏡下離断術「1」網膜付着組織を含むもので算定したところ，「適応外」との理由で査定された。

同薬剤は，添付文書では（白内障手術）超音波乳化吸引法（PE）による白内障摘出術及び眼内レンズ挿入術（IOL）の際に使用すると定められている。

硝子体手術では，眼球にポートを３カ所作成し，そのうち１カ所から灌流液を入れて眼圧を保ちつつ，別の箇所から眼内を照らす照明器具や硝子体カッターを挿入して，出血などで混濁した硝子体や膜様組織を切除して吸引除去する（**図表３－16**）。

詳細は『手術術式の完全解説　2024-25年版』p.131を参照されたい。

担当医に，水晶体の操作に用いる薬剤を硝子体手術に用いた理由を確認したところ，「術中の角膜乾燥の防止のため使用した」との回答だった。また,「この薬剤が算定できないことは以前の担当者に伝えてある」とのことだった。この病棟では昨年暮れに担当者の交代があり，この点についての引継ぎが不十分であったことも明らかになった。担当者の交代や診療報酬改定等の際は，情報共有とタイムリーな改廃が重要である。

図表３－16　硝子体茎顕微鏡下離断術

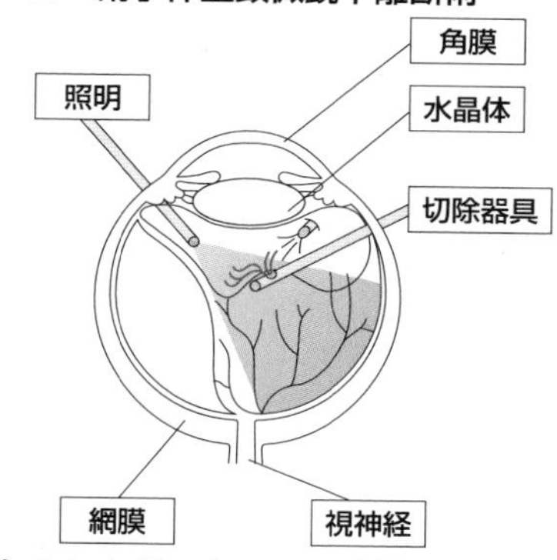

Q76　セプラフィルムの査定

手術材料

〈病名〉下行結腸悪性腫瘍（2024.6.10）
〈内容〉2024年７月分，関連部分のみ抜粋

㊿	＊結腸切除術（悪性腫瘍手術） 超音波凝固切開装置等加算 自動縫合器加算（29日）　（点数省略）×1 ＊セプラフィルム（合成吸収性癒着防止材12.7×14.7cm＝186.69cm²）　4枚　（点数省略）×1	⇨ 4枚→2枚に査定

〈カルテ〉

7/29	結腸切除，自動縫合器使用。（中略） 止血確認。腹腔生食洗浄。ドレーン挿入。 癒着防止にセプラフィルムを４枚貼用（腸管縫合部，腹壁）。 閉腹。

A　下行結腸悪性腫瘍患者の結腸切除術に使用したセプラフィルム４枚が,「過剰または不必要」を理由に２枚に査定された。レセプトには「広範囲に癒着が予想されるため，やむを得ず４枚使用した」との症状詳記があった。査定理由を調べるため，手術記録を確認したところ，癒着防止目的に請求した枚数を使用していた。

セプラフィルムは術後癒着を防止する目的で開発

された材料である。内臓に直接貼付するもので，合成吸収性癒着防止材に分類される。医師に確認すると，腹腔内の状態が良くなかったので，術後の癒着による患者の苦痛を最小限に止めようと必要最小限の貼付をしたとのことであった。添付文書等を確認した。

セプラフィルムの保険適用範囲（添付文書より）
1）術後の癒着の軽減
　腹部又は骨盤腔の手術患者に対して，腹部切開創下，腹膜損傷部位，または子宮及び付属器損傷部位に貼付し，術後癒着の頻度，範囲，程度を軽減する。
2）合成吸収性癒着防止材を，女子性器手術後の卵管及び卵管采の通過・開存性の維持以外の目的で使用した場合には，373.38cm^{2}を限度として算定できる。
【適用部位】正中切開創下，大網，後腹膜，胃，腸管，骨盤底，ストーマ部，肝門部，リンパ節郭清部，子宮，子宮付属器
【主な適用手術】
消化器外科：胃・結腸・直腸切除（全摘出・部分切除），小腸切除，癒着剥離，一時的人工肛門造設など
産婦人科：帝王切開，付属器切除，卵巣嚢腫核出，子宮筋腫核出，広汎子宮全摘，骨盤腔内全摘など
小児外科：胆道閉鎖症の手術など
血管外科：腹部大動脈再建など
泌尿器科：膀胱全摘など
肝胆膵外科：肝切除，肝移植，胆嚢摘出，膵臓切除など　（セプラフィルムホームページより抜粋）

上記により，適用部位と使用量に限度が定められていることが確認できた。施行された手術は腹部の手術であり，適用部位には問題がない。使用限度を見てみると，女子性器手術後の卵管及び卵管采の通過・開存性の維持以外の目的で使用した場合は373.38cm^2，つまり事例の手術では2枚が限度と定められている。

事例では4枚で746.76cm^{2}の使用と限度を大きく超えていたための査定であった。高額の材料なので，やむを得ない使用の場合は，症状詳記を加えて請求するのは必要と考えられる。しかし，コンピュータ審査が始まってからは，適応範囲と回数などは添付文書や通知どおりに審査される傾向がある。留意して算定に当たられたい。

3 麻　酔

Q77　麻酔料における時間外等加算の査定　L001-2

条件 DPC対象病院（2024年6月，関連部分のみ抜粋）
〈病名〉心室頻拍
〈内容〉【診断群分類番号】050070xx99000x
【入院年月日】R6.6.23

㊵	＊カウンターショック（1日につき）（その他の場合） 深夜加算２（処置）	6,300×1		
㊿	＊静脈麻酔（短時間のもの）（23日） 深夜加算（麻酔）	216×1	⇨	120×1に査定
	＊ラボナール注射用0.5g 500mg 1A （カウンターショック時に併施）	（点数省略）×1		

A　胸痛で救急搬送された患者が来院時HR 230bpmの頻脈だったためATP静注を行ったが頻脈が改善せず，心室頻拍と診断され，緊急にラボナール鎮静下でカウンターショックの施行に至った。

施行時間が深夜の時間帯であったため，J047カウンターショックおよびL001-2静脈麻酔に対して深夜加算を算定。しかし，静脈麻酔に対する深夜加算の96点のみがD査定（不適当）とされた事例である。

なぜ，麻酔に対する深夜加算のみが査定されたのだろうか。第11部麻酔の「通則3」の通知を確認すると次のとおりとなっていた。

「通則」について
⑼「通則3」の休日加算，時間外加算又は深夜加算（中略）の取扱いは，次に掲げるものの他，初診料の時間外加算等と同様である。（中略）
ア　麻酔料
　時間外加算等が算定できる緊急手術に伴う麻酔に限り算定できる。
（下線筆者）（令6保医発0305・4／**「早見表」p.856**）

上記通知より，今回のラボナール鎮静は処置（カ

ウンターショック）に伴う麻酔であったため，深夜加算（96点）は算定できないとして査定されたことがわかる。

同様に，麻酔料には，心肺蘇生後の患者に実施されるL008-2体温維持療法や，頭部外傷等の患者に実施されるL008-3経皮的体温調節療法があるが，これらについても，手術に伴って実施される療法ではないため，時間外加算等が算定できる時間帯に実施した場合であっても，時間外加算等の併算定はできない。

Q78　アナペイン注10mg/mLの査定

麻酔薬剤

条件 DPC対象病院，600床規模，入院，整形外科（2024年６月，関連部分のみ抜粋）
〈病名〉左上腕骨骨幹部骨折（S4230）
〈内容〉

(50)	＊（左）骨内異物（挿入物含む）除去術（上腕）	7,870×1
	（1日）	
	＊上肢伝達麻酔	170×1
	＊リドカイン塩酸塩注射液1％「ファイザー」　10mL　2管 アナペイン注10mg/mL　1管	

⇨ アナペイン注が査定

A　事例は，骨接合術において内固定に使用した器材を，抜去目的に入院した際のレセプトである。麻酔手技は医師からのオーダーで伝達麻酔であり，薬剤もリドカイン注とアナペインでよく見るような内容であるが，アナペイン注10mg/mLが「事由C（その他の医学的理由）」にて査定となった。念のために薬剤の効能・効果を確認した。

薬品名	効能・効果
アナペイン注10mg/mL	麻酔（硬膜外麻酔）
アナペイン注7.5mg/mL	麻酔（硬膜外麻酔，伝達麻酔）

確かに，査定を受けたアナペイン注10mg/mLには伝達麻酔については適応がない。薬剤の適応からのコンピューターチェックシステムによる査定である。

事例の病院は主科である整形外科および麻酔科医師への内容の周知と医事部門における自院購入のレセプトチェックシステムへのチェック項目の確認・追加を今後の対策とした。

図表3-17　区域麻酔の麻酔法とよく用いられる薬剤

麻酔法	よく用いられる薬剤
表面麻酔	キシロカイン
脊髄くも膜下麻酔（脊椎麻酔）	テトカイン，マーカイン
硬膜外麻酔	キシロカイン，マーカイン，カルボカイン，アナペイン
浸潤麻酔	キシロカイン，マーカイン

Q79　ブリディオン静注200mgの査定

麻酔薬剤

条件 DPC対象病院，200床以上（2024年６月，関連部分のみ抜粋）
〈病名〉胃体部癌（H29.８.24）
〈内容〉

(50)	＊胃全摘術（悪性腫瘍）	69,840×1
(54)	＊閉鎖循環式全身麻酔「5」（その他） ブリディオン静注200mg　1瓶 フィジオ140輸液500mL　2袋 エフェドリン「ナガヰ」注射液40mg　1管 プロポフォール静注1％ 100mL「マルイシ」　1瓶	（点数省略）

⇨ ブリディオン静注が査定

A　胃体部癌に対してK657胃全摘術を施行し，その際に行ったL008マスク又は気管内挿管による閉鎖循環式全身麻酔におけるブリディオン静注200mgが事由Aにつき査定となった事例である。

査定分析に当たり，まずは添付文書の効能・効果の確認を行った。

【効能・効果】 ロクロニウム臭化物又はベクロニウム臭化物による筋弛緩状態からの回復

当該効能・効果に挙げられている「ロクロニウム臭化物」と「ベクロニウム臭化物」の商品名が不明であったため，確認を行ったところ，「ロクロニウム臭化物」（一般名）＝「エスラックス静注」（商品名），「ベクロニウム臭化物」（一般名）＝「ベクロニウム静注用」（商品名）であった。

そして，医薬品の効能・効果より，該当薬剤を使用した際の筋弛緩状態からの回復（いわゆる解毒）が目的であることがわかった。

改めてレセプト内容を確認したが，ロクロニウム臭化物やベクロニウム臭化物の請求はなかったため，当該手術の麻酔科医に相談したところ，手術時にエスラックス静注を使用し筋弛緩を行っていたものの，カルテおよび手術伝票への記載がもれていたという事実が判明した。

ブリディオン静注の査定のみならず，実際に使用しているエスラックス静注の算定もれもあったということでもあり，非常にもったいない事例である。レセプト作成においては，薬剤がどういった目的で使用されているのかを確認し，適応病名のみでなく他の医薬品や医療行為と組み合わせて初めて適切な請求となるものもあるということを思い知らされる事例であった。

当該ブリディオン静注の査定については，後日レセプトを返戻し，エスラックス静注の追加算定を行ったうえで再審査をしたところ，復活した。

Q80 手術時の気管内チューブの査定

麻酔材料

条件 DPC対象病院（2024年６月，関連部分のみ抜粋）
〈病名〉 右大腿骨転子部骨折（R６.６.７）
〈内容〉 診療実日数：15日

㊿	＊骨折観血的手術（大腿）	21,630×1	
	気管内チューブ（気管内・吸引なし）569円	57×1	⇨ 0に査定

A 事例では，027気管内チューブが事由D（算定要件誤り）にて査定となった。術中に使用した材料であり，DPCルール上も手術の項での算定は問題ないはずであると考え，査定理由の詳細について材料価格基準を調べてみた。

気管内チューブの算定
気管内チューブは，24時間以上体内留置した場合に算定できる。ただし，やむを得ず24時間未満で使用した場合は，１個を限度として算定できる。
（令６保医発0305・８／**「早見表」p.975**）

今回の算定は，「やむを得ない場合」に該当するとしてレセプト算定されていた。「やむを得ない場合」の意味を『診療報酬Q&A2023年版』（医学通信社）にて調べてみた。

【ミニQA454 気管内チューブの算定】（要約）
Q：気管内チューブを閉鎖循環式全身麻酔にあたって使用し，引き続き24時間以上人工呼吸（器）にあたって使用した場合，特定保険医療材料として算定できますか。
A：「027 気管内チューブ」は24時間以上留置した場合に算定できる。なお，通知に「やむを得ず24時間未満で使用した場合は，１個を限度として算定できる」とあるが，これは，挿入後24時間以内の死亡や転院等を指すと解される。（下線筆者）

一方，手術当日に使用される人工呼吸のための気管内チューブは，J045人工呼吸の通知(6)により，「閉鎖循環式全身麻酔の所定点数に含まれ，別に算定できない」との規定もある。手術翌日に「人工呼吸」の手技料の算定があるなど，手術開始時間から24時間以上留置していることがわかれば算定できるが，このレセプトからは手術当日に抜管されたと考えるのが自然である。死亡でも転院でもないことから，「体内に24時間以上留置」の要件を満たさないとして査定となったものとわかった。

手術時に使用されたものであれば，すべて手術の項で算定できるという先入観と「やむを得ない場合」の自己解釈が，誤った結果を招いた査定であった。

審査査定
処置手術麻酔

Q81 ボトックス注用の査定

麻酔薬剤

条件 DPC対象病院，入院（2024年６月，関連部分のみ抜粋）
〈病名〉【最資源病名】脊髄小脳変性症（G319）
【入院時併存傷病名】痙性斜頸（G243）
〈内容〉【診断群分類番号】010170xx99x00x

(54)	＊神経ブロック（ボツリヌス毒素使用）眼瞼痙攣・ 片顔面痙攣・痙性斜頸・上下肢痙縮治療（27日）	400×1
	＊ボトックス注用100単位 <u>３瓶</u>（27日） ボトックス注用50単位 １瓶（27日）	（点数省略）△×1

⇨ <u>２瓶に査定</u>

A 事例では，痙性斜頸の治療として行ったL100神経ブロックに使用したボトックス注用の100単位が３瓶から２瓶に査定された。

査定の原因分析のため，ボトックス注用の添付文書を確認した。用法および用量には疾患ごとに明確な設定があり，当該事例の痙性斜頸では**図表３－18**のとおりに整理することができる。

図表３－18の③にあるとおり，ボトックス注用の投与量は，最大となる症状再発の場合でも240単位までとなっている。実際に，事例のケースでは入院前の外来で治療が始まっており，症状再発のための投与だった。しかし，それでも350単位の算定は多すぎることから，１瓶減らされたものだった。算定担当者は用法および用量について把握できておらず，医師に投与量の必要性などを確認しないまま請求していたことがわかった。これが査定の原因である。

また，添付文書では次のような記載もある。

図表３－18 痙性斜頸に対するボトックス注用の用量

	①	②	③
機会	初回	４週間後	②より８週以上
契機	—	効果不十分	症状再発
投与単位	30～60単位	合計180単位	合計240単位

【用法及び用量に関連する使用上の注意】
痙性斜頸では，初回及び初回後の追加投与を含む240単位までの投与により全く効果が認められない場合は，より高頻度・高投与量で投与を行っても効果が期待できない場合があるため，本剤の投与中止を考慮すること。

このような状況から，請求には医師との入念な打合せが必要な症例であったが，それも用法および用量の確認がなければかなわない話である。基本的な事柄ではあるが，もらさず確認するよう心がけたい。

4—検査・病理診断の査定

検査は薬剤に次いで減点が多い項目である。しかも薬剤とは異なり，能書などの指標はない。したがってどこまでが認められるのか，どこからが過剰なのか判断に苦しむことも少なくない。

患者に対して最善の治療方針を立てるうえでも，臨床検査データは重要な役割を果たす。したがって，検査はその必要性がレセプトから読みとれるかぎり，減点の対象とはならない。

保険診療における検査の範囲として療養担当規則第20条の「1　診察」の項において「各種の検査は必要があると認められる場合に行い，研究の目的をもって行ってはならない」とされている。つまり，保険診療における検査は疾病の診断，治療，経過観察，予後の判定などにおいて，その必要限度の範囲で行われることが求められている。画一的な検査や安易な多項目にわたる検査，説明のない頻回な検査は，減点の対象となることを認識しなければならない。

Q82　外来迅速検体検査加算の査定

検体検査実施料「通則３」

〈病名〉インフルエンザの疑い（2024.6.6），急性咽頭炎（2024.6.6），尿路感染症の疑い（2024.6.6）
〈内容〉2024年６月分（診療実日数１日），関連部分のみ抜粋

⑪	＊初診（時間外）	376×１
⑥⓪	＊血液化学検査 TP，BUN，クレアチニン，グルコース，ALP，ナトリウム及びクロール，カリウム，カルシウム，Amy，AST，ALT，LD 外来迅速検体検査加算　４項目	143×１
	＊ＣＲＰ，インフルエンザウイルス抗原定性 外来迅速検体検査加算　１項目	158×１
	＊尿一般	26×１
	＊時間外緊急院内検査加算	200×１
	＊鼻腔・咽頭拭い液採取	25×１
	緊検　６日　7時25分	

⇨ 外来迅速検体検査加算が0に査定

A　事例の検体検査実施料「通則３」の外来迅速検体検査加算がＤ（算定要件誤り）理由にて査定となった。

外来迅速検体検査加算は，「自院で行われた厚生労働大臣が定める検体検査（**図表４－１**）に該当するものすべてに対して，当日中に結果を説明したうえで文書により情報を提供し，結果に基づく診療が行われた場合に，１日５項目を限度に各項目の所定点数にそれぞれ加算する」旨が通知で示されている。カルテを見ても，算定当日のすべての該当検査に対して結果の写しが添付されており，経過記録のなかにも検査の値と説明した旨が記載されている。

しかし，レセプトをよく見ると，検体検査実施料「通則１」の時間外緊急院内検査加算が算定されている。同項の後半のただし書きには「この場合において，同一日に第３号の加算は別に算定できない」と規定されている。この「第３号」は，検体検査実施料の「通則３」（外来迅速検体検査加算の通則）を指す。したがって，算定要件誤りとして査定となったものである。

会計システムでは，両加算の重複選定ができないように電子チェックをかける設定をしていた。外来算定者に入力状況を確認したところ，「外来迅速検体検査加算該当の検査が算定されていたが，時間外緊急院内検査加算を修正追加したしたときに外来迅速検体検査加算を取り消し忘れた」とのことであった。会計システムによっては，このように修正を行った場合に電子的な確認ができないことがある。修

正画面を使用した場合には，確定後にもう一度画面を呼び出して再確認するくらいの慎重さが必要であろう。

図表 4－1　検体検査実施料に規定する検体検査

1　D000尿中一般物質定性半定量検査
2　D002尿沈渣（鏡検法）
3　D003糞便検査のうち，糞便中ヘモグロビン
4　D005血液形態・機能検査のうち，赤血球沈降速度（ESR），末梢血液一般検査，ヘモグロビンA1c（HbA1c）
5　D006出血・凝固検査のうち，プロトロンビン時間（PT），フィブリン・フィブリノゲン分解産物（FDP）定性，フィブリン・フィブリノゲン分解産物（FDP）半定量，フィブリン・フィブリノゲン分解産物（FDP）定量，Dダイマー
6　D007血液化学検査のうち，総ビリルビン，総蛋白，アルブミン（BCP改良法・BCG法），尿素窒素，クレアチニン，尿酸，アルカリホスファターゼ（ALP），コリンエステラーゼ（ChE），γ-グルタミルトランスフェラーゼ（γ-GT），中性脂肪，ナトリウム及びクロール，カリウム，カルシウム，グルコース，乳酸デヒドロゲナーゼ（LD），クレアチンキナーゼ（CK），HDL-コレステロール，総コレステロール，アスパラギン酸アミノトランスフェラーゼ（AST），アラニンアミノトランスフェラーゼ（ALT），LDL-コレステロール，グリコアルブミン
7　D008内分泌学的検査のうち，甲状腺刺激ホルモン（TSH），遊離サイロキシン（FT_4），遊離トリヨードサイロニン（FT_3）
8　D009腫瘍マーカーのうち，癌胎児性抗原（CEA），α-フェトプロテイン（AFP），前立腺特異抗原（PSA），CA19-9
9　D015血漿蛋白免疫学的検査のうち，C反応性蛋白（CRP）
10　D017排泄物，滲出物又は分泌物の細菌顕微鏡検査のうち，その他のもの

Q83　悪性腫瘍組織検査の査定

D004-2

条件　**DPC対象病院（400床），外来，外科**（2024年６月，関連部分のみ抜粋）

〈病名〉　右上葉肺癌（R４.４.22）

〈内容〉

⑥⓪	＊EGFR遺伝子検査（肺癌）	2,500×１
	＊ROS1融合遺伝子検査（肺癌）	2,500×１
	＊ALK融合遺伝子標本作製	6,520×１
	（※コメント省略）	

⇨ 悪性腫瘍組織検査（２項目）4,000×１に査定

A　事例は，上葉肺癌手術を行い，術後抗がん剤治療を行うために外来で悪性腫瘍遺伝子検査を複数行ったものだが，国保連合会の審査により，「EGFR遺伝子検査」と「ROS1融合遺伝子検査」〔D004-2悪性腫瘍組織検査「１」（１）2,500点×２（5,000点）〕→4,000点に査定（C査定：不適当）となった。原因を分析するため，点数表を確認した。

治療に使用される抗がん剤は，遺伝子検査の陽性・陰性によって異なるものとなる（**図表 4－2**）ことから，現在の医療現場では，肺癌のみならず様々な癌種で遺伝子検査が行われている。今回も複数の検査を同時に行っており，算定要件などを再確認した。

図表 4－2　肺癌の遺伝子検査と抗がん剤の関係

検査結果	治療法
ROS1 融合遺伝子あり	ROS1 チロシンキナーゼ阻害剤 or 従来の抗がん剤による治療
ALK 融合遺伝子あり	ALK チロシンキナーゼ阻害剤 or 従来の抗がん剤による治療
EGFR 遺伝子変異あり	EGFR チロシンキナーゼ阻害剤 or 従来の抗がん剤による治療
遺伝子変異なし	従来の抗がん剤による治療 or がん免疫療法

D004-2　悪性腫瘍組織検査

注１　患者から１回に採取した組織等を用いて同一がん種に対してイに掲げる検査を実施した場合は，所定点数にかかわらず，検査の項目数に応じて次に掲げる点数により算定する。
　イ　２項目　4,000点
　ロ　３項目　6,000点
　ハ　４項目以上　8,000点

（下線筆者）（**「早見表」p.460**）

同一組織を用いた同一がん種に対する遺伝子検査は，重複する検査過程があることから，2018年診療報酬改定により評価の適正化が行われていたものだった。遺伝子検査は点数も高く評価されており，特に注意が必要な検査だろう。

事例は，EGFR遺伝子検査とROS1融合遺伝子検査が同一がん種に対して実施されたものなので，正しいレセプトは以下のようになる。

➡	⑥⓪	＊EGFR遺伝子検査（肺癌） ＊ROS1融合遺伝子検査（肺癌）（項目算定：２項目） 4,000×1 ＊ALK融合遺伝子標本作製 6,520×1 （※コメント省略）

診療報酬改定では項目に対する新たな評価とともに，従前の点数の見直しや適正化も多々行われていることから，従来から行われている検査でも要件等の追加や削除がないかしっかりと確認したうえで算定していく必要があると再認識させられる事例であった。

Q84 造血器腫瘍細胞抗原検査の査定

D005「15」

〈病名〉 多発性骨髄腫の疑い（2024.6.10）
〈内容〉 2024年６月分（入院），関連部分のみ抜粋

⑥⓪	＊造血器腫瘍細胞抗原検査（一連につき）	1,940×1	⇨ 0に査定
	＊染色体検査（分染法加算）	2,874×1	

A 事例では，多発性骨髄腫の疑いで入院した患者に施行したD005「15」造血器腫瘍細胞抗原検査が査定された。多発性骨髄腫における造血器腫瘍細胞抗原検査は，モノクローナル抗体のCD38を使用した解析方法で，免疫グロブリンを産出する細胞（形質細胞）の解析を行い，腫瘍細胞の存在と分類を確認するものである。

一方，事例で併施されているD006-５染色体検査は，G-Banding MM/PLという多発性骨髄腫や，形質細胞性白血病に頻繁にみられる特定パターンの染色体異常に注目して顕微鏡分析を行うものである。

いずれの染色体検査も骨髄穿刺または生検により行われる。多発性骨髄腫の場合，骨髄腫細胞の増殖を確認する染色体検査のみで診断が可能であるが，補助的に造血器腫瘍細胞抗原検査が行われる。

事例では，疑い病名にもかかわらず，より精緻な結果を求める補助診断まで併施されていることが査定の一因と考えられる。レセプトには実施理由の記載が必要な事例であった。検査のオーダー時には，理由の入力を義務付けるなど，過剰検査を防止するための方法について検討が必要ではないだろうか。

【多発性骨髄腫】
血液細胞のなかの形質細胞（Bリンパ球が成熟した細胞）の癌。正常時には骨髄中にごくわずかしか存在しない形質細胞が骨髄中のいたるところで増殖を来し，免疫機能，造血機能，臓器機能の低下，骨破壊などを引き起こす。

Q85 活性化部分トロンボプラスチン時間（APTT）の査定

D006「２」「７」

〈病名〉 狭心症（2017.7.26），高血圧症（2017.7.26）
〈内容〉 2024年７月分（診療実日数１日），関連部分のみ抜粋

⑫	＊再診料	75×1	
	＊外来管理加算	52×1	
㉑	＊ワルファリンカリウム錠１mg　１錠	（点数省略）×28	
⑥⓪	＊PT（プロトロンビン時間）， APTT（活性化部分トロンボプラスチン時間） （ワルファリン投与時の定期的検査）	47×1	⇨ 18×1に査定

A 事例では，D006出血・凝固検査「２」PT（プロトロンビン時間）とD006「７」APTT（活性化部分トロンボプラスチン時間）を同時に実施したところ，APTTがD事由（不適当）にて査定となった。

医師にその旨を伝えたところ，「ワルファリンカリウム錠の添付文書には，『血液凝固能検査（プロトロンビン時間及びトロンボテスト）の検査値に基づいて，本剤の投与量を決定し，血液凝固能管理を十分に行いつつ使用する薬剤である』とあるため，PTとAPTTの組み合わせで血液凝固能管理を行っていた。なぜ，APTTが査定となったのか」と疑問を投げかけられた。

添付文書を見てみると，ワルファリンカリウムに対するリスク評価対象の検査は，「PTとTT（トロンボテスト）」と記載されており，APTTは含まれていない。また，ワルファリンカリウム投与中は薬剤によって血液が固まりにくい血液凝固異常状態であり，検査を行う意義に乏しい。したがって，投与量をモニタリングするためのPT以外は定期的検査として認めないとの理由で査定されたものと推測できる。

しかし，術前検査や副作用チェックなど，医学的に必要であった旨のコメントがある場合には，査定となっていない。これらの状況を経験則から整理すると，**図表4－3**のようになる。

薬効分類3339の薬剤の添付文書を確認すると，「出血リスクを正確に評価できる指標は確立されていない」と記載されていることから，定期的な血液凝固検査は認められないものと推測できる。医師にその旨を伝えたところ，「出血傾向（皮下出血，鼻出血等）を疑い，医学的に必要とした副作用チェックや病態確認，術前検査等により，検査を必要とする場合がある」と説明された。

そこで，医学的な必要性について記載した症状詳記を添付して請求を行うこととした。

その後，同様事例の査定を著しく減少させることができた。

図表4－3　経口抗凝固剤投与中に認められる定期的な血液凝固検査

薬効分類	一般名	販売名	PT	APTT	フィブリノゲン等
3332	ワルファリンカリウム	ワーファリン錠・顆粒，ワルファリンK錠・細粒	○	×	×
3339	アピキサバン	エリキュース錠	×	×	×
3339	エドキサバントシル酸塩水和物	リクシアナ錠	×	×	×
3339	ダビガトランエテキシラートメタンスルホン酸塩	プラザキサカプセル	×	×	×
3339	リバーロキサバン	イグザレルト錠	×	×	×

Q86　フィブリノゲン（定量）の査定

D006「4」

〈病名〉不安定狭心症
〈内容〉2024年6月分，関連部分のみ抜粋

⑹⓪	＊心臓カテーテル法による諸検査「2」左心カテーテル 冠動脈造影加算　5,400×1 ＊出血時間　15×1 ＊プロトロンビン時間（PT）　18×1 ＊フィブリノゲン定量　23×1　⇨　0に査定 ＊活性化部分トロンボプラスチン時間（APTT）　29×1 ＊HBs抗原，梅毒血清反応（STS）定性，梅毒トレポネーマ抗体定性，HCV抗体定性・定量，ABO血液型，Rh（D）血液型 （点数省略）×1

A　心臓カテーテル検査目的で入院し，入院時スクリーニング検査のうち，出血・凝固機能のチェックのために行われた4種類の検査のなかで，フィブリノゲン定量のみが査定された。

各検査の意義は以下のとおりである。

①**出血時間**：一時止血が正常かどうかを総合的に検査する
②**プロトロンビン時間（PT）**：外因性凝固系機能を総合的に検査する
③**活性化部分トロンボプラスチン時間（APTT）**：内因性凝固系機能を総合的に検査する
※②③の組合せは，凝固異常の原因がわかる総合的な評価のスクリーニング検査となっている。
④**フィブリノゲン（定量）**：主として出血性または血栓性疾患（DICを含む）の診断，経過判定，あるいは血栓症に対する線溶療法時の経過判定に用いられるため，血栓形成や出血傾向の推測のために外科的手術前のスクリーニング検査としても有用ではある。

出血性疾患のスクリーニング検査としては，出血時間，プロトロンビン時間，活性化部分トロンボプラスチン時間，フィブリノゲン（定量）の組合せが一般的にセット検査として行われているが，フィブリノゲンについては他の3つの検査に比べて外科的手術前のスクリーニングとしての性格をもつため，内科系では査定の対象となりやすくなる。この場合もそのように捉えられ査定を受けたものと思われる。

審査査定
検査病理

症例に応じて必要な検査セットの項目見直しを行うことが望ましい。

Q87 Dダイマーの査定

D006「15」

条件 DPC対象病院，500床，外来（2024年６月，関連部分のみ抜粋）
〈病名〉膀胱癌
〈内容〉

㊵	＊外来診療料	76×1	
㊿	＊Dダイマー	127×1	⇨ 0に査定
	＊血液学的検査判断料	125×1	
	【手術前検査実施】		

A 膀胱癌患者に対するD006「15」Dダイマーが査定された事例である。最近，この病院では外来レセプトでのDダイマーの査定が多かったため，直近３カ月（2024年４月～６月）の主な診療科の査定件数を調べてみた（**図表４-４**）。

> D006「15」 Dダイマー
> 【目的】（前略）最近ではDICの診断のみならず，血栓症の除外診断や抗凝固療法の経時的モニターとしても使用される。また，血栓性素因患者の血栓症の定期的モニタリングにも有用とされている。
>
> （医学通信社『最新 検査・画像診断辞典 2024-25年版』）

術前検査に関しては，都道府県により審査基準が異なり，患者の年齢や手術の種類によって感染症や凝固系の検査等が査定されるケースもある。

後日，泌尿器科の医師へ確認したところ，高齢者が多いため術前検査にDダイマーをセット化して施行していることが判明した。

泌尿器科以外の診療科を含め，実施する手術内容，患者の状況（年齢，リスク等）によって，術前検査セットのパターンを分けることを提案し，査定への対策を講じた。

図表４-４ 診療科別Dダイマー査定件数（2024年４月～６月）

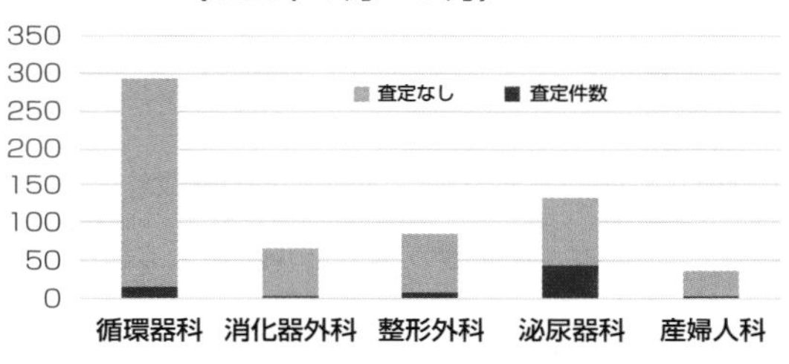

Q88 CK-MB，心筋トロポニンIの査定

D007「22」「29」

条件 DPC対象病院，600床，外来，循環器内科（2024年８月，関連部分のみ抜粋）
〈病名〉心不全（R６.８.４），急性心筋梗塞疑い（R６.８.４）
〈内容〉

㊵	＊CK-MB（蛋白量測定）	90×1	⇨ 0に査定
	＊心筋トロポニンI	109×1	

A 胸痛を主訴に日曜日に救急搬送されてきた患者の事例である。急性心筋梗塞が疑われ，採血にてD007「22」CK-MB，「29」心筋トロポニンIの測定が行われており，病名も適応疾患として問題ないことから請求を行っていたところ，当該検査が「不適当（国保・C査定）」として査定された。査定分析を行うにあたり，以前，審査支払機関から「心電図を実施されていない場合の，血液による心筋機能関連検査（CK-MB，心筋トロポニン等）は認められないのでご留意ください」と通知があったことを思い出した（**図表４-５**）。

医師に査定報告を行うにあたり，心電図の実施がなくやむを得ない査定であることを伝えたところ，次のような返答があった。「この患者さんは救急車内でモニターを装着していたから，そのモニター波形から心機能異常があったことは明らかで，わざわざ病院に到着後心電図をしなくてもよかったんだよ」。寝耳に水であり，なるほどと納得した。

医師も再審査請求を希望されたため，前述の内容を記載してもらい，CK-MBと心筋トロポニンIの必要性を示したうえで再審査請求を行ったところ，無事復活となった。

レセプト上のみでは見えない診療経過が隠れていることもあるため，「どこで」「どういった」診療が行われているかを理解することが必要だと勉強になった事例である。

図表4-5　急性冠症候群※の診断・治療フローチャート

急性冠症候群を疑う患者の搬入

第1段階：問診，身体所見，12誘導心電図*1（10分以内に評価）
第2段階：採血*2（画像検査*3：心エコー，胸部X線写真）

*1 急性下壁梗塞の場合，右側胸部誘導（V4R誘導）を記録する
急性冠症候群が疑われる患者で初回心電図で診断できない場合，背側部誘導（V7-9誘導）も記録する
*2 採血結果を待つことで再灌流療法が遅れてはならない
*3 重症度評価や他の疾患との鑑別に有用であるが，再灌流療法が遅れることのないよう短時間で行う

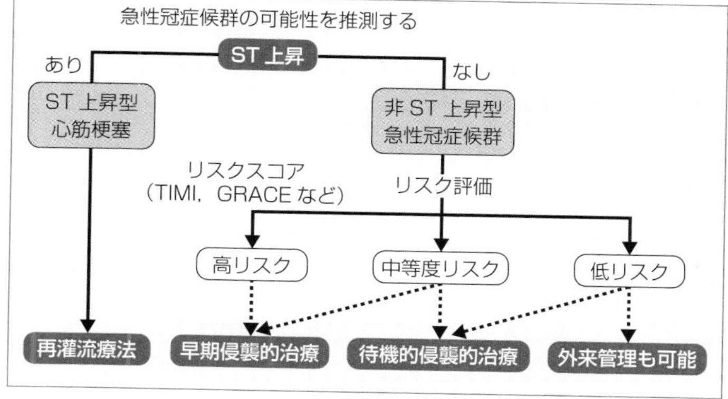

（急性冠症候群診療ガイドラインより）

※　冠動脈が血栓によって狭窄あるいは閉塞して，心筋の血液が不足する病態。主に急性心筋梗塞と不安定性狭心症とに分かれる。

Q89　甲状腺機能検査（TSH，FT_4）の査定　D008「6」「14」

条件　DPC対象病院，650床，入院，泌尿器科（2024年7月，関連部分のみ抜粋）
〈病名〉右腎盂癌（R6.2.14）
〈内容〉

⑥⓪	＊TSH	98×1
	＊FT_4	121×1

⇨　0に査定

A　右腎盂癌で抗がん剤治療を行うために入院した患者の事例である。

> **腎盂がんと尿管がん**
> 腎盂と尿管は，腎臓でつくられた尿が通る管状の臓器で，膀胱に接続しています。尿管はただのチューブではなく，尿管平滑筋の蠕動（ぜんどう：徐々に動くこと）運動により，低圧で尿を膀胱に送ります。腎盂には，そのペースメーカーがあるといわれています。腎盂，尿管は尾側で接続する膀胱と同様の尿路上皮という粘膜で内腔が覆われています。この腎盂，尿管の粘膜から発生するのが腎盂がんおよび尿管がんです。
> （国立がん研究センター東病院HP）

投与される抗がん剤はキイトルーダで，投与後に大きな副作用なく退院されている。

> **キイトルーダ**
> 【効能・効果】
> 悪性黒色腫
> （中略）
> がん化学療法後に増悪した根治切除不能な尿路上皮癌
> （以下略）
> （下線部筆者）

キイトルーダ投与前に甲状腺機能の検査であるD008「6」TSH，「14」FT_4を検査しており，事前に病名を依頼していたが，医師からはスクリーニングであるため病名は付けることができないと言われ，そのまま請求を行ったところC査定（不適当）となった。

請求前に病名を依頼した医師に，病名がないためか，やはり査定となってしまった旨を伝えて相談したところ，医薬品の添付文書で指示されている検査であることから，それを記載して再請求してほしいとの指示があった。そこで，医師の言う添付文書の内容を確認した。

> **キイトルーダ**
> 【重要な基本的注意】
> 甲状腺機能障害，下垂体機能障害及び副腎機能障害があらわれることがあるので，内分泌機能検査

（TSH，遊離T_3，遊離T_4，ACTH，血中コルチゾール等の測定）を定期的に行うこと。（以下略）
（下線部筆者）

内容を確認したところ，医師の言うとおり「TSH，FT_3，FT_4等の測定を定期的に行うこと」と記載されていた。この内容をもって再審査請求を行ったところ，当該事例は復活となった。しかし，再審査復活時の連絡として，口頭ではあるが「次回から該当する抗がん剤を投与していることを注記してください」と申し添えられたため，以後は医師に確認を取り，コメントを入力するようにした。

単に病名がなかったから仕方ないとあきらめるのではなく，必要に応じて医薬品の添付文書などを読み込むことが重要である。

Q90 抗GAD抗体の査定

D008「19」

「糖尿病の疑い」で抗GAD（抗グルタミン酸デカルボキシラーゼ）抗体が査定を受けた。

A この検査（D008「19」）については通知により次のように定められている。

抗グルタミン酸デカルボキシラーゼ抗体（抗GAD抗体）

すでに糖尿病の診断が確定した患者に対してＩ型糖尿病の診断に用いた場合（中略）に算定できる。
（令６保医発0305・４／**「早見表」p.478**）

上記通知より抗GAD抗体検査は，糖尿病の確定診断がなされていることが条件であり，さらにインスリン依存型の糖尿病（1型）（**図表４-６**）の疑いがある場合に行われることに留意しなければならない。

図表４-６　1型糖尿病と2型糖尿病

	1型糖尿病	2型糖尿病
原因等	膵臓のβ細胞というインスリンを作る細胞が破壊され，からだの中のインスリンの量が絶対的に足りなくなって起こる。 子供のうちに始まることが多く，以前は小児糖尿病とか，インスリン依存型糖尿病と呼ばれていた。	インスリンの出る量が少なくなって起こるものと，肝臓や筋肉などの細胞がインスリン作用をあまり感じなくなる（インスリンの働きが悪い）ために，ブドウ糖がうまく取り入れられなくなって起こるものがある。 食事や運動などの生活習慣が関係している場合が多い。
発症年齢	子ども・若い人［20代］に多い	中年以降が多い
治療法	インスリン注射が基本	食事療法と運動療法が基本。それで十分に血糖値がコントロールできない場合，薬物療法として，飲み薬の服用・インスリン注射を組み合わせて行う
体型	痩せ型が多い	肥満型が多い
患者割合	全体の5%未満	全体の95%以上
ICD-10	E10	E11

〔参考〕Mindsガイドラインセンター：「やさしい解説　図解　糖尿病」：http://minds.jcqhc.or.jp/n/public_user_main.php?main_tab=1&menu_id=1#
厚生労働省「糖尿病ってどんな病気?」：http://www.mhlw.go.jp/topics/bukyoku kenkou/seikatu/tounyou/about.html

審査査定

検査病理

Q91 BNPの査定

D008「18」

〈病名〉 心不全（2011.11.２），高血圧症（2011.11.２），糖尿病（2013.12.11）
〈内容〉 2024年６月分，関連部分のみ抜粋）

⑹⓪	＊BNP（前回実施2024.３.５） （他に血液検査あり）	130×1

⇨ 0に査定

A D008内分泌学的検査「18」脳性Na利尿ペプチド（BNP）を算定したところ，国保よりD査定（不必要）と判断された事例である。

心不全の病名が記載され，前回実施日の記載もある。レセプト上は，問題がないように見受けられる。

BNPは「心不全の診断又は病態把握のために実施した場合に月１回に限り算定する」とされている。病態把握のためのBNP実施は妥当ではないかと，国保に問い合わせたところ，「高血圧性心疾患，弁膜症，肺高血圧症，心筋梗塞，心筋症等，心不全の原因となる基礎疾患がなく，画像診断等の施行もされていない症例でのBNP検査の算定は，保険診療上認められない」との回答であった。査定となった患者の診療録を見てみると，確かに心不全の基礎疾患としての病名は付与されておらず，画像診断やエコー検査なども実施していなかった。

そこで，再審査請求の対象とならないことを担当医に伝えて，検査を実施する順序を確認してもらった。

地域によっては，同じような内容で算定を認めないとする通知文書が審査支払機関から医療機関に届いていることを確認している。査定のない地域では，今後の査定対策として，手順どおり検査が実施されているか医師と確認し，そうでない場合には，医学的に必要とした理由について記入してもらうとよいであろう。

Q92　I型コラーゲン架橋N-テロペプチド（NTX）の査定

D008「25」

〈病名〉乳癌，骨転移
〈内容〉2024年6月分，関連部分のみ抜粋

⑬	＊悪性腫瘍特異物質治療管理料（その他・2項目以上）（腫瘍マーカー名は省略）	400×1	
⑥⓪	＊I型コラーゲン架橋N-テロペプチド（NTX）	156×1	⇨ 0に査定

A　乳癌の骨転移の診断目的でD008「25」I型コラーゲン架橋N-テロペプチド（NTX）を実施し，査定された事例である。

NTXは，骨粗鬆症の治療方針決定および治療効果の判定によく使われる検査である。しかし，D009腫瘍マーカー検査の通知に以下のように掲げられている。

> I型コラーゲン架橋N-テロペプチド（NTX）
> 乳癌，肺癌又は前立腺癌であると既に確定診断された患者について骨転移の診断のために当該検査を行い，当該検査に基づいて計画的な治療管理を行った場合は，B001特定疾患治療管理料の「3」悪性腫瘍特異物質治療管理料の「ロ」を算定する。
>
> （令6保医発0305・4／「早見表」p.482）

事例の場合も，骨粗鬆症に対する検査ではなく，乳癌の骨転移の治療効果判定のために使用されたことが推測できることから査定されたものである。

通則や算定上の留意事項のほか，関連する項目にも注意しなければならない。

【参考：I型コラーゲン架橋N-テロペプチド（NTX）】
骨基質の主要構成蛋白であるI型コラーゲンの分解産物で，肺癌，乳癌または前立腺癌の骨転移，原発性副甲状腺機能亢進症，甲状腺機能亢進症，骨ベーチェット病，骨粗鬆症など骨吸収が亢進する疾患の経過観察に有用である。

Q93　迅速ウレアーゼ試験定性検査の査定

D012「7」

条件　出来高病院（2024年6月，関連部分のみ抜粋）
〈病名〉胃潰瘍（2024.6.10），ヘリコバクター・ピロリ感染症（2024.6.10）
〈内容〉

⑪	＊初診料	291×1	
⑥⓪	＊EF-胃・十二指腸	1,140×1	
	＊迅速ウレアーゼ試験定性（内視鏡検査実施日：2024.6.10）	60×1	⇨ 0に査定

A　事例では，D012「7」迅速ウレアーゼ試験定性検査が「事由D（不適当）」にて査定となった。当院初診にて，受診当日に内視鏡検査（D308胃・十二指腸ファイバースコピー）によって胃潰瘍が確定，ヘリコバクター・ピロリの感染診断を目的として迅速ウレアーゼ試験を行っていた。保険適応上の手順（**図表4－7**）を見ても問題ないと考えられた。

査定の理由を探るためにカルテを見直したところ，当患者は紹介患者であることがわかり，診療情報提供書と処方歴を確認すると，紹介元医療機関において，PPI（プロトンポンプインヒビター）が処方されていた。

【診療情報提供書】（関連部分のみ抜粋）

審査
査定

検査
病理

→処方歴（2024.6.3）
　ネキシウムカプセル20mg　1錠×7日分

改めてヘリコバクター・ピロリ感染診断および治療手順に関する保医発を確認してみると，以下の記載があった。

> **6　感染診断実施上の留意事項**
> (1)　静菌作用を有する薬剤について
> ランソプラゾール等，ヘリコバクター・ピロリに対する静菌作用を有するとされる薬剤が投与されている場合については感染診断の結果が偽陰性となるおそれがあるので，除菌前及び除菌後の感染診断の実施に当たっては，当該静菌作用を有する薬剤投与中止又は終了後2週間以上経過していることが必要である。　（下線筆者）
> （令4保医発1031・5一部修正／「早見表」p.484）

図表4－7　ヘリコバクター・ピロリ感染の診断および治療の手順

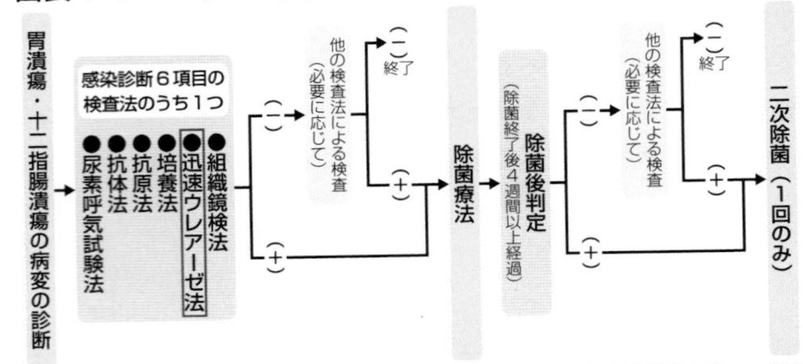

〔『診療点数早見表』（医学通信社），p.467〕

今回の事例にこの内容を照らしてみると，6月3日に紹介元医療機関にて静菌作用を有する薬剤（PPI）が処方されており，自院での感染診断は6月10日であるため，既定の2週間を経過していないことがわかる。

今回は陽性判定が出たが，偽陰性（本当はピロリ菌がいるのに陰性判定となるもの）であれば見逃されて除菌治療が行われない可能性があった。紹介元医療機関の情報提供・処方内容等も十分に考慮して算定しなければならない事例である。

Q94　ヘリコバクター・ピロリ抗体の査定

D012「12」

〈病名〉胃潰瘍（2024.6.10），ヘリコバクター・ピロリ胃炎の疑い（2024.6.10）
〈内容〉2024年6月分（外来・実日数3日），関連部分のみ抜粋

⑪	＊初診料	291×1	
⑫	＊外来診療料	76×2	
⑥⓪	＊ヘリコバクター・ピロリ抗体	80×1	⇨　0に査定
	＊EF-胃・十二指腸	1,140×1	

A　D012「12」ヘリコバクター・ピロリ抗体が「C：その他の医学的理由」として査定された事例である。点数表には，ヘリコバクター・ピロリ感染症に係る検査の対象患者が定められている。

【ヘリコバクター・ピロリ感染症に係る検査の対象患者】
①内視鏡検査又は造影検査において胃潰瘍又は十二指腸潰瘍の確定診断がなされた患者
②胃MALTリンパ腫の患者
③特発性血小板減少性紫斑病の患者
④早期胃癌に対する内視鏡的治療後の患者
⑤内視鏡検査において胃炎の確定診断がなされた患者

審査機関に確認したところ，レセプト算定日情報から見て内視鏡検査（EF-胃・十二指腸）以前に当該検査の実施があるため，上記①には該当せず，算定対象にならないという回答であった。

カルテを確認すると，この患者は他院で内視鏡検査を行ったあとに紹介されていたことがわかった。審査支払機関に「他院で内視鏡検査を行っていたため，当院ではヘリコバクター・ピロリ抗体の算定前に内視鏡検査を行っていない」旨を伝えたところ，レセプトにコメントを添付して請求するように，ということだった。

同院では，D023-2「2」尿素呼気試験（UBT）についても同様の査定があった。紹介患者の場合，診療開始日は当院受診日となる。病名はもちろんだが，診療内容と診療開始日の整合性について確認の必要性を痛感した。同院では，レセプトに算定日を印字し，点検の際に活用できるように対応した。レセプトデータの算定日情報による電子審査が行われており，同様の査定が増えているので，留意されたい。

Q95　インフルエンザウイルス抗原定性の査定

D012「22」

条件 DPC対象病院（360床），外来，小児科（2024年6月，関連部分のみ抜粋）
〈病名〉インフルエンザ菌感染症の疑い
〈内容〉

⑫	＊外来診療料	76×1
⑥⓪	＊インフルエンザウイルス抗原定性	132×1
	＊鼻腔・咽頭拭い液採取	25×1
	＊免疫学的検査判断料	144×1

⇨ 0に査定

A D012感染症免疫学的検査「22」インフルエンザウイルス抗原定性および付随するD419その他の検体採取「6」鼻腔・咽頭拭い液採取，D026検体検査判断料「6」免疫学的検査判断料がA査定（不適応）となった事例である。

一見問題のないように見えるレセプトだが，傷病名の登録誤りが査定の理由であった。

「インフルエンザ菌」は，19世紀末にインフルエンザ患者の喀痰より発見された細菌である。その後，インフルエンザの真の病原体は細菌ではなくウイルスであることが判明したが，「インフルエンザ菌」という名前はそのまま残った。そのため，ややまぎらわしい名称となっているが，「インフルエンザウイルス」と「インフルエンザ菌」はまったく異なるものである。つまり，インフルエンザウイルス抗原定性検査を行う場合の病名は，インフルエンザウイルスによる感染を指す「インフルエンザ」や「インフルエンザの疑い」でなくてはならない（**図表4－8**）。

ちなみに，インフルエンザ菌は，乳幼児の重症髄膜炎や呼吸器疾患，菌血症の原因となる。特に有名なのがb型であり，「Haemophilus influenzae b（インフルエンザ菌b型）」の頭文字をとって「Hib（ヒブ）」と呼ばれる。現在日本で行われている「Hibワクチン」は，このインフルエンザ菌b型を予防するためのものである。

この医療機関では医師事務作業補助者が病名やオーダの代行入力を行い，その後，医師が承認を行う運用としていたが，入力時に発生していた病名の登録誤りに医師が気付くことなく承認してしまっていた。いずれの医療機関でも同様の登録誤りが発生する懸念があるため，関連部署においては病名や疾患についての理解を深め，院内全体で査定返戻対策をしていただきたい。

図表4－8　インフルエンザウイルスとインフルエンザ菌の違い

	インフルエンザウイルス	インフルエンザ菌
分類	ウイルス	細菌
流行時期	冬（A型・B型）	通年
感染することで起こる疾患	インフルエンザ	中耳炎，副鼻腔炎，髄膜炎，敗血症，細菌性肺炎など
治療薬	抗インフルエンザウイルス薬	抗生物質
主な検査	インフルエンザウイルス抗原定性検査	細菌培養同定検査

Q96　ヒトメタニューモウイルス抗原定性の査定

D012「25」

条件 外来（2024年6月，関連部分のみ抜粋）
〈病名〉急性上気道炎（2024.6.14），ヒトメタニューモウイルス肺炎の疑い（2024.6.14）
〈内容〉

⑥⓪	＊ヒトメタニューモウイルス抗原定性	142×1
	＊免疫学的検査判断料	144×1

⇨ 0に査定

〈カルテ〉

6月14日
S：昨日より発熱（38.2℃），咳が続く，鼻汁がでる。倦怠感が強い。
O：湿性咳そう著名，鼻汁＋＋，胸部ラ音あり
A：家族に直近で肺炎の既往あり。ヒトメタの可能性も否定しきれない。
P：検査して診断する。
（下線筆者）

A 当該事例は，かぜ症状（発熱，咳，鼻水）にて外来受診した患者であるが，D012「25」ヒトメタニューモウイルス抗原定性の検査が査定となった（査定事由D：不適合）。カルテに「ヒトメタニュー

モウイルス肺炎の疑い」と記載されていたため，同項目の請求を行ったものだったので，査定理由について審査機関へ問い合わせた。

【審査機関への問合せ内容】
ヒトメタニューモウイルス抗原定性の検査が査定されているが，レセプト上に病名もあり，査定理由がわからないため，教えてほしい。
【審査機関からの回答】
検査を行うにあたり，胸部レントゲンの算定がないため，算定要件不備として査定した。

回答は上記の内容であったが，必ずしも胸部レントゲンを実施していなくても算定できると認識していたため，根拠を示すべく，再度，告示・通知を確認した。

ヒトメタニューモウイルス抗原定性
イ　本検査は，当該ウイルス感染症が疑われる６歳未満の患者であって，画像診断又は胸部聴診所見により肺炎が強く疑われる患者を対象として測定した場合に算定する。
（下線筆者）（令６保医発0305・４／「早見表」p.489）

やはり認識どおり，胸部聴診所見から肺炎が疑われる場合であっても算定できることが確認できた。

カルテ記載より胸部聴診所見から肺炎を疑っていることが確認できたため，算定要件を満たすと考え，再審査請求することとなり，後日復活となった。この査定を機に，画像診断を実施していない場合は，「胸部聴診所見により肺炎を疑った」旨のコメントを付与してレセプト請求することとした。

Q97　HCVコア蛋白・HBV核酸定量の査定

D013「5」，D023「4」

条件　**出来高病院（300床），入院，整形外科**（2024年７月，関連部分のみ抜粋）

〈病名〉脊髄腫瘍

〈内容〉

⑥⓪	＊HCVコア蛋白	102×1	⇨ 0に査定
	＊HBV核酸定量	256×1	
	（以下省略）		

〈カルテ〉
7/29　2024年４月15日手術時に輸血したため，輸血後感染症検査を実施。
〈検査オーダー〉
輸血後感染症セット
HCV抗原（HCVコア蛋白）
HBV-DNA定量

A　脊髄腫瘍の患者に対する肝炎マーカー検査（D013「５」HCVコア蛋白とD023「４」HBV核酸定量）が「過剰」でB査定となった事例である。

カルテで検査の実施理由を確認したところ，４月の手術に対する輸血後感染症の有無を見るためであった。

厚生労働省の「輸血療法の実施に関する指針」では，輸血後３カ月を目途に肝炎マーカー検査の実施を推奨しており（**図表４－９**），本事例の検査時期は妥当であるが，レセプトの内容から輸血実施状況が把握できなかったため査定になったと考えられる。輸血実施状況を症状詳記に記載し，再審査請求を行った結果，復活となった。以後は，あらかじめレセプトに「輸血後感染症検査実施（○年○月○日輸血）」とコメントを付与することで査定がなくなった。

図表４－９　「輸血療法の実施に関する指針」（改定版）（関連部分のみ抜粋）

Ⅷ　輸血（輸血用血液）に伴う副作用・合併症と対策
１．副作用の概要
⑵　遅発型副作用
ⅱ　輸血後肝炎
本症は，早ければ輸血後２～３カ月以内に発症するが，肝炎の臨床症状あるいは肝機能の異常所見を把握できなくても，肝炎ウイルスに感染していることが診断される場合がある。特に供血者がウインドウ期にあることによる感染が問題となる。このような感染の有無を見るとともに，早期治療を図るため，医師が感染リスクを考慮し，感染が疑われる場合などには，**別表**のとおり，肝炎ウイルス関連マーカーの検査等を行う必要がある。

別表

	輸血前検査	輸血後検査
B型肝炎	HBs抗原 HBs抗体 HBc抗体	核酸増幅検査（NAT） （輸血前検査の結果がいずれも陰性の場合，輸血の３か月後に実施）
C型肝炎	HCV抗体 HCVコア抗原	HCVコア抗原検査 （輸血前検査の結果がいずれも陰性の場合又は感染既往と判断された場合，輸血の１～３か月後に実施）

Q98　マトリックスメタロプロテイナーゼ-3（MMP-3）の査定

D014「9」

〈病名〉関節リウマチ
〈内容〉2024年7月分，関連部分のみ抜粋

⑥⓪	＊IgG型リウマトイド因子	198×1
	＊マトリックスメタロプロテイナーゼ-3（MMP-3）	116×1 ⇨ 0に査定

A　関節リウマチの診断目的で，D014自己抗体検査「26」IgG型リウマトイド因子と同「9」マトリックスメタロプロテイナーゼ-3（MMP-3）を行い，後者が査定された事例である。

どちらもD014の「注」のまるめ項目には該当しない区分の検査のため，両者を併せて算定しても問題ないと思いがちだが，D014「24」抗シトルリン化ペプチド抗体定性又は定量の通知の「イ」に注目されたい。

〈通知①〉
抗シトルリン化ペプチド抗体定性又は同定量
イ　「24」の抗シトルリン化ペプチド抗体定性，同定量，「8」の抗ガラクトース欠損IgG抗体定性，同定量，「9」のマトリックスメタロプロテイナーゼ-3（MMP-3），「15」のC1q結合免疫複合体，「25」のモノクローナルRF結合免疫複合体及び「26」のIgG型リウマトイド因子のうち2項目以上を併せて実施した場合には，主たるもの1つに限り算定する。（令6保医発0305・4／「**早見表**」**p.494**）

2項目以上を併せて実施した場合に，主たるもの1つに限り算定すると定められた検査に，「9」マトリックスメタロプロテイナーゼ-3と「26」IgG型リウマトイド因子が含まれている。通知は，よく読み込む必要がある。

また，D014「2」リウマトイド因子（RF）定量，同「8」抗ガラクトース欠損IgG抗体定性等の通知（通知②）で，3項目以上を併せて実施した場合には主たるもの2つに限り算定すると定められた検査にも，「9」マトリックスメタロプロテイナーゼ-3と「26」IgG型リウマトイド因子が含まれている。実施検査の項目数を間違えないように留意していただきたい。

〈通知②〉
リウマトイド因子（RF）半定量又は定量，抗ガラクトース欠損IgG抗体定性，同定量等
「2」のリウマトイド因子（RF）定量，「8」の抗ガラクトース欠損IgG抗体定性，同定量，「9」のマトリックスメタロプロテイナーゼ-3（MMP-3），「15」のC1q結合免疫複合体，「25」のモノクローナルRF結合免疫複合体及び「26」のIgG型リウマトイド因子のうち3項目以上を併せて実施した場合には，主たるもの2つに限り算定する。
（令6保医発0305・4／「**早見表**」**p.494**）

なお，通知①と②に共通する検査を3項目行った場合（例：「8」抗ガラクトース欠損IgG抗体定性又は定量，「9」マトリックスメタロプロテイナーゼ-3，「26」IgG型リウマトイド因子），通知②では2つに限り算定可とあるが，通知①では主たるもの1つに限るとあるため，1項目しか算定できない。通知①と②に共通する検査を行う場合は，算定できる項目数にも注意が必要である。

【参考：マトリックスメタロプロテイナーゼ-3（MMP-3）とは】
関節リウマチの早期より関節滑膜組織に現れ，血中濃度の上昇を見ることができる。
半年から1年後のエックス線関節破壊と相関し，予後診断において有用性がある検査である。
慢性関節リウマチを2～6週間隔で経過観察する目的として，D014「8」抗ガラクトース欠損IgG抗体定性，同「26」IgG型リウマトイド因子とともに実施する。

Q99　抗ミトコンドリア抗体定量検査の査定

D014「22」

〈病名〉原発性胆汁性胆管炎（2017.11.10），自己免疫性肝炎（2017.11.10）
〈内容〉2024年6月分，関連部分のみ抜粋

㉑	＊《院外処方》ウルソ錠100mg 6錠	（点数省略）×90
⑥⓪	＊抗ミトコンドリア抗体定量	189×1 ⇨ 0に査定
	抗核抗体（蛍光抗体法）定量	99×1

A 事例では，国保一次審査にてD014自己抗体検査「22」抗ミトコンドリア抗体定量が事由D（不適当・不必要）を理由に査定となった。

病名には「原発性胆汁性胆管炎」がある。検査会社の検査解説集によると，「抗ミトコンドリア抗体は，原発性胆汁性胆管炎の診断に用いられる疾患特異性の高い自己抗体である」とされている。このことから，確定診断がされていない原発性胆汁性胆管炎について実施するものであることがわかる。

さらに，「原発性胆汁性肝硬変（PBC）ガイドブック」（厚生労働省難治性疾患克服研究事業「難治性の肝・胆道疾患に関する調査研究」班）には以下の記載がある。

> **抗ミトコンドリア抗体（AMA）の抗体値はPBCの進行の指標となりますか？**
> **解説**　抗ミトコンドリア抗体はPBCに特徴的に陽性となる自己抗体で，PBCの診断には重要な抗体ですが，その数値（抗体価）は，PBCの進行の指標にはならないことが分かっています。（下線筆者）

つまり，原発性胆汁性胆管炎の経過観察に抗ミトコンドリア抗体は不必要ということになる。では，なぜ医師はこの検査を実施したのだろうか。

確認すると，消化器内科医師別に作成していたPBCのセット検査に抗ミトコンドリア抗体が組み込まれており，医師はセット名だけを見てオーダーしていた。検査結果も見ていたのだが，抗ミトコンドリア抗体が，PBCの経過観察には不必要な検査と判断していなかったのである。

このように，検査の内容によっては診断時のみに必要であっても，その後の経過観察の指標とはならないものもあるので，医師へ適応の確認をしながら請求されたい。

Q100　C反応性蛋白（CRP）の査定

D015「1」

条件　**DPC対象病院，500床，外来，泌尿器科**（2024年6月，関連部分のみ抜粋）

〈病名〉　前立腺癌

〈内容〉

⑫	＊外来診療料	76×1
⑬	＊悪性腫瘍特異物質治療管理料（その他1項目）PSA	360×1
⑥⓪	＊C反応性蛋白（CRP）	16×1
	＊免疫学的検査判断料	144×1

〈カルテ〉　医師記録より抜粋

> 6/27　#前立腺癌
> 他院よりPSA高値にて紹介，2024/1/16前立腺生検を実施。本日PSA7.08ng/mL。今後数値上昇があればホルモン療法を検討。次回3カ月後。

A 前立腺癌にて定期外来受診の事例である。尿検査，血液学的検査，生化学的検査などを実施していたが，D015のC反応性蛋白（CRP）のみ査定となった。検査点数は16点であるが，それに伴いD026「6」免疫学的検査判断料144点も査定となった。

前立腺癌の治療は病期に応じて**図表4-10**のような治療法の選択がある。

PSA値の基準値は0～4 ng/mLで，値が高いほど前立腺癌の罹患リスクが高く，病期が進行している可能性も高い。当該患者のカルテを確認したところ，PSAは7.08ng/mLで，**図表4-10**の「低リスク」の経過観察中であることがわかった。

今回査定された要因は不明だが，炎症反応チェックのため施行した頻回なCRP検査は不要との判断だろうか。

そこで，過去の査定状況を確認したところ，同様の査定が20件あったことが判明した。これは画一的な検査の施行に対する警鐘的査定なのではないかと思われる。

図表4-10　前立腺癌の治療の選択

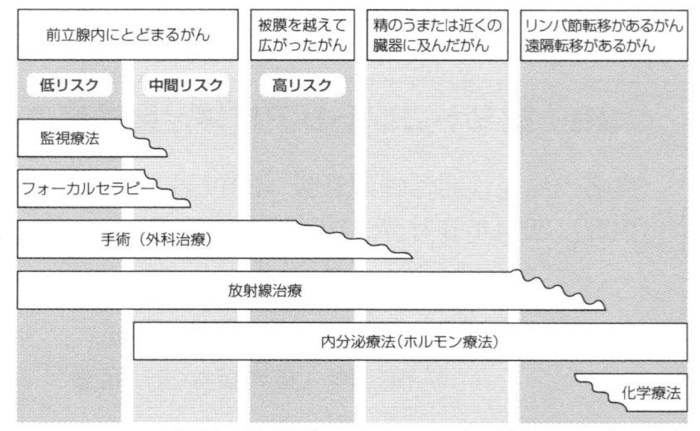

（国立がん研究センター・がん情報サービスHP）

電子審査が一般的となった昨今，今回のような査定事例は増加傾向である。対策を講じるのは困難ではあるが，診療科の医師へ現状をフィードバックした。

Q101　細菌薬剤感受性検査の査定

D019

〈病名〉副鼻腔炎（2024.6.5）
〈内容〉2024年6月分（実日数1日，6月5日のみ来院），関連部分のみ抜粋

⑪	＊初診料	291×1	
⑫	＊算定なし		
⑹⓪	＊細菌培養同定検査「1」（呼吸器）	180×1	
	＊細菌薬剤感受性検査「3」 3菌種	310×1	⇨ 0に査定
	※注記なし		

A　D019細菌薬剤感受性検査が査定された事例である。

細菌薬剤感受性検査は，細菌培養同定検査にて疾病の起因菌を同定したのちに，どの薬剤が有効かの感受性を検査した場合に，菌種数に応じて算定する検査である。

言い換えれば，細菌薬剤感受性検査は，細菌培養同定検査による数日間の培養後に，菌が検出されてから初めて行う検査であり，時間経過において両検査の同日の施行はありえない。また，細菌薬剤感受性検査の通知には，「結果として菌が検出できず実施できなかった場合においては算定しない」とある。

では，どのようにレセプト表記を行えば，査定を防ぐことができるのであろうか。

細菌培養同定検査において菌が検出され，細菌薬剤感受性検査を算定する場合のレセプト記載例は，当月内か否かで補記が変わる。事例病院で使用している補記内容を以下に例示する。

(1)　当月内に算定する場合
①診療実日数「1日」で請求する場合には，レセプトの摘要欄に「患者の再来院なし」と注記する。
②診療実日数「2日以上」の場合は，特に注記を必要としない。

(2)　翌月に算定する場合
①翌月に患者の受診がなく再診料を算定しない場合は，診療実日数を「0日」として，細菌薬剤感受性検査の実施料のみを算定する。レセプトの摘要欄に「細菌培養同定検査，前月実施」と注記する。
②翌月に患者の受診があり再診料を算定する場合であっても，細菌薬剤感受性検査の実施料のみを算定する。レセプトの摘要欄に「細菌培養同定検査，前月実施」と注記する。
③上記①②いずれの場合にも前月からの検査の一連とみなされ，細菌薬剤感受性検査にかかる検体検査判断料は算定できない。

このように，後日算定を行わざるを得ない事例には，未収金発生の問題が生じる。事例の病院では，検査の説明と後日追加徴収がありうることを記入した文書を患者に渡して，未収金防止対策としている。

Q102　HBV核酸定量の査定

D023「4」

条件　**DPC対象病院，外来**（2024年6月，関連部分のみ抜粋）
〈病名〉左乳癌（2024.1.25），B型肝炎の疑い（2024.6.19）
〈内容〉【患者】67歳　女性

⑫	＊外来診療料	76×1	
⑹⓪	＊HBV核酸定量	256×1	⇨ 0に査定

〈カルテ〉
＃左乳癌
2024/5/11　左乳房切除術＋腋窩リンパ節郭清
6/14　術中センチネルリンパ節陽性　リンパ節転移
化学療法（EC療法）施行に伴い，糖尿病，HBV，心機能チェック

A 乳癌で外来診療の症例で，D023「4」HBV核酸定量検査が査定された事例である。査定事由は「B」(過剰）とのことだった。原因を探求するためカルテを確認した。

カルテを確認すると，前月に手術し，今後化学療法を施行するために実施した検査だったが，レセプトからはその旨が判断されずB査定となったと思われる。担当科の医師に相談すると，**図表4-11**のガイドライン（抜粋）に基づいて実施したとのことで，協議の結果，検査実施の必要性を症状詳記に記載して再審査請求を行うことにした。

図表4-11の補足：血液悪性疾患に対する強力な化学療法中あるいは終了後に，HBs抗原陽性あるいはHBs抗原陰性例の一部においてHBV再活性化によりB型肝炎が発症し，その中には劇症化する症例があり，注意が必要である。また，血液悪性疾患または固形癌に対する通常の化学療法およびリウマチ性疾患・膠原病などの自己免疫疾患に対する免疫抑制療法においてもHBV再活性化のリスクを考慮して対応する必要がある。(後略）　(出典：日本肝臓学会，一部修正）

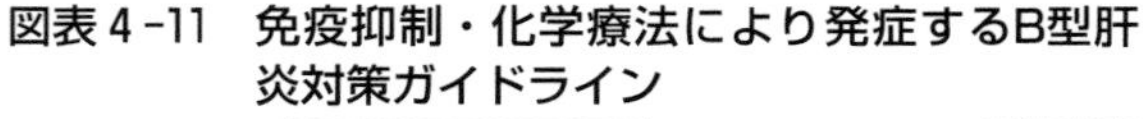
図表4-11　免疫抑制・化学療法により発症するB型肝炎対策ガイドライン

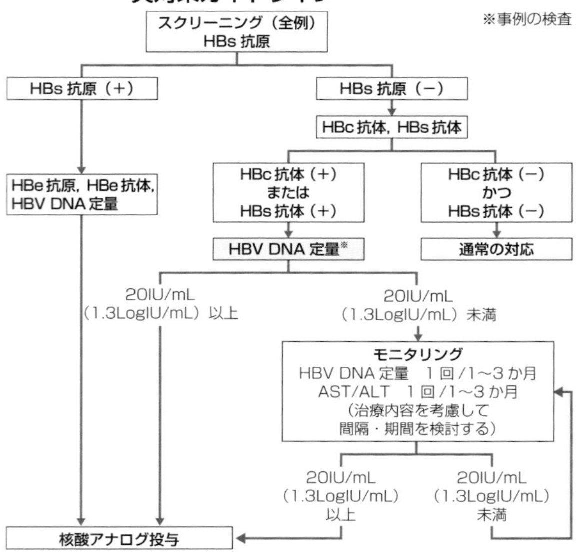

Q103　脈波図，心電図，ポリグラフ検査の査定　D214

条件 DPC対象病院，600床，外来（2024年6月，関連部分のみ抜粋）
〈病名〉高血圧，下肢閉塞性動脈硬化症
〈内容〉

60	＊脈波図（3又は4検査）	130×1

A D214脈波図「3」3又は4検査（130点）が「6」血管伸展性検査（100点）に査定された事例である。事例の病院で同様の査定が複数認められたため，改めて算定要件を確認すると，以下の要件（通知）が追加されていた。

D214　脈波図，心機図，ポリグラフ検査
(4)「6」の血管伸展性検査は，描写し記録した脈波図により脈波伝達速度を求めて行うものであり，このために行った脈波図検査と併せて算定できない。
(5) 閉塞性動脈硬化症は，「6」の血管伸展性検査により算定する。
(下線筆者）(令6保医発0305・4）

「6」血管伸展性検査は通知において閉塞性動脈硬化症に対する当該検査の取扱いを示している。

事例のカルテを確認すると，オムロン社の血圧脈波検査装置を使用し，血管の詰まりを評価するABI※1，血管の硬さを評価するbaPWV※2という指標が計測され，所定のレポート用紙としてカルテに記録されていることが確認できた。また，医師のオーダーは下肢閉塞性動脈硬化症のフォローと明記されていたため，今回の査定内容が正しい。

誤った請求に至った理由は，①レセプト担当者が当該通知を見逃していたこと，②疾病により請求する点数が変わる点について，検査オーダーの対応方法を協議中でシステム改修が完了していなかったこと─にあると判明した。病院ごとに体制は異なるため，関係部署間で適切な対応ができているか確認いただきたい。

※1　ABI（Ankle Brachial Index）：下肢の最高血圧÷上腕最高血圧（左右高い方）。値が0.9未満の場合，血管が詰まっている可能性が高い。

※2　baPWV（brachial ankle Pulse Wave Velosiy）：脈波伝播速度（PWV）で血管の伸展性と心疾患のリスクを表す。

Q104 超音波検査パルスドプラ法加算の査定

D215

条件 出来高算定病院，300床規模，入院（2024年７月，関連部分のみ抜粋）

〈病名〉マムシ咬傷，高血圧症，Ⅱ型糖尿病，甲状腺機能亢進症

〈内容〉

⑪	＊初診料 初診（深夜加算）加算	771×1	
⑥⓪	＊超音波検査（断層撮影法）ロ（その他の場合）(3) パルスドプラ法加算	500×1	⇨ 350×1に査定

A 道路で下肢を何かに咬まれ，翌朝に出血が始まり下肢が腫脹してきたため，救急外来を受診した患者の事例である。下肢の腫脹がひどく入院加療となった。

入院時の血液検査で糖尿病と甲状腺機能亢進症が発覚するなど，主病名のマムシ咬傷の治療に影響が考えられるとして多数の検査が行われた。そのうち，D215超音波検査の加算であるパルスドプラ法加算のみが事由A（不適応）にて査定となった。

算定条件を通知で確認すると，「血管の血流診断を目的」としていれば算定可である。

今回，頸部の超音波検査を実施したのは，甲状腺機能亢進症に対してである。

支払基金の示す「審査情報提供事例」では，パルスドプラ法加算が算定できないものとして，「尿管腫瘍」と「乳癌の疑い」が示されている。甲状腺疾患の算定可否については示されていない。

そこで放射線技師に相談したところ，甲状腺部分の血流を確認することで，症状の進行具合がわかるという。主治医もこの疾患に対するパルスドプラ法の実施は妥当であるという。

今回は補記も何もなく，審査側にパルスドプラ法の必要性が伝わらないレセプト内容であったために再審査請求は断念した。

今後は，同様の査定がないように前もって必要理由を付与し，査定があった場合は，甲状腺機能亢進症の診断と治療計画の策定を行うに当たって血流の確認が必要であった旨を記載して，再審査請求の資料を作成してもらうことにした。

Q105 下肢超音波検査の査定

D215「２」

〈病名〉閉塞性動脈硬化症

〈内容〉2024年７月分，関連部分のみ抜粋

⑥⓪	＊超音波検査「2」断層撮影法 「ロ」下肢血管 パルスドプラ法加算	600×1	⇨ 「4」ドプラ法「イ」末梢血管血行動態検査 20×1に査定

〈カルテ〉 7/10 下肢冷感・しびれ感あり，下肢動脈エコー実施

A 下肢動脈エコーをD215「２」超音波検査（断層撮影法）「ロ」下肢血管とパルスドプラ法加算で算定したところ，D215「４」ドプラ法「イ」（末梢血管血行動態検査）20点に変更される査定を受けた事例である。

レセプトでは下肢末梢血管の状態および血流の状態を把握するための検査を請求したものの，閉塞性動脈硬化症については，ドプラ法のみで病態の把握，診断等が可能である。そのため，血管の状態把握は不必要と判断され，ドプラ法のみの請求に変更となった。

D215「4」ドプラ法「イ」（末梢血管血行動態検査）の目的等は以下のとおり。

【目的】 末梢血管の血行動態を知るために行われる。
【方法】 連続波ドプラ法，パルスドプラ法
【適応疾患】 閉塞性動脈硬化症，バージャー病（閉塞性血栓血管炎），下肢静脈瘤，《閉塞性血栓血管炎，動静脈瘻，レイノー症候群，膠原病，胸郭出口症候群，鎖骨下動脈盗血症候群》。
（『最新 検査・画像診断事典2024-25年版』p.252）

Q106　内分泌負荷試験の査定　D287「5」

〈病名〉甲状腺腫瘍（2024.5.27），クッシング症候群（疑）（2024.8.2）
〈内容〉2024年8月分，関連部分のみ抜粋

⑥⓪	＊内分泌負荷試験「5」副腎皮質負荷試験 「ロ」糖質コルチコイド　1,200×1	⇨ 0に査定

A　D287内分泌負荷試験「5」副腎皮質負荷試験「ロ」糖質コルチコイドがD査定となった事例である。

内分泌負荷試験とは，検査用の薬剤等の投与（注射や内服）後に血液検査や尿検査を行い，体内のホルモンのバランスを調べる検査である。薬剤で負荷をかけることによって，血中や尿中に分泌されるホルモンまたはその他の物質を測定して機能を測る（**図表4-12**）。

事例は，クッシング症候群を疑って副腎皮質ホルモン剤を投与して，デキサメタゾン抑制試験を実施したものである。検査方法は，検査前日23時にデカドロン錠1mgを内服し，翌朝に採血（コルチゾール検査）する。したがって，本来，負荷薬剤（デカドロン）の算定があるはずだが，前月受診時に薬剤を渡していたため，検査月のレセプトには記載がなかった。負荷するための薬剤がなければ負荷試験の算定は認められないという理由で査定となったのである。

図表4-12　内分泌負荷試験の例

内分泌器官の分泌ホルモン		負荷する薬剤（例）
下垂体前葉	成長ホルモン	インスリン
	プロラクチン	TRH
	副腎皮質刺激ホルモン	デキサメタゾン
下垂体後葉	抗利尿ホルモン	水制限，水負荷
甲状腺	サイロキシン	T3抑制
副甲状腺	副甲状腺ホルモン	カルシウム
副腎皮質	鉱質コルチコイド	フロセミド
	糖質コルチコイド	デキサメタゾン

この場合，負荷薬剤は前月投与済みであることがわかるコメントを記載すれば，査定は防げたはずである。レセプトから判断できない内容があると，査定対象となる。作成したレセプトはよく確認して，内容のつじつまが合うよう，コメントなどで説明する必要がある。

Q107　胃・十二指腸ファイバースコピーの査定　D308

条件　**出来高病院，300床規模，外来**（2024年7月，関連部分のみ抜粋）
〈病名〉急性腸炎（主），悪性リンパ腫の疑い
〈内容〉診療実日数：3日

⑥⓪	＊EF-胃・十二指腸　1,140×1 ＊ガスコンドロップ内用液2％　5mL, 炭酸水素ナトリウム　1g, プロナーゼMS　20,000単位　1, プリビナ液0.05％　5mL　（点数省略）×1	⇨ 0に査定

A　下痢と発熱が継続しているため，複数の検査を実施している症例である。胃・十二指腸の内視鏡検査（D308胃・十二指腸ファイバースコピー）が査定された。レセプトを確認したところ，胃・十二指腸の部位が記載された病名がなかった。そこで，内視鏡検査実施の目的をカルテで確認することとした。

【電子カルテ】（関連部分のみ抜粋）
6月26日
　P：次回，悪性リンパ腫，大腸癌，クローンなどの鑑別実施。
7月3日
　O：部位：上行結腸
　　質的診断：感染性大腸炎疑い
　　処置：潰瘍底から2カ所の生検を実施。
7月12日
　A：組織には悪性所見なし。悪性リンパ腫を疑う所見は明確ではないが，sIL-2Rが若干高値。
　P：EGD，CTにて全身精査を行う。

この症例では，家族既往歴で悪性リンパ腫（発症後2週間で死亡）があるため，精査が必要と判断さ

れていた。まずは大腸の内視鏡検査を実施し，生検を行うも悪性の所見はなかった。次に，リンパ腫の腫瘍マーカーであるsIL-2Rが高値であったため，胃・十二指腸の内視鏡検査を行うこととなったが，それが査定されてしまったのである。

「悪性リンパ腫の疑い」で検査をしているが，疑っている部位の記載がないことが査定の原因と考えられる。悪性リンパ腫は全身に発症の可能性がある疾患であるが，部位を明記しておかないと査定の対象となる可能性がある。標準病名に「胃悪性リンパ腫」があるので，医師には，審査側に検査等の必要性が理解してもらえるように，部位はもちろん，「急性・慢性」，「左・右」など詳細な病名をつける必要があることを再認識してもらうこととした。また，悪性リンパ腫を疑って複数の検査が必要であった理由を記載して再審査請求を行い，復活となった。

Q108　小腸内視鏡検査の粘膜点墨法加算の査定　D310

〈病名〉癒着性イレウス，小腸癌の疑い
〈内容〉2024年５月分，関連部分のみ抜粋

⑯	＊小腸内視鏡検査（「１」バルーン内視鏡によるもの） 粘膜点墨法加算　6,860×1

⇨ 6,800×1に査定

A　事例では，粘膜点墨法加算がD（国保：不適当または不必要）として査定となった。2022年改定で，D310小腸内視鏡検査は，「１」バルーン内視鏡によるもの，「２」スパイラル内視鏡によるもの，「３」カプセル型内視鏡によるもの，「４」その他に分別された。

ダブルバルーン内視鏡（図表４-13）

従来のプッシュ式の小腸鏡では，内視鏡が小腸内に50cmから１m入ったところで，先に進まなくなる。理由は小腸が伸びるためである。そこで，小腸が伸びないように，筒につけた風船状のバルーンで腸管を押さえながら，その中を通して内視鏡を進める構造となっている。

（「日本消化器学会」ホームページ参照）

小腸は口からも肛門からも遠く，暗黒の臓器と言われてきた。しかし，ダブルバルーン内視鏡やカプセル内視鏡検査の点数が新設されるなど，医療技術や機器はめざましい進化をとげ，盛んに行われるようになっている。

粘膜点墨法とは，内視鏡直視下に無菌の墨汁等の色素を消化管壁に極少量注射し，治療範囲の決定や治療後の部位の追跡等の目印とするもので，加算点数が設定されている。インジゴカルミンやヨードを散布して病変を見やすくする場合は，色素内視鏡と呼ばれ粘膜点墨法に準じて算定できる。ただし，D310小腸内視鏡検査については，「４」その他の区分のみ算定可能である（**図表４-14**）。

事例では，電子カルテの設定がすべての内視鏡検査で粘膜点墨法加算を算定可能としていたために，誤って入力されたものであった。点検者の見落としもあったため，オーダー入力できないように改修して査定防止策とした。

図表４-13　ダブルバルーン内視鏡

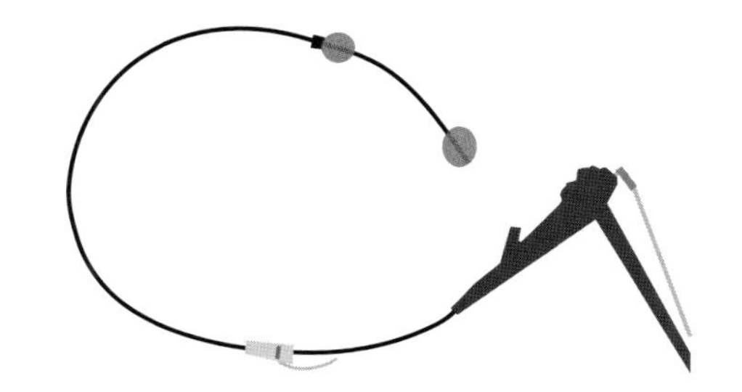

図表４-14　内視鏡検査と粘膜点墨法加算の算定可否（筆者作成）

	内視鏡検査	点墨法加算
D306	食道ファイバースコピー	○
D308	胃・十二指腸ファイバースコピー	○
D310	小腸内視鏡検査	—
	１　バルーン内視鏡によるもの	×
	２　スパイラル内視鏡によるもの	×
	３　カプセル型内視鏡によるもの	×
	４　その他のもの	○
D312	直腸ファイバースコピー	○
D313	大腸内視鏡検査	—
	１　ファイバースコピーによるもの	—
	イ　S状結腸	○
	ロ　下行結腸及び横行結腸	○
	ハ　上行結腸及び盲腸	○
	２　カプセル型内視鏡によるもの	○

審査査定

検査病理

Q109　大腸内視鏡検査の査定　D313

「直腸ポリープ」と「便潜血」の病名で，大腸ファイバーが行われ，下記のように査定減点された。

⑥⓪	＊大腸内視鏡検査「1」「ハ」上行結腸及び盲腸	1,550×1	⇨ 直腸ファイバースコピー 550×1に査定

A　点数表には，下部消化管の内視鏡検査について次のように掲げられている。

> **D312　直腸ファイバースコピー　550点**
> **D313　大腸内視鏡検査**
> 1　ファイバースコピーによるもの
> 　イ　S状結腸　900点
> 　ロ　下行結腸及び横行結腸　1,350点
> 　ハ　上行結腸及び盲腸　1,550点
> （「早見表」p.547）

大腸は，腹部の大きな部分を占める臓器であり，盲腸，結腸，直腸を含む（**図表4-15**）。

長年の食生活の欧米化にともなって，大腸癌が増加する傾向にあり，健診などでも注腸検査を検査項目に加えるところが増えてきている。

この事例では，便の潜血反応が陽性となっていることから，大腸癌などを疑い大腸ファイバーが行われた事例である。

しかし，確定病名は「直腸ポリープ」であり，病名との不一致もあり，直腸ファイバースコピーに査定を受けた。担当医としては，他の疾患の検査もあり上行結腸まで確認をしたとのことであるが，レセプト上に疑い病名を含めて病名がなかったので査定となっている。検査には，適応となる病名が必ず必要となるので注意されたい。

図表4-15　小腸と大腸の名称

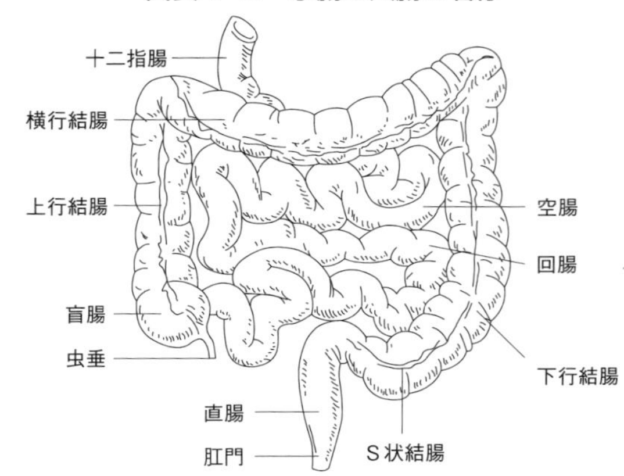

Q110　頸管粘液一般検査での検体採取料の査定　D004「6」，D418「1」

〈**病名**〉不妊症
〈**内容**〉2024年7月分，関連部分のみ抜粋

⑥⓪	＊頸管粘液一般検査	75×1	
	＊子宮頸管粘液採取	40×1	⇨ 0に査定

A　不妊症に対して，D004「6」頸管粘液一般検査を実施するため，頸管粘液を採取した事例である。併せて検体採取料としてD418「1」子宮頸管粘液採取を算定したところ，査定された。

頸管粘液一般検査は，排卵期に頸管粘液の①量，②透明度，③pH（酸性度合い），④粘度（粘液の糸を引く度合い）の確認および乾燥させて結晶化したものの形などを顕微鏡で調べる検査であるが，検体の採取はツベルクリン用の注射器を使用して子宮口（**図表4-16**）付近の粘液を吸引することとなっている。

よって，子宮頸部の細胞を採取して行われるスメアなどの検体採取（綿棒などを使って行うが，複数箇所から採取するため手間がかかる手技）よりも手技が簡単なため，手技料の算定が認められなかった

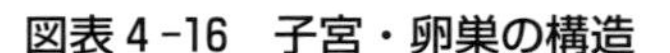

図表4-16　子宮・卵巣の構造

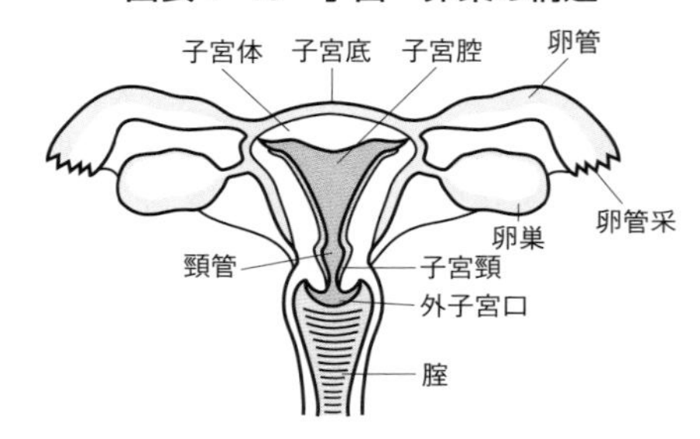

ついて，E003造影剤注入手技における振分けが間違っていたというものである。当該手技は，E003「６」腟内注入及び穿刺注入「ロ」その他のもの（120点）ではなく，E003「５」内視鏡下の造影剤注入「ロ」尿管カテーテル法（両側）（1,200点）に当たるという。

２点目の指摘は，「造影剤注入（腎盂内注入）」とK783-２経尿道的尿管ステント留置術の手技料が重複しているというものである。「造影剤注入（腎盂内注入）」は，手技としてはJ062腎盂内注入と合致すると考えられるため，それぞれの手技（**図表５－１**）について解剖図（**図表５－２**）と併せて確認を行った。その結果，どちらも，尿道→膀胱→（尿管口から）尿管→（腎盂内注入は）腎盂―という経路でカテーテル等を進めており，連絡文書の記載が理解できた。関係者には事例の経緯を説明するとともに，今後はこれらを併算定しないよう周知した。

図表５－１　腎盂内注入と経尿道的尿管ステント留置術の手技比較

区分	J062　腎盂内注入（尿管カテーテル法を含む）　1,612点	K783-2　経尿道的尿管ステント留置術　3,400点
内容	尿管カテーテル法は（中略）尿管カテーテルを腎盂に挿入して薬液を注入するもの。尿管口をよく確認した後，尿管カテーテルを通して視野に出す。尿管に近づいて尿管口にカテーテルをゆっくり挿入する。	尿道に膀胱鏡を挿入し，尿管の膀胱への出口（尿管口）を確認します。ガイドワイヤーを尿管口に挿入し，それに沿わせる形で尿管に細い管（尿管ステント）を入れます。
出所	『臨床手技の完全解説　2024-25年版』p.62（医学通信社）	某病院での手術説明書より

図表５－２　尿路の解剖図

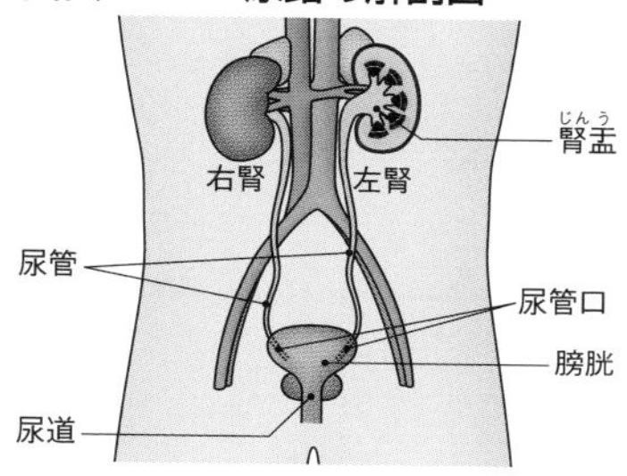

Q114　MRIの造影剤使用加算の査定

E202「注３」

〈病名〉胃癌の疑い
〈内容〉2024年６月分，関連部分のみ抜粋

⑦⓪	＊磁気共鳴コンピューター断層撮影 （1.5テスラ以上3テスラ未満の機器による場合） 造影剤使用加算	1,580×1	⇨ 1,330×1に査定
	＊フェリセルツ散20%600mg　1包	（点数省略）×1	
	＊画像記録用フィルム（半切）6枚	（点数省略）×1	

A　造影剤（フェリセルツ）を使用したMRI撮影であったため上記のように算定したところ，造影剤使用加算（250点）が査定された。

フェリセルツの添付文書を確認すると，「MRI用消化管造影剤」と記載がある。腹腔内は実質臓器と消化管のコントラストにあまり差がないため，その鑑別を容易にするために消化管造影剤を使用する場合がある。その薬剤として開発されたのがこのフェリセルツである。したがって消化管そのものの造影診断を目的としたものではない。さらに添付文書を読んでいくと以下のような記載があった。

> **【用法】**（関連部分のみ抜粋）
> 600mg（１包）を300mLの水に溶かし，経口投与。必要に応じ，1,200mg（２包）まで増量。

フェリセルツは経口造影剤である。ここで，造影剤使用加算に関する通知を確認する。

> **造影剤使用加算**
> (5)　「注３」に規定する「造影剤を使用した場合」とは，静脈内注射等により造影剤使用撮影を行った場合をいう。ただし，経口造影剤を使用した場合は除く。
> （下線筆者）（令６保医発0305・４／**「早見表」p.569**）

したがって，造影剤使用加算は算定できない。

この医療機関では，放射線科にて記入された伝票をもとに，医事会計入力者が会計入力を行っている。今回の誤りは，伝票の「MRI造影」欄にチェックがあり，そのまま会計入力したために発生した。このような誤りを起こさないためにも，伝票起票を行う医療従事者との情報共有が不可欠と言えよう。オーダリング，電子カルテを採用している医療機関においては，システム面，運用面の整備について，改めて確認してほしい。

Q115　プリモビスト注シリンジの査定

E202，薬剤

条件 DPC対象病院，500床規模，外来，外科（2024年６月，関連部分のみ抜粋）
〈病名〉直腸癌
〈内容〉

⑫	＊外来診療料	76×1
⑰	＊MRI撮影（1.5テスラ以上3テスラ未満）（腹部） 造影剤使用加算 電子画像管理加算	（点数省略）×1
	EOB・プリモビスト注シリンジ 18.143% 10mL 1筒	（点数省略）×1

〈カルテ〉医師記録より抜粋

6/5　＃直腸癌
術後フォロー CT，エコーにて胆嚢癌及び肝転移を疑い，本日造影MRIで精査

A　直腸癌で腹部のMRI撮影を行った事例である。造影剤のプリモビスト注が査定されたため，原因を探るべくカルテを確認した。

直腸癌は術後であり，再発や転移を確認する広範囲CT（胸部～骨盤）を施行した際，偶発的に胆嚢癌を疑わせる所見を発見し，造影MRIを施行したようだ。しかし，レセプトには胆嚢癌の疑い，肝転移の疑いが記載されていなかった。

次にプリモビスト注の効能・効果を調べた。

【効能・効果】 磁気共鳴コンピューター断層撮影における肝腫瘍の造影

肝腫瘍において優れた診断能を示す薬品であることがわかった。レセプト点検担当者へ確認したところ「癌病名があれば造影CTやMRIは大丈夫」との思い込みがあり，胆嚢癌の疑いを記載しなかったとのことであった。

また，レセプトチェックシステムでも警告が出る設定がなされていなかったことが判明。カスタマイズにより対策を講じた。

Q116　コンピューター断層撮影（CT撮影）の査定

E200，E203

条件 DPC対象病院，外来（2024年７月，関連部分のみ抜粋）
〈病名〉⑴　肺炎，胸膜炎　R６.７.４ 中止
〈内容〉診療実日数：１日

⑬	＊診療情報提供料（Ⅰ）	250×1	
⑰	＊コンピューター断層撮影（CT撮影・64 列以上マルチスライス型機器） 撮影部位（CT撮影）：胸部・肩（その他の場合） 電子画像管理加算 電子媒体保存	1,120×1	⇨ 0に査定
	＊コンピューター断層診断	450×1	⇨ 0に査定
	＊画像診断管理加算２	175×1	

A　2024年３月に80歳の男性が発熱と咳嗽時の右胸部痛により救急搬送され，入院となった事例である。

翌月の４月には退院し，外来フォローを継続されていたが，2024年７月診療分においては，肺炎，胸

膜炎の経過を診断したのち，他院へ紹介となっている。

この月の請求で，転帰欄で肺炎，胸膜炎の病名を中止としたこともあってか，E200「1」CT撮影からE203コンピューター断層診断までが「病名不備」と判断され，「事由A（不適応）」にて査定を受けた。

外来の請求においてCTの査定の影響は大きく，悩まされている医療機関も少なくない。当該病院では，CTの請求時にその必要性をコメントとして付記するなど工夫をしている。本例は，医師に報告のうえ，再審査請求を行い，復活した。

【再審査請求コメント】

肺炎・胸膜炎で入院加療後の経過観察のため，CT検査を行ったものです。結果を見て，診断名を中止としていますが，再燃の可能性を考慮した経過観察のCTとして認めていただければ幸いです。

事前にコメントや症状詳記を付記するかどうかの判断は簡単ではないが，カルテをよく読み，臨床上において，なぜ撮影が行われたかを考え，必要時には医師に相談をすることで，内容の伝わる請求になるよう留意されたい。

6―入院に関する査定

1 入院時食事療養費・特別食加算

特別食とは，特定の疾患あるいは患者の容態に合わせて，治療上の意義から調理に多大な労力を必要とするものについて，厚生労働大臣が定めたものである。したがって，病名や食事の状態が定められている。しかし，ややもすると適応病名がないのに算定されていたりする場合がある。うっかりしたチェックミスで査定を受ける場合も多い。注意を要する項目である。

2 入院基本料・入院基本料等加算・特定入院料

退院後，再入院した患者の入院基本料の起算日については，支払基金や国保連合会での査定は多くはない。しかし，保険者審査での過誤により減点される場合があるので，注意が必要である。点数表には次のように記されている。

入院期間の計算について（退院後の再入院）
（前略）次のいずれかに該当する場合は，新たな入院日を起算日とする。
ア　1傷病により入院した患者が退院後，一旦治癒し若しくは治癒に近い状態までになり，その後再発して当該保険医療機関又は当該保険医療機関と特別の関係にある保険医療機関に入院した場合
イ　退院の日から起算して3月以上〔悪性腫瘍，難病の患者に対する医療等に関する法律（平成26年法律第50号）第5条第1項に規定する指定難病〔同法第7条第4項に規定する医療受給者証を交付されている患者（同条第1項各号に規定する特定医療費の支給認定に係る基準を満たすものとして診断を受けたものを含む）に係るものに限る〕又は「特定疾患治療研究事業について」（昭和48年4月17日衛発第242号）に掲げる疾患（当該疾患に罹患しているものとして都道府県知事から受給者証の交付を受けているものに限る。ただし，スモンについては過去に公的な認定を受けたことが確認できる場合等を含む）に罹患している患者については1月以上〕の期間，同一傷病について，いずれの保険医療機関に入院又は介護老人保健施設に入所（短期入所療養介護費を算定すべき入所を除く）することなく経過した後に，当該保険医療機関又は当該保険医療機関と特別の関係にある保険医療機関に入院した場合
（令6保医発0305・4／**「早見表」p.71**）

まず，入院病名を確認することがポイントとなる。別の傷病で入院したのであれば，当然その入院日が起算日となる。
また「入院基本料等」の通則5には次のように掲げられている。

通則5
第1節（入院基本料）から第4節までに規定する期間の計算は，特に規定する場合を除き，保険医療機関に入院した日から起算して計算する。ただし（中略）急性増悪その他やむを得ない場合を除き，最初の保険医療機関に入院した日から起算して計算する。
（下線筆者）（**「早見表」p.66**）

上記通則5にみられるように，急性増悪ややむを得ない場合には再入院日＝起算日となることにも注意しなければならない。
以上より，多くの病名が記載されているレセプトでは，摘要欄を用いて入院病名を明確にすることが求められる。さらに同一の傷病での再入院であれば，上記の規定がかかわってくる。

〈同一疾病での再入院の扱い〉
1．治癒または治癒に近い状態までよくなり，その後再発し再入院した場合　⟶　**再入院日＝起算日**
2．退院後も傷病が継続し，再燃したため再入院した場合
①退院後3月未満　⟶　**前回入院日＝起算日**

②退院後３月経過後再入院（この間入院歴なし）　⟶　**再入院日＝起算日**

※上記は一般病名の場合である。悪性腫瘍や難病の場合は，「３月」を「１月」と読み替える。

１については，「治癒に近い状態まで回復し退院した患者である。日常生活にもほとんど支障なく経過していたが，再発したため，再入院を余儀なくされた」など，状態を明確にする症状詳記が必要となる。また，前述のように急性増悪により再入院した場合も再入院日＝起算日となることに留意したい。この場合は傷病名の診療開始日も急性増悪の日となる。注意が必要である。

さらにその他の事例についても，退院や入院の年月日を明記することは言うまでもない。

Q117　救急医療管理加算１の査定

A205「１」

条件　**出来高病院，救急指定，土日祝休診**（2024年６月分，関連部分のみ抜粋）

〈病名〉右脛骨骨折（2024.6.16），右足挫滅創（2024.6.16）

〈内容〉

	入院日：2024.6.16（入院中）	
⑪	＊初診料（休日加算）	541×1
㉑	＊投薬（省略）	
㊿	＊骨折観血的手術「２」（脛骨）（19日）	18,370×1
⑼	＊救急医療管理加算１	
	「ケ」緊急手術を必要とする状態	1,050×7

⇨　420×７に査定

A　事例では，A205 救急医療管理加算１（1,050点）が２（420点）に査定となった。査定事由はD（不適当：国保）であり，国民健康保険連合会から「２～３日後の予定手術で治療可能な患者は，『ケ　緊急手術…』に該当しません。生命に関わる重篤な場合かどうか配慮を願います」と連絡があった。

同加算１の通知を見てみる。

救急医療管理加算

(3)　救急医療管理加算１の対象となる患者は，基本診察料の施設基準等の別表第７の３（以下この項において「別表」という）に掲げる状態のうち１から12のいずれかの状態にあって，医師が診察等の結果，入院時点で重症であり緊急に入院が必要であると認めた重症患者をいい，（以下略）

(4)　救急医療管理加算２の対象となる患者は，別表の１から12までに準ずる状態又は13の状態にあって，医師が診察等の結果，入院時点で重症であり緊急に入院が必要であると認めた重症患者をいい，（以下略）

（令６保医発0305・４／**「早見表」p.114**）

緊急に入院が必要であると認めた重症患者の状態が示されている。なお，2020年改定では「重症患者」を表す内容を下表の①から状態を選択し，②の指標，③の実施した診療行為について診療報酬明細書の摘要欄に示すこととなっている。

「重篤」の意味を辞書で調べると，「症状が著しく重いこと」と説明されており，「非常に重く生命に危険が及ぶ症状」のことを意味するものと捉えられる。

整形外科の骨折に対する手術など，生命に危険が及ばない２～３日後の予定手術で対応できるような

	① 該当する状態	② 入院時の状態に係る指標
1	吐血，喀血又は重篤な脱水で全身状態不良	－
2	意識障害又は昏睡	JCS
3	呼吸不全で重篤な状態	P／F比
4	心不全で重篤な状態	NYHA
5	急性薬物中毒	－
6	ショック	平均血圧 昇圧剤利用の有無
7	重篤な代謝障害	肝不全：ＡＳＴ値 肝不全：ＡＬＴ値 腎不全：ｅＧＦＲ値 重症糖尿病：ＪＳＤ値 重症糖尿病：ＮＧＳＰ値 重症糖尿病：随時血糖値 その他：具体的な状態
8	広範囲熱傷，顔面熱傷又は気道熱傷	Burn Index 顔面熱傷又は気道熱傷の有無
9	外傷，破傷風等で重篤な状態	－
10	緊急手術，緊急カテーテル治療・検査又はｔ－ＰＡ療法を必要とする状態	－
11	消化器疾患で緊急処置を必要とする重篤な状態	－
12	蘇生術を必要とする重篤な状態	－
13	その他の重症な状態　※加算２のみ	－

③　当該重症な状態に対して，入院後３日以内に実施した検査，画像診断，処置又は手術のうち主要なもの

〔令６保医発0305･4　通知(5)，(6)をもとに筆者作成〕

審査査定

入院

場合には，「ケ」の「緊急手術」には該当しないとされ，同加算１ではなく同加算２を算定するように配慮してほしいとの見解から，減額査定となったものと推測できる。

なお，手術に対する時間外等加算の規定における初診または再診から８時間以内の緊急手術が必要な場合で，患者状態が重篤であるか否かを迷う場合は，医師と相談してあらかじめコメントを記載するなどして，審査側に判断を委ねる必要がある。

事例の病院では，今後も重篤な状態を基準に査定が行われることが予測されるため，医師に対して同加算１に該当する「生命に危険が及ぶ状況」の判断基準の作成をお願いしている。

Q118　重症者等療養環境特別加算の査定

A221

条件 DPC対象病院，600床規模，入院，脳神経外科（2024年６月，関連部分のみ抜粋）

〈病名〉転移性脳腫瘍（C793）

〈内容〉分類番号：010010xx97x00x

入院日：R６.５.31／退院日：R６.６.15

診療実日数：15日／入院時年齢：36歳／転帰：軽快

⑨⓪	退院（R６.６.15）		
	＊療養環境加算	25×10	
	＊重症者等療養環境特別加算（個室）	300×5	⇨ ×4に査定

A 事例は，審査支払機関が病院との面接懇談の際に示した内容である。A221重症者等療養環境特別加算「１」個室の場合（300点）が１日分査定を受けたものであり，審査支払機関が提示した内容は以下のとおりであった。

> 加算の対象となる者は，次のいずれかに該当する患者であって，特に医療上の必要から個室又は２人部屋の病床に入院した者である。
> ア　病状が重篤であって絶対安静を必要とする患者
> イ　必ずしも病状は重篤ではないが，手術又は知的障害のため常時監視を要し，適時適切な看護及び介助を必要とする患者
> 軽快退院日は重症者等療養環境特別加算の対象となりません。　（下線筆者）

また，担当医による退院時要約（サマリー）にて転帰の実際を確認すると，記載内容は以下のとおりであった。

> **【退院時要約】**（関連部分のみ抜粋）
> 転帰：軽快
> 多発性脳転移。5/31緊急手術。その後，急速に新規病巣出現，意識レベル低下，麻痺増強がある状態であり，6/11から重症個室にて管理。年齢もありガンマナイフ希望。
> ガンマナイフ目的に○○市民病院へ転院目的で退院。

さらに，会計カードを確認すると退院日15日での算定が確認できた（**図表６－１**）。審査側はコーディングデータとして日付情報を得ているため，査定したのだろう。

審査側は，レセプトの転帰欄の記載が「軽快」であれば，少なくとも退院時には重症者等療養環境特別加算の通知で示される「絶対安静」「常時監視を要する」状態ではないと判断されるとして，その場合，退院時の同加算の算定は認められないとし，今後，請求を控えるよう説明した。

なお，そもそもこの事例の転帰は「軽快」ではなく「不変」としておくべきだったと考える。

ちなみに，転帰が「軽快」で，退院日までA301特定集中治療室管理料，A300救命救急入院料，A303「２」新生児集中治療室管理料等を算定しているような場合についても，本事例と同様，対象患者には該当しないとして査定を受けることがあるので，併せてご注意いただきたい。

図表６－１　2024年６月の会計カード

日付	11	12	13	14	15
重症者等療養環境特別加算（個室）	1	1	1	1	1

審査査定

入院

Q119　無菌治療室管理加算の査定

A224

条件 DPC対象病院，500床，入院，72歳の患者（2024年７月，関連部分のみ抜粋）
〈病名〉急性骨髄性白血病
〈内容〉入院：７月22日（予定入院）（診療実日数７日）

⑬	＊薬剤管理指導料1（安全管理が必要な医薬品） （22日） （ノバントロン，キロサイド）	380×1
㉝	＊無菌製剤処理料1（ロ）（23日～28日）	45×6
⑨⓪	＊無菌治療室管理加算1（22日～28日）	3,000×7 ⇨ ×６に査定

A　急性骨髄性白血病の化学療法（地固め療法）目的で入院し，抗がん剤治療を実施した患者の事例である。７月22日より無菌室（**図表６－２**）に入院したため，A224「１」無菌治療室管理加算１を７日間算定し，薬剤師より抗がん剤投与に関する薬剤指導を行ったためB008薬剤管理指導料（安全管理が必要な医薬品），G020「１」無菌製剤処理料１「ロ」（イ以外）を算定している。

本事例では，レセプト審査で無菌治療室管理加算が７日間から６日間となり，１日分の3000点が査定となった。

3000点の高額査定であったため，早速，血液内科の医師と協議し，施設基準と通知文を確認した。

A224　「1」無菌治療室管理加算１の施設基準
1　当該保険医療機関において自家発電装置を有している。
2　滅菌水の供給が常時可能である。
3　個室である。
4　室内の空気清浄度が，患者に対し無菌治療室管理を行っている際に，常時ISOクラス６以上である。
5　当該治療室の空調設備が垂直層流方式，水平層流方式又はその双方を併用した方式である。
（下線筆者）（「早見表」p.1149）

A224　無菌治療室管理加算
(1)　無菌治療室管理加算は，保険医療機関において，白血病，再生不良性貧血，骨髄異形成症候群，重症複合型免疫不全症等の患者に対して，必要があって無菌治療室管理を行った場合に算定する。（以下略）
（下線筆者）（令６保医発0305・４／「早見表」p.129）

どちらにも「無菌治療室管理の実施」が明記されているが，予定入院日である７月22日には化学療法を実施していなかったため，無菌治療室管理の必要性に疑義がもたれたのだろうと推測した。地域によって審査基準は様々だが，患者の病態が算定要件となる入院料加算や特定入院料などは，入院日（予定）同様，自宅への軽快・不変での退院日に関しても注意が必要である。

図表６－２　垂直層流方式の無菌治療室

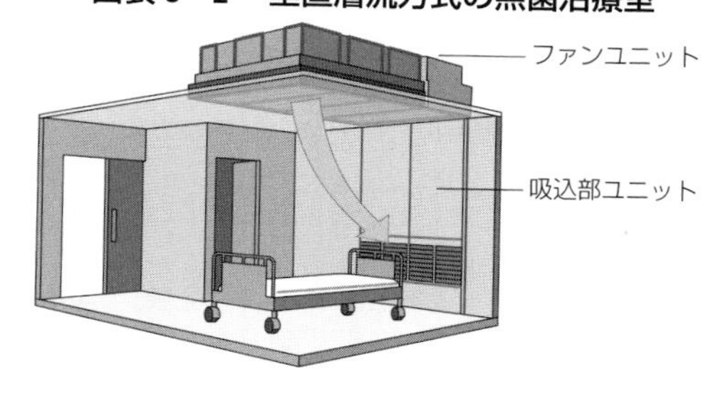

Q120　ハイリスク分娩管理加算の査定

A237「1」

条件 DPC対象病院（200床），入院，産婦人科（2024年7月，関連部分のみ抜粋）
〈病名〉既往帝切後妊娠
〈内容〉【入院時併存傷病名】妊娠糖尿病28週
【入院年月日】R6.7.20　【退院年月日】R6.7.28

⑬	＊薬剤管理指導料2	325×2	
	＊肺血栓塞栓症予防管理料	305×1	
㉑	＊メチルエルゴメトリン錠0.125mg　3T	（点数省略）	
	＊ロキソプロフェンNa錠60mg　1T	（点数省略）	
㊿	＊帝王切開術（選択帝王切開）	20,140×1	
㉛	＊ハイリスク分娩管理加算	3,200×8	⇨　0に査定

〈カルテ〉
（入院前内科外来受診時）
帝王切開予定
GDMあり　75gOGTT（前78／60分158／120分150）
血糖測定は継続している
引き続き食事の改善と（可能な範囲での）運動療法を指導

A　A237「1」ハイリスク分娩管理加算が「療養担当規則等に照らし，医学的に適応と認められないもの」として査定された事例である。まず対象疾患を確認した。

ハイリスク分娩等管理加算
(1)「1」に掲げるハイリスク分娩管理加算の算定対象となる患者は，次に掲げる疾患等の妊産婦であって，医師がハイリスク分娩管理が必要と認めたものであること。（以下抜粋）
ア　妊娠22週から32週未満の早産の患者
サ　糖尿病（治療中のものに限る）の患者
ただし，治療中のものとは，対象疾患について専門的治療が行われているものを指し，単なる経過観察のために年に数回程度通院しているのみの患者は算定できない。
（下線筆者）（令6保医発0305・4／**「早見表」p.148**）

レセプト上には対象となる疾患名「妊娠糖尿病」が記載されているが，実際に専門的治療が行われていたか，カルテを確認した。

血糖測定は入院前の内科外来で行っているが，検査数値も基準内で，妊娠糖尿病については経過観察となっており，専門的治療が行われていたとは言えないことが判明した。

妊娠糖尿病の診断基準
75gOGTTにおいて次の基準の1点以上を満たした場合に診断する。
①空腹時血糖値≧92mg/dL
②1時間値≧180mg/dL
③2時間値≧153mg/dL
（国立国際医療研究センター糖尿病情報センターHP）

入院時の併存傷病名に妊娠糖尿病が選択されたことから，機械的にハイリスク分娩管理加算を算定していたと考えられる。本項目を算定する際には，傷病名のみから判断するのではなく，カルテにあたって，実際に治療が行われていたかを確認する必要がある。

Q121 特定集中治療室管理料の査定

A301

条件 DPC対象病院（特定機能病院，専門病院以外），入院（2024年８月分，関連部分のみ抜粋）
〈病名〉狭心症（I209）
〈内容〉【診断群分類番号】050050xx0200xx
【今回入院年月日】2024.８.14／【今回退院年月日】2024.８.18
【入退院情報】予定・緊急入院区分：１予定入院
【前回退院年月日】2022.４.27
【出来高部分】

㊿	＊経皮的冠動脈ステント留置術（その他のもの）（16日）	21,680×1
92	＊特定集中治療室管理料３（７日以内）	8,036×1

⇨ 0に査定

〔添付した症状詳記〕

前回入院中の４/26にCAG（冠動脈造影）を施行。RCA（右冠動脈）＃３に90％の狭窄を認めたため，今回治療目的で再入院。PCI（経皮的冠動脈形成術，ステント留置術含む）を施行。（中略）拡張を得て，合併症なく手技終了。

A 事例は，狭心症の患者に計画的にK549経皮的冠動脈ステント留置術（その他のもの）を施行し，術後の患者の状態を観察するためにICU（特定集中治療室）で管理した症例のレセプトだが，A301特定集中治療室管理料がD査定（不適当）となった。他にも同様に査定となったレセプトが数件あったため，審査支払機関に問い合わせた。

すると，第一に狭心症の診断であること，第二に予定入院であり，入院３日目での待機的PCI（梗塞部位の速やかな再還流が必要ないため，心筋梗塞急性期の治療法とはならない）であること，第三に症状詳記からも点数表に定める算定対象患者とは読み取れないこと――の３点が理由であるとの説明があった。

点数表を確認すると，算定対象患者は，次に掲げる状態にあって，医師が特定集中治療室での管理が必要だと認めた者であると通知されている。

【特定集中治療室管理料の算定対象】
ア　意識障害又は昏睡
イ　急性呼吸不全又は慢性呼吸不全の急性増悪
ウ　急性心不全（心筋梗塞を含む）
エ　急性薬物中毒
オ　ショック
カ　重篤な代謝障害（肝不全，腎不全，重症糖尿病等）
キ　広範囲熱傷
ク　大手術後
ケ　救急蘇生後
コ　その他外傷，破傷風等で重篤な状態
（令６保医発0305・４／**「早見表」p.179**）

本事例の場合は，「ウ」の規定が該当しているように見えるが，審査支払機関とやりとりをした結果，審査支払機関では急性心不全について以下のような考え方をしていることが推測された。

心不全	急性心不全	数時間，日単位で急に心不全症状が出たもの。
	慢性心不全	月，年単位で慢性的に症状があるもの。

このような考え方も合わせると，今回の査定は，審査側の指摘どおりと受け入れざるを得ないものとなった。

事例の病院では，傷病名が狭心症で待機的PCIの施行患者のICU入室については，画一的な入室に歯止めをかける狙いで，上級医による許可制とした。

審査支払機関では，レセプト電子チェックの際に，予定入院を一つの鍵にして条件抽出をかけ，候補をリストアップしているであろうことが予想できる。原因追求ももちろんだが，そのレセプトがなぜ査定の対象になり得たのかというロジックを明らかにしていく想像力も，今後は医事課に求められる能力の一つになってきていると考えられる。

Q122 ハイケアユニット入院医療管理料の返戻・査定

A301-2

条件 **出来高病院，350床，入院，整形外科**（2024年6月，関連部分のみ抜粋）
〈病名〉左大腿骨転子部骨折（主）（R6.6.1），慢性腎不全（R6.6.1）
〈内容〉診療実日数：30日
入院日：R6.6.1

(50)	＊関節内骨折観血的手術（股）（5日）	20,760×1
(92)	＊ハイケアユニット入院医療管理料1	
	地域加算（3級地）	6,903×1

⇨ ハイケアユニット入院医療管理料1が査定

A いったん，返戻を受け，さらに返戻再請求後に査定となった事例である。返戻付箋にあった内容は以下のとおり。

> **【返戻付箋】**
> ハイケアユニット入院医療管理料の必要性がうかがえません。算定要件および評価票等をご確認のうえ請求して下さい。（手書きの原文ママ）

なお，再請求の際に添付した症状詳記は以下のとおり。

> **【症状詳記】**（抜粋）
> 高齢で慢性心不全（レセプトに傷病名記載なし）もあり，術後に急変が起きる可能性があるため24時間体制での管理が必要と判断し，術後HCU管理としました。

返戻付箋には「算定要件」との記述がある。ポイントは，本事例が，算定対象となる患者の状態（「ア」意識障害又は昏睡～「コ」その他外傷，破傷風等で重篤な状態）に該当するかどうかである。

ここで，事例の病院と同じ都道府県の審査支払機関の資料（返戻と同月日付の資料）を紹介しよう。

> **【審査運営委員会協議結果】**
> 整形外科的手術後の特定集中治療室入院料の算定について，大腿骨頸部骨折や変形性膝関節症の手術など，当該管理料の算定要件に該当しないと思われる場合は認めない。

この資料の基準で考えると，査定理由の一つは，「整形外科的手術」の原因となった疾患名で返戻再請求を行ったため，算定対象に該当しないと判断されたためだと考えられる。

さらに，返戻付箋にあった「評価票」というのもポイントである。「評価票」とは，ハイケアユニット入院医療管理料に係る別紙「ハイケアユニット用の重症度，医療・看護必要度に係る評価票」（「早見表」p.1211）を指し，この基準を満たすには「A得点が1項目以上」の重症度である必要がある。この点がクリアされていれば認められたかもしれないが，確認した結果，スコアを満たすことはなかった。

手術後の患者であっても，算定要件を満たしていなければ請求することはできない。その旨を病院内で共有することが重要である。事例の病院では，審査支払機関の資料にある術式および四肢骨の手術に関しては，その重症度を勘案したうえで入室の是非を判断する運用に改めた。

7—その他の査定

1 医学管理等の査定

Q123 特定薬剤治療管理料（抗てんかん剤）の査定

B001「2」

〈病名〉てんかん（主）
〈内容〉2024年6月分（外来），関連部分のみ抜粋

⑬	＊薬剤情報提供料	4×1	
	＊てんかん指導料	250×1	
	＊特定薬剤治療管理料（抗てんかん剤） （2種類以上投与）（リボトリール，フェノバール） 初回算定日：2006.5.20	470×2	⇨ ×1に査定

A 抗てんかん剤を2種類以上（リボトリール：クロナゼパム，フェノバール：フェノバルビタール）使用している事例だが，B001「2」特定薬剤治療管理料が1種類の「470点×1」に査定された。

特定薬剤治療管理料の算定要件に「抗てんかん剤を投与しているもの」とあり，「注5」には「2種類以上の抗てんかん剤を投与している場合は月2回に限り所定点数を算定できる」とあり，算定は妥当と思われる。

考えられる理由は，フェノバールが「日本標準商品分類（総務省）」において，抗てんかん剤を示す「113」のみではなく，「112」催眠鎮静剤，抗不安剤としても分類されている点にあるものと思われた。フェノバールの添付文書には，871125，871134の順に商品分類番号が記されている（「87」は医薬品を表し，下線部の分類が薬効，成分，用途等を示す）。

審査を行うにあたり順位が先の商品番号を機械的に適用しているように思われた。フェノバールの添付文書には「てんかんのけいれん発作」も効能・効果として謳われている。医薬品などは添付文書どおりの使用が最優先されることから，フェノバールの添付文書を添えて再審査請求を行ったところ，復活した。

なお，事例では外来としたが，DPC対象病院を含む入院でも算定できる医学管理料であり，算定もれがないよう留意されたい。なお，従来レセプト表記上，初回算定年月が従来求められてきたが，2018年改定にて抗てんかん剤若しくは免疫抑制剤を投与している患者については省略して差し支えない旨が記載要領にあるので留意願いたい。（「早見表」p.1650参照）

Q124 糖尿病合併症管理料の査定

B001「20」

条件 **DPC対象病院（450床），外来，内科，関連する施設基準届出あり**（2024年7月，関連部分のみ抜粋）

〈病名〉2型糖尿病，慢性腎不全

〈内容〉

⑫	＊外来診療料	76×1
⑬	＊糖尿病合併症管理料	170×1

⇨ 0に査定

〈カルテ〉

<医師記録>　看護師へフットケアを行うよう指示。
<看護師記録>　フットケア施行（9:50〜10:20）
シャボン浴，ラード保湿を行い，両爪白癬は改善傾向。
パンフレットを用いて，足の状態の観察方法，足の清潔・爪切り等の足のセルフケア方法，正しい靴の選択方法についての指導を行った。

A　B001「20」糖尿病合併症管理料が「不適当または不必要とみとめられるもの」としてA査定となった事例である。カルテの記載は以下（上記）のとおりであり，指導内容には問題がなかった。

そこで，糖尿病合併症管理料の算定要件を確認したところ，糖尿病足病変ハイリスク要因に対する傷病名がレセプトに不足していたことがわかった。

> **糖尿病合併症管理料**
> (1)　糖尿病合併症管理料は，次に掲げるいずれかの糖尿病足病変ハイリスク要因を有する入院中の患者以外の患者（中略）に対し，医師が糖尿病足病変に関する指導の必要性があると認めた場合に，月1回に限り算定する。
> ア　足潰瘍，足趾・下肢切断既往
> イ　閉塞性動脈硬化症
> ウ　糖尿病神経障害
> （令6保医発0305・4／**「早見表」p.265**）

糖尿病合併症管理料は，近年の糖尿病患者の著しい増加に対して，糖尿病の重症化予防のために看護師が実施するフットケアを評価する点数として設けられた項目である。2018年度改定では，常勤看護師だけでなく非常勤看護師によるフットケアにも算定が認められるようになった。

査定された要因として，本事例では閉塞性動脈硬化症の既往があったが，それが電子カルテの病名オーダーに登録されておらず，レセプトに傷病名が反映されていなかったことがわかった。そこで医師へ症状詳記を依頼し，再審査請求を行ったところ復活となった。

以後は，医師・看護師・医事課が協力し，算定患者に対する傷病名が不足していないかチェックする運用体制を構築した。

関連部署で施設基準の届出や診療録記載に対して十分な準備を行っていたにもかかわらず，レセプトの傷病名もれで査定となった事例である。すべての関連部署でレセプト請求についての理解を深め，院内全体で査定返戻対策に取り組んでいただきたい。

Q125 肺血栓塞栓症予防管理料の査定

B001-6

〈病名〉腰椎椎間板ヘルニア

〈内容〉2024年6月分，関連部分のみ抜粋

⑬	＊肺血栓塞栓症予防管理料	305×1
㊿	＊椎間板摘出術（後方摘出術）（10日）	23,520×1

⇨ 0に査定

A　椎間板摘出術を行った患者に対して弾性ストッキングを使用し，肺血栓塞栓症予防管理料を算定したところ，査定された事例である。

「肺血栓塞栓症／深部静脈血栓症（静脈血栓塞栓症）予防ガイドライン」では，整形外科手術における静脈血栓塞栓症の予防（**図表7-1**）で，中リスクとして脊椎手術が明示されており，予防法として弾性ストッキングあるいは間歇的空気圧迫法が示されている。

条件的には問題はないように思われるが，脊椎手術のなかでも椎間板摘出術は低侵襲手術に該当し，手術時間も長時間に及ばないこともあり，リスクは

低いと判断され，必要性が認められなかったのではないかと考えられる。実際に患者の状態等から予防管理が必要であった場合は，その理由等を詳記したほうがよい。

図表7-1 整形外科手術における静脈血栓塞栓症の予防

リスクレベル	整形外科手術	予防法
低リスク	上肢手術	早期離床および積極的な運動
中リスク	脊椎手術 骨盤・下肢手術（股関節全置換術，膝関節全置換術，股関節骨折手術を除く）	弾性ストッキングあるいは間歇的空気圧迫法
高リスク	股関節全置換術，膝関節全置換術，股関節骨折手術	間歇的空気圧迫法あるいは低用量未分画ヘパリン
最高リスク	「高」リスクの手術を受ける患者に，静脈血栓塞栓症の既往，血栓性素因が存在する場合	〔低用量未分画ヘパリンと間歇的空気圧迫法の併用（あるいは）低用量未分画ヘパリンと弾性ストッキングの併用〕

チェックポイント！

★ 手術を受ける患者に肺血栓塞栓症予防を行うにあたっては，「肺血栓塞栓症／深部静脈血栓症（静脈血栓塞栓症）予防ガイドライン」を参考に，手術および患者のリスクと対策を検討し，予防方法を選択する！

★ 実際の患者の状態などから予防管理が特に必要となる場合などは，その理由について詳記したほうがよい！

Q126 リンパ浮腫指導管理料の査定

B001-7

条件 DPC対象病院（300床），入院（2024年6月，関連部分のみ抜粋）

〈病名〉両側乳がん

〈内容〉【入院時併存傷病名】妊娠糖尿病28週

【入院年月日】R6.6.23 【退院年月日】R6.6.30

⑬	＊リンパ浮腫指導管理料	100×1 ⇨ 0に査定
⑸	＊乳腺悪性腫瘍手術（乳房切除術・腋窩部郭清を伴わないもの）	22,520×2
⑻	＊がん患者リハビリテーション料	205×4
	＊リハビリテーション総合計画評価料1	300×1

〈手術記録〉

両乳房切除術（左側）腋窩リンパ節郭清術を施行した。

A 当事例では，B001-7リンパ浮腫指導管理料が査定された。算定要件を確認してみる。

> **B001-7 リンパ浮腫指導管理料**
> 注1 保険医療機関に入院中の患者であって，鼠径部，骨盤部若しくは腋窩部のリンパ節郭清を伴う悪性腫瘍に対する手術を行ったもの又は原発性リンパ浮腫と診断されたものに対して，（中略）算定する。（下線筆者）（「早見表」p.303）

腋窩，すなわち脇の下のリンパ節をすべて取ることを「腋窩リンパ節郭清」，略して「腋窩郭清」と言う。

リンパ浮腫指導管理料はリンパ節郭清を前提とした点数となっているが，レセプト上のK476乳腺悪性腫瘍手術が「3」乳房切除術（腋窩部郭清を伴わないもの）となっていたため，査定されたのである。実際に手術記録を確認したところ，以下（上記）のようになっていた。

両側乳房切除術としてオーダーされていたが，手術記録から，左側はリンパ節郭清を行っていることが確認できた。したがって正しくは，左側はK476乳腺悪性腫瘍手術「4」乳房部分切除術（腋窩部郭清を伴うもの），右側はK476「3」乳房切除（腋窩部郭清を伴わないもの）の算定となる。

審査査定

その他

実際の手術記録を確認したうえで正確なレセプト請求をしていれば防げた査定である。手術の算定誤りのみならず，関連する項目の査定にもつながる事例があることを認識し，オーダーのみを判断材料に算定するのではなく，しっかりカルテを確認されたい。

Q127　退院時リハビリテーション指導料の査定

B006-3

条件 DPC対象病院，300床規模，入院（2024年８月，関連部分のみ抜粋）
〈病名〉左乳癌（Ｒ６.７.23）
〈内容〉

⑬	＊退院時リハビリテーション指導料	300×1
⑸⓪	＊乳腺悪性腫瘍手術（14日）	
	＊乳房切除術（腋窩部郭清を伴わないもの）（左）（14日）	22,520×1

A　左乳癌の手術目的で入院した患者（45歳女性）に対するB006-3退院時リハビリテーション指導料が査定された事例である。退院時リハビリテーション指導料とは，下記のように規定された項目である。

> **退院時リハビリテーション指導料**
> ⑶　当該患者の入院中，主として医学的管理を行った医師又はリハビリテーションを担当した医師が，患者の退院に際し，指導を行った場合に算定する。（以下省略）
> ⑷　指導の内容は，患者の運動機能及び日常生活動作能力の維持及び向上を目的として行う体位変換，起座又は離床訓練，起立訓練，食事訓練，排泄訓練，生活適応訓練，基本的対人関係訓練，家屋の適切な改造，患者の介助方法，患者の居住する地域において利用可能な在宅保健福祉サービスに関する情報提供等に関する指導とする。
> （令６保医発0305・４／**「早見表」p.323**）

本例では，術後に腕があがりにくい，肩関節が痛いという症状があり，医師が理学療法士，作業療法士と共同して患者への指導が必要と判断し実施している経緯があったため，審査機関に確認したところ，「乳房切除術で腋窩リンパ節郭清を伴わないものについて，退院時リハビリテーション指導料の算定は認められない」との回答であった。

腋窩リンパ節郭清を行うと腕や肩が動きにくくなる運動障害が起こることもあり，その場合リハビリを必要とするケースがある。審査機関の回答はこのケースに準じたものだと考えられるが，退院時リハビリテーション指導料の指導内容は，運動機能に限定されたものではなく，左記⑷に示したようにその他様々な生活における指導も含まれているため，この審査機関の回答では院内の算定運用を見直すところまでは話を進めることができなかった。

また，同医療機関で鼠径ヘルニアの手術目的で入院した患者の退院時リハビリテーション指導料が査定された事例もあった。同規模の別の医療機関では大腸ポリープの内視鏡手術目的で入院した患者にも同様の査定があった。

ともに審査機関に確認したところ，「請求された手術では退院時リハビリテーション指導料の算定は認められない」との回答であった。

手術の種類によって指導料が算定できないという回答を受け入れることはむずかしく，当該医療機関では現在，医師が必要と認める患者（一般的に高齢者が多い）には算定を継続している。病名等で患者の状態が判断できないものは必要性について症状詳記を添付している病院もある。画一的な症状詳記にならないよう注意し，請求をしてみてはいかがだろうか。

Q128　薬剤管理指導料１の査定

B008

条件 DPC対象病院（500床規模），入院（2024年７月，関連部分のみ抜粋）
〈病名〉くも膜下出血
〈内容〉【診断群分類番号】010020x001x1xx
※入院期間３を超えて入院しているため出来高で算定

⑬	＊薬剤管理指導料1（安全管理を要する医薬品投与患者）（プレドニン錠5mg）（５日）	380×1	⇨ 0に査定

審査査定

その他

A　くも膜下出血，水頭症にて３度にわたり手術を実施，遷延性意識障害により長期入院後にリハビリ目的で７月３日に転院するも，同月５日に全身皮疹発症にて再入院となった症例である。よって，３日退院の出来高レセプトと５日再入院における上記のDPCレセプトという２つのレセプト請求となった。B008薬剤指導管理料１が査定されたため，まずは当該点数の通知から算定条件を確認した。

薬剤管理指導料
(1)　薬剤管理指導料は，当該保険医療機関の薬剤師が医師の同意を得て薬剤管理指導記録に基づき，直接服薬指導，服薬支援その他の薬学的管理指導（中略）を行った場合に週１回に限り算定できる。
（下線筆者）（令６保医発0305・４／**「早見表」p.324**）

薬剤管理指導料について注意すべきポイントは，週（日〜土）に１回しか算定できないことである。以前は薬剤管理指導実施の間隔が６日以上必要であったが，その条件が緩和，撤廃された。それにより指導実施の管理が楽になったと薬剤部には好評であった。かつては，薬剤師が誤って指導日の間隔を５日間しかとらなかったために算定できなくなった事例が多く，事務で指導実施間隔の点検をしなければならなかったが，その必要もなくなった。

改めてレセプトを点検したところ，７月３日退院の出来高レセプトでは７月２日に，７月５日再入院のDPCレセプトでは５日と12日に薬剤管理指導料を算定していた。

参考資料：カレンダー（2024年７月分より抜粋）

日	月	火	水	木	金	土
	1	②	3	4	⑤	6
7	8	9	10	11	⑫	13
14	15	16	17	18	19	20

（丸囲みが薬剤管理指導を実施した日）

同一週に薬剤管理指導料の算定が２回あったため，５日の指導料が査定されたものであった。この件を入院会計担当者に確認したところ，レセプトが２つに分かれているため，重複の確認がもれてしまったということであった。また，薬剤部では再入院症例の場合，同一週であっても算定ができるという認識であった。薬剤部には再入院症例でも同一週は算定ができない旨を説明し，情報を共有してもらった。入院会計担当者には，期間が算定条件となっている診療報酬についてはレセプトだけの点検ではなく，医事端末の画面上（会計カード）で点検することを改善策とした。

Q129　薬剤管理指導料２の査定

B008，A307

条件　**DPC対象病院，小児入院医療管理料２届出医療機関，入院**（2024年６月，関連部分のみ抜粋）
〈病名〉　RSウイルス性気管支炎（R６.６.５）
〈内容〉　生後２カ月
【出来高部分】

⑬	＊薬剤管理指導料2（1の患者以外の患者）	325×1	⇨　0に査定
⑨⓪	＊小児入院医療管理料2（14日以内） （施設基準加算）（保育士１名）	2,521×5	

A　当該事例は，RSウイルス気管支炎でA307小児入院医療管理料２を算定する病床へ入院した患児であるが，B008薬剤管理指導料「２」が「事由D」（不適当）にて査定となった。

査定原因の分析を行うに当たり，医科点数表の小児入院料管理料の告示を確認した。

A307　小児入院医療管理料
注11　診療に係る費用〔注２，注３及び注５から注10までに規定する加算並びに当該患者に対して行った第２章第２部第２節在宅療養指導管理料，第３節薬剤料，第４節特定保険医療材料料，第５部投薬，第６部注射，第10部手術，第11部麻酔，第12部放射線治療，第13部第２節病理診断・判断料及び第14部その他の費用並びに第２節に規定する臨床研修病院入院診療加算等（以下の入院基本料等加算は省略）を除く〕は，小児入院医療管理料１及び小児入院医療管理料２に含まれるものとする。
（下線筆者）（**「早見表」p.195，196**）

医科点数表の告示を適用すると，薬剤管理指導料は小児入院医療管理料２に含まれる扱いとなるが，今回の事例はDPCレセプトであり，診断群分類点数表の適用となるため，診断群分類点数表でも確認を行った。

〈通知〉厚生労働大臣が指定する病院の病棟におけ

審査査定

その他

る療養に要する費用の額の算定方法の一部改正等に伴う実施上の留意事項について
第3　費用の算定方法
1　診療報酬の算定
(3)　診断群分類点数表等により算定される診療報酬
①　診断群分類点数表に含まれる費用
エ　医学管理等の費用（他略）
※ただし，B001-6肺血栓塞栓症予防管理料からB015精神科退院時共同指導料までは除く
(4)　特定入院料の取り扱い
（前略）当該点数を算定する際の包括範囲は，(3)に定める範囲とし，（以下略）
（下線筆者）（令6保医発0321第6号）
（「DPC点数早見表」p.414，415）

当該通知より，DPCにおいて特定入院料を算定する場合にあっては，特定入院料の包括範囲より，DPCの包括範囲が優先で適用されるということがわかった。

B001-6肺血栓塞栓症予防管理料からB015精神科退院時共同指導料までは包括範囲外となるため，B008薬剤管理指導料は算定できることとなる。

この内容を記載し，再審査に提出したところ，復活となった。医科点数表と診断群分類点数表では異なる取扱いがあることに注意が必要だと感じた事例であった。

Q130　退院時薬剤情報管理指導料の査定

B014

〈病名〉 脳梗塞後遺症，誤嚥性肺炎
〈内容〉 2024年7月分，後期高齢者，関連部分のみ抜粋

⑬	＊退院時薬剤情報管理指導料	90×2 ⇨ ×1に査定
⑳	＊前回入院：2024.4.9 ～ 7.2 今回入院：2024.7.9 ～ 7.19 注　前回入院歴を引き継ぐ	

A 患者は後期高齢者で，脳梗塞後遺症のため寝たきりで，誤嚥性肺炎による入退院を繰り返している。この事例は，B014退院時薬剤情報管理指導料「90×2」が「90×1」へ査定されたものである。7月2日，19日の退院時にそれぞれ薬剤部から薬剤情報を提供したとの情報伝達があり，医事課にて算定されていた。

まずは，算定要件を確認してみる。

退院時薬剤情報管理指導料
(1)　退院時薬剤情報管理指導料は，医薬品の副作用や相互作用，重複投薬を防止するため，患者の入院時に，必要に応じ保険薬局に照会するなどして薬剤服用歴や患者が持参した医薬品等（医薬部外品及びいわゆる健康食品等を含む）を確認するとともに，入院中に使用した主な薬剤の名称等について，患者の薬剤服用歴が経時的に管理できる手帳（中略）に記載した上で，患者の退院に際して当該患者又はその家族等に対して，退院後の薬剤の服用等に関する必要な指導を行った場合に，退院の日1回に限り算定する。なお，ここでいう退院とは，第1章第2部「通則5」に規定する入院期間が通算される入院における退院のことをいい，入院期間が通算される再入院に係る退院日には算定できない。
（下線筆者）（令6保医発0305・4／「早見表」p.345）

この事例は入院起算日が通算される入院であるため，上記下線部の定めにより7月19日の分は算定できない。

なお，退院時薬剤情報管理指導料に関連して，同管理指導料とB008薬剤管理指導料またはB009診療情報提供料（Ⅰ）との併算定は可能であることにも留意したい。

なお，このような「入院期間の計算」を基にした起算日の考え方については，DPC対象病院においては特に意識が薄れているのが現状なので，今一度確認をされたい。

審査査定

その他

2 在宅医療の査定

Q131 在宅自己注射指導管理料の査定

C101

条件 DPC対象病院（200床以上）（2024年６月，関連部分のみ抜粋）
〈病名〉２型糖尿病・腎合併症あり（E112）
〈内容〉【診断群分類番号】10007xxxxxx1xx
【入院年月日】Ｒ６.６.15（予定入院）【退院年月日】Ｒ６.６.19
【診療実日数】５日

⑬	＊在宅自己注射指導管理料（１以外の場合） （月28回以上）	750×1
	＊在宅自己注射の注射薬剤 ライゾデグ配合注　フレックスタッチ 300単位　１キット（朝26単位）10日分	（点数省略）△×1
	＊注入器用注射針加算（１以外の場合）	130×1

⇨ 月27回以下650×1に査定

A ２型糖尿病の治療として在宅自己注射の指導を継続して行っている患者である。今回，血糖コントロールのため入院し，退院時に当該月のC101在宅自己注射指導管理料を算定した。毎月１回算定するので，当月分としてC101「２」「ロ」月28回以上の場合の管理料（750点）を算定したところ,「２」「イ」月27回以下の場合の点数（650点）に査定された。１月分の指導をしているのになぜ査定されるのか，支払基金に問い合わせたところ，「診療報酬点数表でそのように定められている」との回答だった。診療報酬点数表をよく確認してみると，通知に下記の記載があった。

> 在宅自己注射指導管理料
> (8)「２」については，医師が当該月に在宅で実施するよう指示した注射の総回数に応じて所定点数を算定する。（中略）ただし，予定入院等あらかじめ在宅で実施されないことが明らかな場合は，当該期間中の指示回数から実施回数を除して算定する。（以下略）
> （下線筆者）（令６保医発0305・４／「早見表」p.411）

今回の入院は予定入院である。その５日間を除くと，在宅が26日間となる。この患者はライゾデグ配合注を朝１回自己注射するので，実施回数は26回となるため，C101「２」「ロ」月27回以下の場合となったのである。

また，それ以外にも気をつけておきたいのが処方した薬剤の量である。レセプトではライゾデグ配合注が10日分しか処方されていない。残薬があったためと思われるが，その場合は「残薬あり」と記載しておくべきだろう。外来でも同様だが，薬剤の処方量が指導の指示回数とみなされ査定される可能性があるためだ。残薬があり，当月の処方薬剤量が１カ月分に満たない場合は注意が必要である。

Q132 注入器用注射針加算の査定

C153

条件 DPC対象病院，外来（2024年７月，関連部分のみ抜粋）
〈病名〉骨粗鬆症（Ｒ６.７.９）
〈内容〉診療実日数：２日

⑬	＊在宅療養指導料	170×1
⑭	＊在宅自己注射指導管理料（１以外の場合） （月27回以下） 導入初期加算	1,230×1
	＊注入器用注射針加算「２」	130×1
	＊<自己注射薬剤> フォルテオ皮下注キット600μg　１キット	（薬剤料省略）×1

審査査定

その他

〈カルテ〉関連部分のみ抜粋し要約

7/9	初回指導日　フォルテオ皮下注キット1キット＋BDマイクロファイン32G　4mm
7/30	2回目指導　問題なく指導完了 院外処方　テリパラチドBS皮下注キット600μg　1キット＋BDマイクロファイン32G　4mm

A　C101在宅自己注射指導管理料に対する材料加算のC153注入器用注射針加算「2」がD査定（算定要件に合致していない）された。レセプトを確認すると，当該月はC101「注2」導入初期加算を算定している月で，診療実日数は2日，自己注射薬剤が院内処方1回，院外処方で1回出ていた。

整理すると，7月9日は外来で実施する教育期間の初日で在宅療養指導料を算定し，医師はフォルテオ皮下注1キット（28日分）および注射針を院内で支給。7月30日は教育期間の2日目で，教育後に医師による指導があり在宅自己注射指導管理料を算定，院外処方にてテリパラチドBS皮下注1キットおよび注射針を支給したこととなる。

在宅療養指導管理材料加算の「通則2」では「在宅療養指導管理材料加算のうち，保険医療材料の使用を算定要件とするものについては，当該保険医療材料が別表第3調剤報酬点数表第4節の規定により調剤報酬として算定された場合には算定しない」とされており，本事例では30日の院外処方が調剤報酬で請求されたために9日の注入器用注射針加算が認められなかったと考えられる。

毎回の算定時のカルテ確認と併せて月単位で在宅薬剤の処方状況を確認し，正しく算定されたい。

Q133　特殊カテーテル加算の査定　　C163

条件　DPC対象病院，600床規模，外来，泌尿器科（2024年6月，関連部分のみ抜粋）

〈病名〉神経因性膀胱（H26.10.3）

〈内容〉

⑭	＊在宅自己導尿指導管理料	1,400×1
	＊特殊カテーテル加算（再利用型カテーテル）	400×1

A　当該事例は，神経因性膀胱にて在宅自己導尿を行っている事例で，今回C163特殊カテーテル加算「1」再利用型カテーテルがD査定（不適合）となった。

査定分析を行うに当たり，適応病名を確認したところ，「神経因性膀胱」は適応であり問題がなかった。そもそも病名が不適当な場合，指導料本体も査定となるため，病名不備の可能性は低いであろうと考えた。

次に，「不適合（算定要件を満たしていない）」という理由から，前月の算定状況を確認した。

レセプト（2024年5月，関連部分のみ抜粋）
傷病名：神経因性膀胱（H26.10.3）

➡	⑭	＊在宅自己導尿指導管理料	1,400×1
		＊特殊カテーテル加算（再利用型カテーテル） 当月分，翌月分	400×2

前月のレセプトから，「当月分」と「翌月分」として特殊カテーテル加算が2月分算定されていることが分かった。

特殊カテーテル加算
注　在宅自己導尿を行っている入院中の患者以外の患者に対して，再利用型カテーテル，間歇導尿用ディスポーザブルカテーテル又は間歇バルーンカテーテルを使用した場合に，3月に3回に限り，第1款の所定点数に加算する。

つまり，前月受診時に複数月分として2月分の材料加算が算定されているため，当月さらに加算を算定することは要件上認められないとして査定されたことがわかる。

当月のレセプトのみならば何の問題もなく見えるが，定期的に受診している患者については，時系列で算定状況を見て適切な請求かを確認しつつレセプトを作成しなければならないと改めて感じさせられた事例であった。

審査査定

その他

3 リハビリテーションの査定

Q134　初期加算，早期リハビリテーション加算の査定

H001

条件 DPC対象病院，650床，入院（2024年６月，関連部分のみ抜粋）
〈病名〉心原性脳塞栓症
〈内容〉【診断群分類番号】010060xx99x20x

⑳	＊脳血管疾患等リハビリテーション料（Ⅰ）（作業療法士による場合） 早期リハビリテーション加算 初期加算　315×10 発症年月日；令和6年6月24日 疾患名；心原性脳梗塞症	⇨ 245×10に査定

A　視界の焦点が合わないことを主訴に近隣の医院を受診した患者に左空間失認が認められるも，頭部ＭＲＩで診断がつかず，当該病院に紹介された事例である。当該病院での精査の結果，心原性脳梗塞の診断および治療が実施された。

レセプトについて，審査機関より『H001「１」脳血管疾患等リハビリテーション料（Ⅰ）は他院より継続で実施されているため，早期リハビリテーション加算，初期加算は算定不可のため査定とする』旨の連絡があった。算定担当者は他院でのリハビリテーション料算定を把握していなかったうえ，審査機関からの連絡ということもあり，当該加算の算定はむずかしいと判断していた。

しかし，別の算定担当者は，新たな症状があり自院に紹介受診された経緯に注目し，請求の妥当性を医師に相談した。医師からも，「審査機関は他の医療機関のリハビリが脳血管疾患だったという理由だけで連絡したのではないか」という見解が示された（図表７-２）。

そのため，病態および診療の経過を症状詳記に記載して再審査請求することとした。

審査機関からの連絡を理由にそのままにしていたら減点されている事例であった。点数の算定要件やカルテの内容を正しく示すことで不要な査定を防ぐことは機械的な審査が強化されていく昨今において重要なことと考えられる。

図表７-２　審査機関の査定根拠の推察

	別の医療機関	当該医療機関
疾患名	不明	心原性脳梗塞
算定	脳血管疾患等リハビリテーション	脳血管疾患等リハビリテーション
加算	不明	早期リハビリテーション加算，初期加算
発症年月日	不明	令和6年6月24日

Q135　廃用症候群リハビリテーション料の査定

H001-2

〈病名〉房室ブロック（2024.5.18），廃用症候群（2024.5.27）
〈内容〉2024年６月分（入院），関連部分のみ抜粋

⑳	＊廃用症候群リハビリテーション料（Ⅰ）（理学療法士による場合） （2，4，7，9，11，13，17，18日）　180×8	⇨ 0に査定

【症状経過】（概要）
①廃用をもたらすに至った要因：治療に伴う安静臥床
②臥床・活動性低下の期間：２週間以内
③廃用に陥る前のADL：FIM 116

A　レセプトに症状経過を添えて提出したものの，H001-2廃用症候群リハビリテーション料（Ⅰ）の８単位すべてが「D：療担規則違反」として査定された事例である。

FIM（機能的自立度評価表）は，患者が他人や道具に頼らないでどのくらい日常生活を行えるかを評価する方法で，自立度が高いほど点数が高くなる。自立度が最も低い場合で18点，最も高い場合（満点）

は126点である。

事例では，廃用に陥る前は116点であり，自立度が高い状態であったことが読み取れる。

留意事項を確認する。

【廃用症候群リハビリテーション料の対象となる患者】
①急性疾患等に伴う安静（治療の有無を問わない）による廃用症候群であって，一定程度以上の基本動作能力，応用動作能力，言語聴覚能力及び日常生活能力の低下を来しているものであること。「一定程度以上の基本動作能力，応用動作能力，言語聴覚能力及び日常生活能力の低下を来しているもの」とは，治療開始時において，②FIM115以下，BI85以下の状態等のものをいう。
（下線筆者）（令６保医発0305・４／**「早見表」p.628**）

対象となるのは，①かつ②の状態である。事例の場合，FIMが116点のため，②の「FIM115以下」には該当しない。また，症状経過には「治療に伴う安静臥床」としか記載がなく，具体性がないため，「急性疾患等」に該当しないとみなされた可能性もある。対策としては，「○○の治療に伴う安静臥床」とし，具体的に外科手術または肺炎等に準ずる状態や疾患名や治療経緯を記載しなければならないものと考える。

なお，手術日当日から「廃用症候群」として当該リハビリテーション料を施行した場合については，予防のためと判断されかねないので，注意が必要である。

図表７-３　H003-2リハビリテーション総合計画評価料の算定要件

リハビリテーション総合計画評価料１（１月に１回に限り）300点	
対象患者	以下を算定すべきリハビリを行った場合 心大血管疾患リハビリテーション料（Ⅰ） 呼吸器リハビリテーション（Ⅰ） がん患者リハビリテーション料 認知症患者リハビリテーション料
	介護リハビリテーションの利用を予定している患者**以外**の患者に対し，以下を算定すべきリハビリを行った場合 脳血管疾患等リハビリテーション料（Ⅰ）（Ⅱ） 廃用症候群リハビリテーション料（Ⅰ）（Ⅱ） 運動器リハビリテーション料（Ⅰ）（Ⅱ）

リハビリテーション総合計画評価料２（１月に１回に限り）240点	
対象患者	介護リハビリテーションの利用を予定している患者に対し，以下を算定すべきリハビリを行った場合 脳血管疾患等リハビリテーション料（Ⅰ）（Ⅱ） 廃用症候群リハビリテーション料（Ⅰ）（Ⅱ） 運動器リハビリテーション料（Ⅰ）（Ⅱ）

リハビリテーション総合計画評価料１・２共通の算定要件
定期的な医師の診察及び運動機能検査又は作業能力検査等の結果に基づき医師，看護師，理学療法士，作業療法士，言語聴覚士，社会福祉士等の多職種が共同してリハビリテーション総合実施計画書を作成し，これに基づいて行ったリハビリテーションの効果，実施方法等について共同して評価を行った場合に算定する。（令6保医発0305·4）

Q136　摂食機能療法の査定

H004

条件 **DPC対象病院，700床規模，入院**（2024年６月，関連部分のみ抜粋）
〈病名〉 ビッカースタッフ脳幹脳炎（G610），ギランバレー症候群，嚥下障害
〈内容〉 包括評価の対象とならない入院料を算定する患者

⑧⓪	＊摂食機能療法１（1日につき）30分以上の場合　185×21 対象疾患名：嚥下障害 治療開始日：R６年６月７日

⇨ 0に査定

A 事例は，ギランバレー症候群で外来通院加療中であったが，栄養摂取不良と呼吸状態の悪化により，緊急入院となったものである。嚥下障害に対するH004摂食機能療法が事由A（不適応）にて査定となったため，まずは算定条件の確認を行った。

H004　摂食機能療法（１日につき）
注１　１については摂食機能障害を有する患者に対して，１月に４回に限り算定する。ただし，治療開始日から起算して３月以内の患者については，１日につき算定できる。（**「早見表」p.642**）

原則１月に４回の算定だが，治療開始日が６月７日であるため，６月のレセプトは開始３カ月以内の期間に該当し，月に21回の算定に問題はない。

H004　摂食機能療法
(1)（前略）摂食機能障害者とは，以下のいずれか

に該当する患者をいう。
ア　発達遅滞，顎切除及び舌切除の手術又は脳卒中等による後遺症により摂食機能に障害があるもの
イ　内視鏡下嚥下機能検査又は嚥下造影によって他覚的に嚥下機能の低下が確認できるものであって，医学的に摂食機能療法の有効性が期待できるもの
（下線筆者）（令６保医発0305・４／**「早見表」p.642**）

嚥下障害の原因がどの疾患にあるのかを主治医に問い合わせたところ，脳血管疾患等に該当する「ビッカースタッフ脳幹脳炎」であると回答を得た。査定事由はA（不適応）であり，症状詳記がなく病名欄からも「両疾患の後遺症による摂食障害」と判断できないとされたことが査定の原因と考えられた。７月以降も実施している必要な治療であるため，病名に「嚥下障害（後遺症）」と追加し，必要性の補記をして請求したところ，査定とはならなくなった。

4　精神科専門療法の査定

Q137　入院精神療法の査定　　I001

〈病名〉非定型肺炎（J189），非定型精神病（F28）
〈内容〉2024年７月分，関連部分のみ抜粋

⑳	入院日：R6.7.3	
	＊入院集団精神療法	100×5
	＊入院精神療法（Ⅱ）（６月以内）	150×3

⇨　×2に査定

A　長期間にわたり，他院精神科で医療保護入院をしていたが，肺炎の診断により抗生剤で治療するも軽快しないため，救急搬送されてきた事例である。炎症疾患の治療後に精神病棟へ転棟，そして以前の病院に転院となった。

事例では，転院前に実施した入院精神療法（Ⅱ）が３回から２回に査定された。理由を検証するため，精神療法の算定要件を確認した。

I001　入院精神療法「２」入院精神療法（Ⅱ）
注２　２については，入院中の患者について，入院の日から起算して４週間以内の期間に行われる場合は週２回を，入院の日から起算して４週間を超える期間に行われる場合は週１回をそれぞれ限度として算定する。ただし，重度の精神障害者である患者に対して精神保健指定医が必要と認めて行われる場合は，入院期間にかかわらず週２回に限り算定する。（**「早見表」p.655**）

入院期間は４週間を超過しているため，当該症例では週１回しか算定できない。入院精神療法の実施日をカルテで確認したところ，同一週に２回実施していた。しかし，算定要件にある「重度の精神障害者」であれば，週２回の算定が可能である。その要件の詳細を確認した。

(8)　重度の精神障害者とは，措置入院患者，医療保護入院患者及び任意入院であるが何らかの行動制限を受けている患者等をいう。
（令６保医発0305・４／**「早見表」p.655**）

カルテを確認したところ，当院でも医療保護入院であって同意書も取得できていた。身体拘束についても，転院するまで継続してその状態（体幹拘束，両手ミトン使用）から離脱できなかったことから，重度と考えられた。転院前に，頻回の入院精神療法が必要であったことも，主治医に確認した。その旨を説明して，再審査請求を行っている。

「重度の精神障害」であるかどうかの判断は，レセプトのみではむずかしい。今後は入院から４週を超えて入院精神療法を週２回実施する場合は，審査員に判断ができる説明をつけることとした。

また，レセプトチェックシステムが導入されている医療機関であれば，診療行為が回数上限を超過している場合に警告メッセージを出せるように工夫することも検討して，査定対策とされたい。

5 放射線治療の査定

Q138　放射線治療管理料の査定

M000

〈病名〉急性骨髄性白血病，同種末梢血幹細胞移植後（当月）
〈内容〉2024年７月（入院），関連部分のみ抜粋

⑳	＊全身照射（一連につき）	30,000×1
	＊放射線治療管理料（4門以上の照射，運動照射，原体照射又は組織内照射）	4,000×1 ⇨ 0に査定

A　骨髄移植術施行前に全身照射を実施したときの放射線治療管理料が査定を受けた。

放射線治療を行うに際して，あらかじめ作成した線量分布図に基づいた照射計画により放射線照射を行ったものであったが，点数表には下記の記載がある。

> **M000　放射線治療管理料**
> 注１　線量分布図を作成し，区分番号M001に掲げる体外照射，区分番号M004の１に掲げる外部照射，区分番号M004の２に掲げる腔内照射又は区分番号M004の３に掲げる組織内照射による治療を行った場合に，分布図の作成１回につき１回，一連につき２回に限り算定する。
> （「早見表」p.868）

つまり放射線治療管理料が算定できるのは，M001体外照射，M004「１」外部照射，M004「２」腔内照射，M004「３」組織内照射を行った場合に限られ，M002全身照射は対象外であり，算定できない。

8—総　括

1 査定・減点の原因

査定・減点は，医療機関にとっての診療報酬請求業務への成績表といえる。点数表（告示・通知）や疑義解釈，療養担当規則などに則り正しく請求されているかどうか，保険診療の枠から著しく逸脱していないかなどが審査される。

本書では，これらについて具体的な事例をあげながら，いろいろな角度から考察を試みてきた。最後に，改めてポイントをまとめてみたい。

査定・減点の原因を考えてみると，大きく次のように分類される。

(1) 誤った請求に対する減点
(2) 漫然とした使用，漫然とした施行に対する査定
(3) 保険診療では認められていない行為への査定
(4) 原因が特定できない査定

以下にそれぞれの原因について，もう少し詳しくみてみよう。

1） 誤った請求に対する減点

このケースは，医事側に起因する場合が多い。例えば，「同時に算定できない処置をそれぞれ別々に算定してしまう」，「自動吻合器や自動縫合器加算の認められていない手術に対して，これらを算定してしまう」などがこれに当たる。

コンピュータのチェック機能を活用したり，同時に算定できない行為の一覧を作成して関係者に配布するなどの対策が必要である。ただし，コンピュータチェックももちろん重要ではあるが，診療サイドの医師等のオーダー等に由来するようなケースであれば，発生源へのフィードバックも重要となる。コミュニケーションを図る量も重要となる。

2） 漫然とした使用，漫然とした施行に対する査定

これらについては，療養担当規則第20条に明確に記載されている。例えば投薬の項には次のように記されている。

> 2　投薬
> イ　投薬は，必要があると認められる場合に行う。
> ハ　同一の投薬は，みだりに反覆せず，症状の経過に応じて投薬の内容を変更する等の考慮をしなければならない。
> （「早見表」p.1539）

また，注射では，注射によらなければ治療の効果を期待することが困難である場合，手術，処置，リハビリテーションでは，必要があると認められる場合，入院では療養上必要があると認められる場合とされている。必要性，必然性が求められる。

3） 保険診療で認められていない行為への査定

学会等では常識とされていても，保険では認められていないケースも多い。

現在これらの一部については，厚生労働大臣が定める場合に限り保険外併用療養費として扱うことが認められている。例えば，薬価基準収載の医薬品の効能・用法の追加については，有効性や安全性が「公知」であるとして，臨床検査を省略して保険適用する医薬品については，申請され認められるまでの間は，保険外併用療養費における特別の料金により，薬剤の支給を受けることができる。なお，申請が認められた後に，公示を経て「公知申請」医薬品として保険診療の対象となるまでに保険請求を行い査定となる事例もみられるので，これらにも留意が必要となる。

4） 原因が特定できない査定

どんなに原因を追求しても，どうして査定されたのか理解に苦しむことがある。このような場合は，審査側に理由を尋ね，指導を乞うことが必要となろう。

人が行う審査であるかぎり，万に一つの思い違いという場合もある。現在は，審査側でも相当な領域でコンピュータチェックを利用しており，審査の多くはまずコンピュータで2進法的に「(必要なデータが）あるかないか」で行われる。次いで人（ヒト）となる。

いずれにしても，原因不明のものについてはそのままにしないことが，次への対応のためにも必要と

いえる。

2 審査への対応

次に審査への対応について，ポイントをまとめてみたい。

(1) 審査は電子化の進展により能書きや点数表に基づくコンピュータ審査が主流であることを認識する。

(2) 医事職員は，査定・減点を防ぐためのアドバイザーであることを自覚する。

(3) 全職員が保険診療への理解を深め，査定・減点に対して関心をもつ。

(4) 院内各部門間の連携を密にする。

(5) あらかじめの補記症状詳記の添付を励行する。

3 おわりに

査定・減点を意識するあまり，萎縮診療となることは本末転倒である。医療は患者のためにある以上，必要な治療や必要な検査は行わなければならない。

しかし，医療機関といえども，健全な経営基盤がなくては成り立たない。そのため，すべての診療行為をもれなく請求に結びつける努力はもちろんのこと，請求したものを査定・減点を受けることなく全額収入に結びつける努力も，また重要なポイントである。

医療機関に働く全職員が，保険診療への理解を高め，各部門間の連携を密にし，請求もれをなくし，査定・減点を防ぐ認識をもつことが，現段階でできるベストの対応策であると考える。

参考資料

1　血液製剤の使用指針　平成31年3月

赤血球濃厚液の適正使用

1　目的

● 赤血球補充の第一義的な目的は，組織や臓器へ十分な酸素を供給することにあるが，循環血液量を維持するという目的もある。

2　使用指針

1）慢性貧血に対する適応

・造血不全に伴う貧血
・造血器腫瘍に対する化学療法，造血幹細胞移植治療などによる貧血
・固形癌化学療法などによる貧血
・鉄欠乏性，ビタミンB_{12}欠乏性などによる貧血
・自己免疫性溶血性貧血
・腎不全による貧血　など

● その原因を明らかにし，鉄欠乏，ビタミンB_{12}欠乏，葉酸欠乏，自己免疫性溶血性貧血など，輸血以外の方法で治療可能である疾患には，原則として輸血は行わない。

● 高度な貧血の場合には，短時間のうちに大量の輸血を行うと心不全，肺水腫を来すことがある。腎障害を合併している場合には，特に注意が必要である。

● 繰り返し輸血を行う場合には，投与前後における臨床症状の改善の程度やHb値の変化を比較して効果を評価するとともに，副作用の有無を観察したうえで，適正量の輸血を行う。

● 頻回の投与により鉄過剰状態（iron overload）を来すので，不必要な輸血は行わず，できる限り投与間隔を長くする。

2）急性出血に対する適応

・消化管出血
・腹腔内出血
・産科的出血
・気道内出血　など

● 急速出血では，Hb値低下（貧血）と，循環血液量の減少が起こる。

● Hb値が10g/dLを超える場合は輸血を必要とすることはないが，6g/dL以下では輸血はほぼ必須とされている。

● Hb値が6g/dL～10g/dLのときの輸血の必要性は患者の状態や合併症によって異なるので，Hb値のみで輸血の開始を決定することは適切ではない。

3）周術期の輸血

⑴ 術前投与

● 術前の慢性貧血は必ずしも投与の対象とはならない。

● 術前投与は，持続する出血がコントロールできない場合，またはそのおそれがある場合のみに必要とされる。

● 慣習的に行われてきた術前投与のいわゆる10/30ルール〔Hb値10g/dL，ヘマトクリット（Ht）値30%以上にすること〕はエビデンスがない。

⑵ 術中投与

● 周術期貧血のトリガー値をHb値7～8g/dLとすることを強く推奨する。

● 冠動脈疾患などの心疾患あるいは肺機能障害や脳機能障害のある患者では，Hb値を10g/dL程度に維持することが推奨されるが，今後のさらなる研究と評価が必要である。

⑶ 心疾患を有する患者の手術に伴う貧血

● 心疾患，特に虚血性心疾患を有する患者の手術（非心臓手術）における貧血に対して，トリガー値をHb値8～10g/dLとすることを推奨する。

⑷ 人工心肺使用手術による貧血

● 弁置換術や冠動脈大動脈バイパス術（CABG）術後急性期の貧血に対して赤血球輸血を開始するHb値を9～10g/dLとすることを強く推奨する。

(5) 術後投与

● 術後の1～2日間は創部からの間質液の漏出や手術部位の浮腫による機能的細胞外液量減少，血管透過性亢進による血清アルブミン濃度低下が起こることがある。ただし，バイタルが安定している場合は，細胞外液補充液の投与以外に赤血球液，等張アルブミン製剤や新鮮凍結血漿などの投与が必要となる場合は少ない。

4) 敗血症患者の貧血

● 敗血症患者の貧血に対して，トリガー値をHb値7g/dLとすることを強く推奨する。

3 投与量

● 赤血球の投与によって改善されるHb値は，以下の計算式から求めることができる。

予測上昇Hb値（g/dL） = 投与Hb量（g） / 循環血液量（dL）

循環血液量（dL） = 70mL/kg（体重1kgあたりの循環血液量） × 体重（kg） / 100

例えば，体重50kgの成人（循環血液量35dL）にHb値14g/dLのドナーからの血液を2単位（400mL全血採血由来の赤血球液1バック中の含有Hb量は約14g/dL×4dL＝約56gとなる）輸血することにより，Hb値は約1.6g/dL上昇することになる。

4 不適切な使用

● 終末期の患者に対しては，患者の意思を尊重しない投与は控える。

自己血輸血について

1 自己血輸血の推進

● 同種血輸血の安全性は飛躍的に向上したが，病原体の伝播・感染や免疫学的な合併症が生じる危険性を，可能な限り回避することが求められる。

● 輸血を必要とした待機的手術症例の多くは，術前貯血式，血液希釈式，術中・術後回収式などの自己血輸血を十分に活用することにより，同種血輸血を行うことなく手術を行うことが可能となっている。

2 疾患別の自己血輸血の適応

・整形外科手術（人工膝関節置換術，人工股関節置換術，脊椎側弯症手術など）
・婦人科手術（子宮筋腫，子宮癌の手術など）
・産科手術
・心臓血管手術（開心術など）
・外科手術（大腸切除や肝臓切除など）

血小板濃厚液の適正使用

1 目的

● 血小板濃厚液（PC）の輸血は，血小板数の減少または機能の異常により重篤な出血ないし出血の予測される病態に対して，血小板成分を補充することにより止血を図り（治療的投与），または出血を防止すること（予防的投与）を目的とする。

2 使用指針

以下の血小板数の設定はあくまでも目安であって，全ての症例に合致するものではない。

● 一般に，血小板数が5万/μL以上では，血小板輸血が必要となることはない。

● 血小板数が2～5万/μLでは，止血困難な場合には血小板輸血が必要となる。

● 血小板数が1～2万/μLでは，時に重篤な出血をみることがあり，血小板輸血が必要となる場合がある。

● 血小板数が1万/μL未満ではしばしば重篤な出血をみることがあるため，血小板輸血を必要とする。

＊ 慢性に経過している血小板減少症（再生不良性貧血，骨髄異形成症候群など）で，他に出血傾向を来す合併症がなく，血小板数が安定している場合には，血小板数が5千～1万/μLであっても，血小板輸血は極力避ける。

1) 血小板減少による出血時

● 血小板減少による重篤な出血を認める場合（特に網膜，中枢神経系，肺，消化管などの出血）には，原疾患の治療を十分に行うとともに，血小板数を5万/μL以上に維持するように血小板輸血を行うことを推奨する。

2) **外科手術の術前状態，侵襲的処置の施行前**

- 待機的な手術患者では，術前あるいは施行前の血小板数が５万/μL以上あれば，通常は血小板輸血を必要とすることはない。
- 複雑な心臓大血管手術で，長時間の人工心肺使用例，低体温体外循環を用いた手術などでは，血小板数が５万/μL～10万/μLになるよう血小板輸血を行う。
- 頭蓋内の手術のように，局所での止血が困難な特殊な領域の手術では，10万/μL以上であることが望ましい。
- 骨髄穿刺，硬膜外腔穿刺，消化器内視鏡や気管支鏡による生検，肝臓等の臓器針生検については，通常血小板輸血を行う必要はない。

3) **大量出血時**

- 産科的出血，外傷的出血，手術に伴う出血などにより24時間以内に循環血液量相当する量の出血（大量出血）を予測，又は認める場合には，赤血球液を投与するとともに，速やかに新鮮凍結血漿及び血小板濃厚液を投与することを推奨する。

4) **播種性血管内凝固（DIC）**

- 出血傾向の強く現れる可能性のあるDIC（基礎疾患が白血病，癌，産科的疾患，重症感染症など）で，血小板数が急速に５万/μL未満へと減少し，出血症状を認める場合には，血小板輸血を考慮する。
- 出血傾向のない慢性DICについては，血小板輸血の適応はない。

5) **血液疾患**

(1) **造血器腫瘍**

- 急性白血病・悪性リンパ腫などの寛解導入療法においては，急速に血小板数が低下するので，危険なレベル以下に低下した場合には，血小板数をそれ以上に維持するように血小板輸血を行う。

(2) **再生不良性貧血・骨髄異形成症候群**

- 血小板数が５千/μL前後ないしそれ以下に低下する場合には，重篤な出血をみる頻度が高くなるので，血小板輸血を行うことを推奨する。
- 血小板数が５千/μL以上あって，出血症状が皮下出血斑程度の軽微な場合には，血小板輸血の適応とはならない。

(3) **免疫性血小板減少症**

- 特発性血小板減少性紫斑病（ITP）で外科的処置を行う場合には，まずステロイド剤あるいは静注用免疫グロブリン製剤の事前投与を行う。これらの効果が不十分であり，大量の出血が予測される場合には，血小板輸血の適応となり，通常より多量の血小板濃厚液を要することがある。
- ITPの母親から生まれた新生児で重篤な血小板減少をみる場合には，交換輸血のほか，ステロイド剤または静注用免疫グロブリン製剤の投与とともに血小板輸血を要することがある。

(4) **血栓性血小板減少性紫斑（TTP）**

- 血小板輸血により症状の悪化をみることがあるので，血小板輸血を予防的に行うことは推奨しない。

(5) **血小板機能異常症**

- 重篤な出血ないし止血困難な場合にのみ適応となる。

(6) **ヘパリン起因性血小板減少症（HIT）**

- HITが強く疑われる，または確定診断された患者において，明らかな出血症状がない場合には，予防的血小板輸血は避けることを推奨する。

(7) **固形腫瘍に対する化学療法**

- 固形腫瘍に対して強力な化学療法を行う場合には，急速に血小板数が減少することがあるので，必要に応じて適宜血小板数を測定する。
- 血小板数が１万/μL未満に減少し，出血傾向を認める場合には，血小板数が１万/μL以上を維持するように血小板輸血を行うことを推奨する。

(8) **造血幹細胞移植（自家，同種）**

- 造血幹細胞移植後に骨髄機能が回復するまでの期間は，安定した状態（発熱や重症感染症などを合併していない，あるいは急速な血小板数の低下がない状態）であれば，血小板数が１万/μL未満に低下した場合に，血小板輸血を予防的に行うことを推奨する。出血症状があれば，追加の血小板輸血を考慮する。

6) **血小板輸血不応状態（HLA適合血小板輸血の適応）**

- 血小板輸血後に血小板数が増加しない状態を血小板輸血不応状態という。原因には，抗血小板同種抗体などの免疫学的機序によるものと，発熱，感染症，DIC，脾腫大などの非免疫学的機序によるものとがある。
- 免疫学的機序による不応状態の大部分は抗HLA同種抗体によるもので，HLA適合血小板輸血により，血小板数の増加をみることが多い。
- 非免疫学的機序による血小板輸血不応状態では，原則としてHLA適合血小板濃厚液を使用しない。

3 投与量

- 患者の血小板数，循環血液量，重症度などから，目的とする血小板数の上昇に必要とされる投与量を決める。血小板輸血直後の予測血小板増加数（/μL）は以下の計算式により算出する。

$$予測血小板増加数（/\mu L）= \frac{輸血血小板総数}{循環血液量（mL）\times 10^3} \times \frac{2}{3}$$

例えば，体重1kgあたりの循環血液量を70mL/kgとしたとき，血小板濃厚液10単位（2.0×10^{11}個以上の血小板を含有）を，体重60kgの患者（循環血液量70mL/kg×60kg＝4,200mL）に輸血すると，直後には輸血前の血小板より約32,000/μL以上増加することが見込まれる。

4 不適切な使用

- 終末期の患者に対しては，患者の意思を尊重しない投与は控える。

新鮮凍結血漿の適正使用

1 目的

- 新鮮凍結血漿（FFP）の投与は，血漿因子の欠乏による病態の改善を目的に行う。特に，凝固因子を補充することにより，止血の促進効果（治療的投与）をもたらすことにある。

2 使用指針

- 特定の凝固因子の補充を目的とした新鮮凍結血漿の投与は，他に安全で効果的な血漿分画製剤あるいは代替医薬品（リコンビナント製剤など）がない場合にのみ適応となる。
- 投与に当たっては，投与前にプロトロンビン時間（PT），活性化部分トロンボプラスチン時間（APTT）を測定し，DIC，大手術，大量出血・輸血の場合ではフィブリノゲン値も測定する。治療効果の判定は臨床所見と凝固活性の検査結果を総合的に勘案して行う。
- 血小板や凝固因子などの止血因子の不足に起因した，出血傾向に対する治療的投与が，新鮮凍結血漿の適応と考えられる。

1） 凝固因子の補充

(1) 複合型凝固障害

- 肝障害：肝障害により複数の凝固因子活性が低下し，出血傾向のある場合に推奨する。
- L-アスパラギナーゼ投与関連：肝臓での産生低下によるフィブリノゲンなどの凝固因子の減少により，出血傾向をみることがあるが，アンチトロンビンなどの抗凝固因子や線溶因子の産生低下をも来すことから，血栓性をみる場合もある。これらの諸因子を同時に補給するためには新鮮凍結血漿を用いる。
- 播種性血管内凝固（DIC）：DICの治療の基本は，原因の除去（基礎疾患の治療）とヘパリン，アンチトロンビン製剤，タンパク分解酵素阻害剤などによる抗凝固療法である。新鮮凍結血漿の投与は，これらの処置を前提として行われるべきである。
- 大量出血時：産科的出血，外傷的出血，手術に伴う出血などにより大量出血を予測，又は認める場合には，赤血球液を投与するとともに，速やかに新鮮凍結血漿及び血小板濃厚液を投与することを推奨する。

(2) 濃縮製剤のない凝固因子欠乏症

- 血液凝固第V，第XI因子のいずれかの欠乏症，またはこれらを含む複数の凝固因子欠乏症では，出血症状を示しているか，観血的処置を行う際に，新鮮凍結血漿の適応となる。

(3) クマリン系薬剤（ワルファリンなど）効果の緊急補正

- ビタミンKの補給により通常1時間以内に改善が認められるが，より緊急な対応のためには，プロトロンビン複合体製剤を使用する。プロトロンビン複合体製剤を直ちに使用できない場合には，新鮮凍結血漿が使用されるが，その効果の有効性は示されていない。

2） 血漿因子の補充

(1)　**血栓性血小板減少性紫斑病（TTP）**

● 本症に対する新鮮凍結血漿を置換液とした血漿交換療法（循環血漿量の１～1.5倍/回）を行うことを強く推奨する。

(2)　**溶血性尿毒症症候群（HUS）**

● 腸管出血性大腸菌O-157：Ｈ７感染に代表される後天性HUSでは,その多くがADAMTS13酵素活性に異常を認めないため，新鮮凍結血漿を用いた血漿交換療法は，必ずしも有効ではない。

3　投与量

● 生理的な止血効果を期待するため必要な最少の凝固因子活性量を，正常の20～30％程度とする。

> 患者の凝固因子活性量を約20～30％上昇させる際，補充された凝固因子の血中回収率を仮に100％とすれば，患者の体重１kgあたり約８～12mL/kg（40mL/kgの20～30％）の血漿が必要である。

例えば，体重50kgの患者の場合，血中回収率100％の凝固因子の活性量を約20～30％上昇させるのに必要な血漿量は，約400～600mLとなる。

4　不適切な使用

1)　**循環血漿量減少の改善と補充**

2)　**タンパク質源としての栄養補給**

3)　**創傷治癒の促進**

4)　**終末期患者への投与**

5)　**予防的投与**

6)　**その他**

＊　重症感染症の治療，人工心肺使用時の出血予防なども新鮮凍結血漿投与の適応とはならない。

アルブミン製剤の適正使用

1　目的

● アルブミン製剤を投与する目的は，血漿膠質浸透圧を維持することにより，循環血漿量を確保することにある。

2　使用指針

1)　**出血性ショック**

● 循環血液量の30％以上の出血をみる場合には，細胞外液補充液の投与が第一選択となり，人工膠質液の併用も推奨されるが，原則アルブミン製剤の投与は必要としない。

● 循環血液量の50％以上の多量の出血が疑われる場合や血清アルブミン濃度が3.0g/dL未満の場合には，等張アルブミン製剤の併用を考慮する。

2)　**敗血症**

● 敗血症や敗血症性ショックに伴う急性低タンパク血症においては，細胞外液補充液の投与が第一選択薬とすることを強く推奨する。なお，大量の晶質液を必要とする場合などは，細胞外液補充液として，アルブミン製剤の投与を考慮してもよい。

3)　**人工心肺を使用する心臓手術**

● 通常，心臓手術時の人工心肺の充填には，主として細胞外液補充液が使用される。

● 人工心肺実施中の血液希釈で起こった低アルブミン血症は，アルブミン製剤による補正を推奨しない。

● 術前に低アルブミン血症が存在する心臓手術患者において，アルブミン製剤の投与が術後腎機能障害の発生を低下させる，とのエビデンスが報告されている。

● 術前より血清アルブミン濃度または膠質浸透圧の高度な低下がある場合，あるいは体重10kg未満の小児の場合などには，等張アルブミン製剤が用いられることがある。

4)　**肝硬変に伴う難治性腹水に対する治療**

● 肝硬変などの慢性の病態による低アルブミン血症は，それ自体ではアルブミン製剤の適応とはならない。

● 非代償性肝硬変に伴う難治性腹水に対する治療において，以下の４つに関しては，高張アルブミン製剤の使用を強く推奨する。

①　利尿薬による腹水消失を促進して，腹水の再発を抑制するとともに患者の生命予後も改善する。

② 大量（４L以上）の腹水穿刺による循環不全を予防するとともに患者の生命予後も改善する。

③ 特発性細菌性腹膜炎を合併した患者の循環不全を改善して，肝腎症候群の発症を抑制する。

④ 肝腎症候群に対して，強心薬との併用で腎機能を改善するとともに，肝臓移植前に使用することで，移植後の予後を改善する。

5） 難治性の浮腫，肺水腫を伴うネフローゼ症候群

- ネフローゼ症候群などの慢性の病態は，通常アルブミン製剤の適応とはならない。
- 急性かつ重症の末梢性浮腫，あるいは肺水腫に対しては，利尿薬に加えて，緊急避難的に高張アルブミン製剤を使用することを推奨する。

6） 循環動態が不安定な体外循環実施時

- 血液透析等の体外循環実施時において，特に糖尿病を合併している場合や術後などで低アルブミン血症のある場合には，循環血漿量を増加させる目的で等張アルブミン製剤の予防的投与を行うことがある。

7） 凝固因子の補充を必要としない治療的血漿交換療法

- ギラン・バレー症候群，慢性炎症性脱髄性多発（根）神経炎，急性重症筋無力症など凝固因子の補充を必要としない症例では，置換薬として等張アルブミン製剤を使用することを強く推奨する。
- 加熱人血漿たん白は，まれに血圧低下を来すので，原則として使用しない。やむを得ず使用する場合には，特に血圧の変動に留意する。

8） 重症熱傷

- 重症熱傷症例では，急性期の輸液において，生命予後や多臓器障害などの合併症に対するアルブミン製剤を含むコロイド輸液の優越性は，細胞外液補充液と比較して，明らかではない。
- 総輸液量の減少，一時的な膠質浸透圧の維持，腹腔内圧の上昇抑制を目的とする場合は等張アルブミン製剤の投与を推奨する。

9） 低タンパク血症に起因する肺水腫あるいは著明な浮腫が認められる場合

- 術前，術後，あるいは経口摂取不能な重症の下痢などによる低タンパク血症が存在し，治療抵抗性の肺水腫あるいは著明な浮腫が認められる場合は，限定的に高張アルブミン製剤の投与を推奨する。

10） 循環血漿量の著明な減少を伴う急性膵炎など

- 急性膵炎，腸閉塞などにより，循環血漿量の著明な減少を伴うショックを起こした場合には，等張アルブミン製剤の投与を推奨する。

11） 妊娠高血圧症候群

- 降圧剤などを投与し，利尿が減少し，欠尿となるような症例では，等張アルブミン製剤投与を推奨するが，過剰投与はむしろ病態の悪化を来すことに留意する。

12） 他の血漿増加剤が適応とならない病態

- アルブミン製剤以外の代用血漿剤の使用が困難な症例には，アルブミン製剤を使用することを強く推奨する。

3 投与量

- 必要な投与量は，患者の病状に応じて，通常２～３日間で分割投与する。

> 必要投与量（g）
> 　＝ 期待上昇濃度（g/dL）× 循環血漿量（dL）× 100/40
> 　＝ 期待上昇濃度（g/dL）× 0.4/dL/kg × 体重（kg）× 2.5
> 　＝ 期待上昇濃度（g/dL）× 体重（kg）

・期待上昇濃度（g/dL）＝
　目標の血清アルブミン濃度 － 現在の血清アルブミン濃度
・循環血漿量（dL）＝
　0.4dL/kg（体重１kgあたりの循環血漿量）× 体重（kg）
　＊ 体重１kgあたりの循環血液量を70mL/kg，Ht値43％と仮定
・投与したアルブミンの血管内回収率：40％

4 不適切な使用

1） タンパク質源としての栄養補給

2） 脳虚血（頭部外傷）
3） 炎症性腸疾患
4） 周術期の循環動態の安定した低アルブミン血症
5） 単なる血清アルブミン濃度の維持
6） 終末期患者への投与

2 週１回・月１回・複数月１回のみ算定の検査

区分番号	項目名	期間
D001「8」	トランスフェリン（尿）	3月
D001「9」	アルブミン定量（尿）	3月
D001「13」	ミオイノシトール（尿）	1年
D001「15」	Ⅳ型コラーゲン（尿）	3月
D001「17」	プロスタグランジンE主要代謝物（尿）（※2）	3月
D001「18」	シュウ酸（尿）	1年
D001「19」	L型脂肪酸結合蛋白（L-FABP）（尿）（※1）	3月
D003「9」	カルプロテクチン（糞便）（※2）	3月
D004「7」	IgE定性（涙液）	1月
D004「9」	マイクロバブルテスト	1週
D005「9」	ヘモグロビンA1c（HbA1c）（※3）（※4）	1月
D006-2	造血器腫瘍遺伝子検査	1月
D006-6	免疫関連遺伝子再構成	6月
D006-9	WT1mRNA	1月
D007「8」	マンガン（Mn）	3月
D007「17」	グリコアルブミン（※4）	1月
D007「21」	1,5-アンヒドロ-D-グルシトール（1,5AG）（※4）	1月
D007「23」	総カルニチン，遊離カルニチン（※5）	6月
D007「27」	リポ蛋白（a）	3月
D007「28」	ヘパリン	1月
D007「30」	シスタチンC	3月
D007「31」	25-ヒドロキシビタミン（※6）	3月
D007「32」	ペントシジン	3月
D007「33」	イヌリン	6月
D007「44」	レムナント様リポ蛋白コレステロール（RLP-C）	3月
D007「47」	アセトアミノフェン	1月
D007「50」	マロンジアルデヒド修飾LDL（MDA-LDL）（※7）	3月
D007「50」	ELFスコア	6月
D007「57」	ロイシンリッチα_2グリコプロテイン（※2）	3月
D007「63」	1,25-ジヒドロキシビタミンD_3（※8）	3月
D007「64」	血管内皮増殖因子（VEGF）	1月
D008「18」	脳性Na利尿ペプチド（BNP）	1月
D008「20」	脳性Na利尿ペプチド前駆体N端フラグメント（NT-proBNP）	1月
D008「24」	低カルボキシル化オステオカルシン（ucOC）（※9）	6月
D008「25」	Ⅰ型コラーゲン架橋N-テロペプチド（NTX）（骨粗鬆症の場合）	6月
D008「25」	酒石酸抵抗性酸ホスファターゼ（TRACP-5b）	6月
D008「34」	Ⅰ型コラーゲン架橋C-テロペプチド-β異性体（β-CTX）（尿）（※9）	6月
D008「35」	Ⅰ型コラーゲン架橋C-テロペプチド-β異性体（β-CTX）（※9）	6月
D008「39」	デオキシピリジノリン（DPD）（尿）（骨粗鬆症の場合）	6月
D008「52」	抗ミュラー管ホルモン（AMH）	6月
D009「2」	α-フェトプロテイン（AFP）	1月
D009「9」	前立腺特異抗原（PSA）（※10）	3月
D009「10」	PIVKA-Ⅱ半定量又は定量	1月
D009「22」	抗p53抗体	1月
D009「31」	S2，3SPA%（※11）	3月
D009「32」	プロステートヘルスインデックス（phi）（※11）	3月
D013「12」	HBVコア関連抗原（HBcrAg）	1月
D014「19」	抗RNAポリメラーゼⅢ抗体（腎クリーゼのリスクが高い者，腎クリーゼ発症後の者）	3月
D014「24」	抗シトルリン化ペプチド抗体定性又は同定量（陰性の場合）（※12）	3月
D014「46」	抗グルタミン酸レセプター抗体	1月
D014「48」	抗HLA抗体（スクリーニング検査）	1年
D015「18」	TARC	1月
D015「26」	SCCA2	1月
D023「4」	HBV核酸定量（※13）	1月
D023「8」	EBウイルス核酸定量（※14）	1月
D023「26」	HIVジェノタイプ薬剤耐性	3月
D026	検体検査判断料	1月
D026「注４」	検体検査管理加算	1月
D026「注６」	遺伝カウンセリング加算	1月
D026「注７」	遺伝性腫瘍カウンセリング加算	1月
D026「注８」	骨髄像診断加算	1月
D027	基本的検体検査判断料	1月
D205	呼吸機能検査等判断料	1月
D206	（心臓カテーテル法による諸検査）血管内超音波検査加算，血管内光断層撮影加算，冠動脈血流予備能測定検査加算，血管内視鏡検査加算	1月
D207「4」	血管内皮機能検査	1月
D215	超音波検査「２」断層撮影法「イ」訪問診療時に行った場合	1月
D215	超音波検査「３」心臓超音波検査「ニ」胎児心エコー法	1月
D215-2	肝硬度測定（※15）	3月
D215-3	超音波エラストグラフィー（※15）	3月
D215-4	超音波減衰法検査	3月
D217	骨塩定量検査	4月
D219	ノンストレステスト（入院外患者）（※16）	1週
D222-2	経皮的酸素ガス分圧測定	3月
D225-3	24時間自由行動下血圧測定	1月
D233	直腸肛門機能検査	1月
D237	終夜睡眠ポリグラフィー「１」「２」（C107-2 算定患者又は当該保険医療機関からの依頼により睡眠時無呼吸症候群に対する口腔内装置を製作した歯科医療機関から検査の依頼を受けた患者の場合）	6月
D237	終夜睡眠ポリグラフィー「３」（C107-2 算定患者は初回月２回）	1月

一覧

区分番号	項　目　名	期間
D237-2	反復睡眠潜時試験（MSLT）	1月
D237-3	覚醒維持検査	1月
D238	脳波検査判断料	1月
D241	神経・筋検査判断料	1月
D255-2	汎網膜硝子体検査	1月
D256-2	眼底三次元画像解析	1月
D256-3	光干渉断層血管撮影	1月
D258-2	網膜機能精密電気生理検査（※17）	3月
D258-3	黄斑局所網膜電図，全視野精密網膜電図（※18）	1年
D261「注」	小児矯正視力検査加算	3月
D265-2	角膜形状解析検査	1月
D265-2	角膜形状解析検査（角膜移植後の患者の場合）	2月
D270-2	ロービジョン検査判断料	1月
D274-2	前眼部三次元画像解析	1月

区分番号	項　目　名	期間
D282-4	ダーモスコピー（※19）	4月
D285	認知機能検査その他の心理検査「1」操作が容易なもの「イ」簡易なもの（※15）	3月
D286-2	イヌリンクリアランス測定	6月
D287	内分泌負荷試験（※20）	1月
D290-2	尿失禁定量テスト（パッドテスト）	1月
D291-3	内服・点滴誘発試験	2月
D294	ラジオアイソトープ検査判断料	1月
D324	血管内視鏡検査	1月
D211-3	時間内歩行試験：1年に4回限度	
D211-4	シャトルウォーキングテスト：1年に4回限度	
D216-2	残尿測定検査：1月に2回限度	
D244-2	補聴器適合検査：1月に2回限度	
D291-2	小児食物アレルギー負荷検査：12月に3回限度	

※1　医学的必要性からそれ以上算定する場合は，詳細な理由をレセプト摘要欄に記載する。

※2　医学的必要性から1月に1回行う場合は，詳細な理由と検査結果を診療録およびレセプト摘要欄に記載する。

※3　クロザピンを投与中の患者については，月2回算定可。

※4　妊娠中の患者，1型糖尿病患者，経口血糖降下薬の投与開始から6月以内の患者，インスリン治療開始から6月以内の患者等については，月2回算定可。

※5　先天性代謝異常症の診断補助または経過観察のために実施する場合は，月1回。

※6　診断時には1回とし，その後は3月に1回とする。

※7　糖尿病患者の経皮的冠動脈形成術治療時に，治療後の再狭窄に関する予後予測の目的で測定する場合，別に術前1回に限り算定可。

※8　活性型ビタミンD_3剤による治療開始後1月以内は2回を限度とし，その後は3月に1回とする。

※9　治療開始前に1回に限り算定可。その後は6月以内に1回。

※10　施行間隔の詳細は通知を参照のこと。

※11　前立腺針生検法等により前立腺癌の確定診断がつかない場合においては，3月に1回に限り，3回を限度として算定。

※12　関節リウマチの治療薬選択のために行う場合は患者1人につき原則1回に限り算定。

※13　免疫抑制剤投与や化学療法を行う悪性リンパ腫等の患者にB型肝炎の再活性化を考慮して行った場合。治療中及び治療後1年以内に限り月1回算定可。

※14　病名ごとの施行間隔の詳細は通知を参照のこと。

※15　医学的必要性から3月に2回以上算定する場合は，レセプト摘要欄に理由と医学的根拠を詳細に記載する。

※16　入院患者の場合は1週間に3回算定可。

※17　初回診断時1回，以降3月に1回（網膜手術前後は各1回）。

※18　年2回の実施の場合，レセプト摘要欄に医学的必要性を記載。

※19　医学的必要性から4月に2回算定の場合，レセプト摘要欄にその理由を記載し，この場合でも1月1回を限度。

※20　「1　下垂体前葉負荷試験」の「イ　成長ホルモン」については月2回まで算定可。

3　算定回数・期間に限度のある主な検査項目

	名　　称	点数	備　　考
D012「46」	レジオネラ抗原定性（尿）	205	ELISA法又は免疫クロマト法により測定した場合に限り，1回を限度として算定
D013「11」	HCV血清群別判定	215	1回限り
D207「2」	皮弁血流検査	100	1有茎弁につき2回を限度
D207「2」	電子授受式発消色性インジケーター使用皮膚表面温度測定	100	皮弁形成術及び四肢の血行再建術後1回
D212	リアルタイム解析型心電図	600	一連の使用について1回
D245	鼻腔通気度検査	300	当検査に関連する手術日の前後3月以内
D257	細隙灯顕微鏡検査（前眼部及び後眼部）	110	生体染色を施して再検査をした場合は1回に限りD273細隙灯顕微鏡検査（前眼部）で算定
D261	屈折検査	69	散瞳剤又は調節麻痺剤を使用してその前後の屈折の変化を検査した場合は，前後各1回を限度として算定（6歳未満で弱視又は不同視等が疑われる場合は3月に1回）
N003	術中迅速病理組織標本作製	1,990	1手術につき1回
N005	HER2遺伝子標本作製	2,700 3,050	FISH法，SISH法又はCISH法により遺伝子増幅標本作製を行った場合に，抗HER2ヒト化モノクローナル抗体抗悪性腫瘍剤の投与方針の決定までの間に1回を限度として算定

一覧

4　検査の略称

略　称	正式名称	関連する項目	略　称	正式名称	関連する項目
Alb	アルブミン	D007「1」	Ht	ヘマトクリット値	D005「5」
APTT	活性化部分トロンボプラスチン時間	D006「7」	Ig	免疫グロブリン	D015「4」
B-～	血液検査	D005等	P	リン（無機リン，リン酸）	D007「3」
B-A	動脈血採取	D419「3」	Pl	血小板数	D005「5」
B-V	静脈血採取	D400「1」	PT	プロトロンビン時間	D006「2」
B-像	末梢血液像	D005「3」「6」	R，RBC	赤血球数	D005「5」
BP	血圧	D225-2等	RF	リウマトイド因子	D014「2」
BS	グルコース（血糖）	D007「1」	S-～	細菌検査	D017等
BUN	尿素窒素（血液）	D007「1」	T-Bil	総ビリルビン	D007「1」
CRP	C反応性蛋白	D015「1」	T-M	病理組織標本作製	N000
E-～	内視鏡検査	D295～D325	Tcho（T-C）	総コレステロール	D007「3」
ECG	心電図検査	D208	TG	中性脂肪	D007「1」
EF-～	ファイバースコープ検査	D298等	TP	総蛋白	D007「1」
EKG	心電図検査	D208	U-～	尿検査	D000等
GH	成長ホルモン	D008「12」	UA	尿酸	D007「1」
GL	グルコース（血糖）	D007「1」	UCG	心臓超音波検査	D215「3」
Hb	血色素	D005「5」	UN	尿素窒素	D007「1」
HbA1c	ヘモグロビンA1c	D005「9」	W，WBC	白血球数	D005「5」
HCG	ヒト絨毛性ゴナドトロピン	D008「1」	Zn	（血清）亜鉛	D007「37」

5　ヘリコバクター・ピロリ感染の診断および治療の手順

〔（平12.10.31 保険発180）の通知の参考資料を修正〕

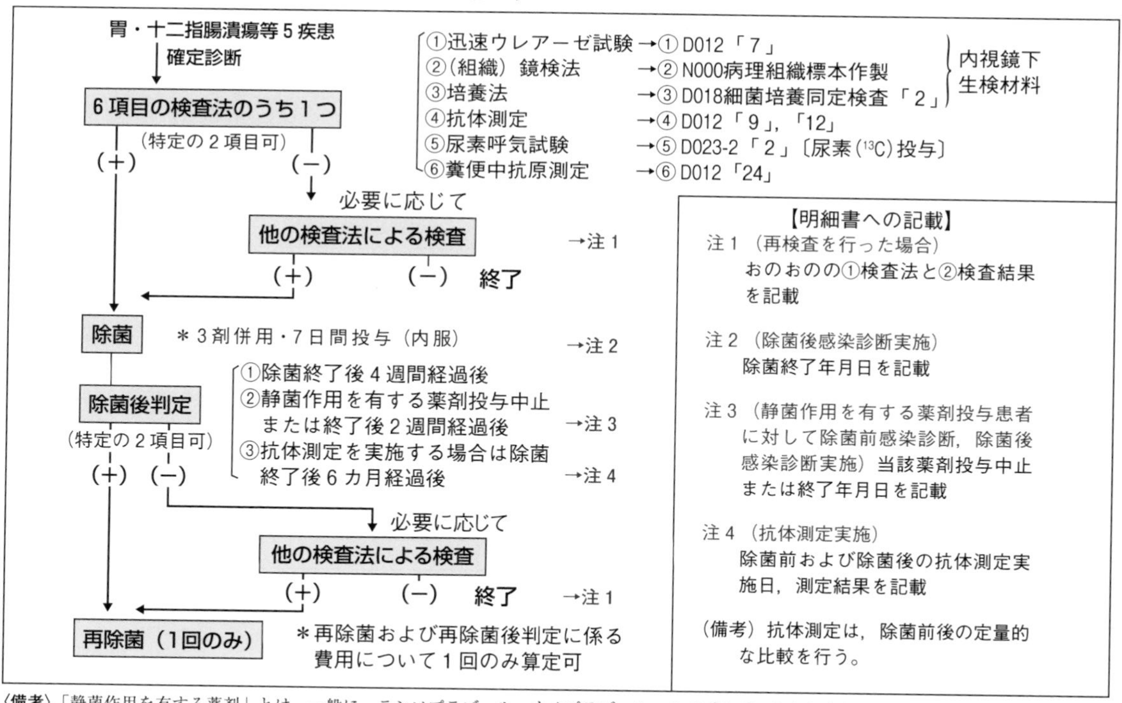

〈備考〉「静菌作用を有する薬剤」とは，一般に，ランソプラゾール，オメプラゾール，ラベプラゾールナトリウム，エソプラゾールマグネシウムなどのプロトンポンプ阻害薬（PPI）をいう。

一覧

6　輸血前後の感染症マーカー検査の在り方について

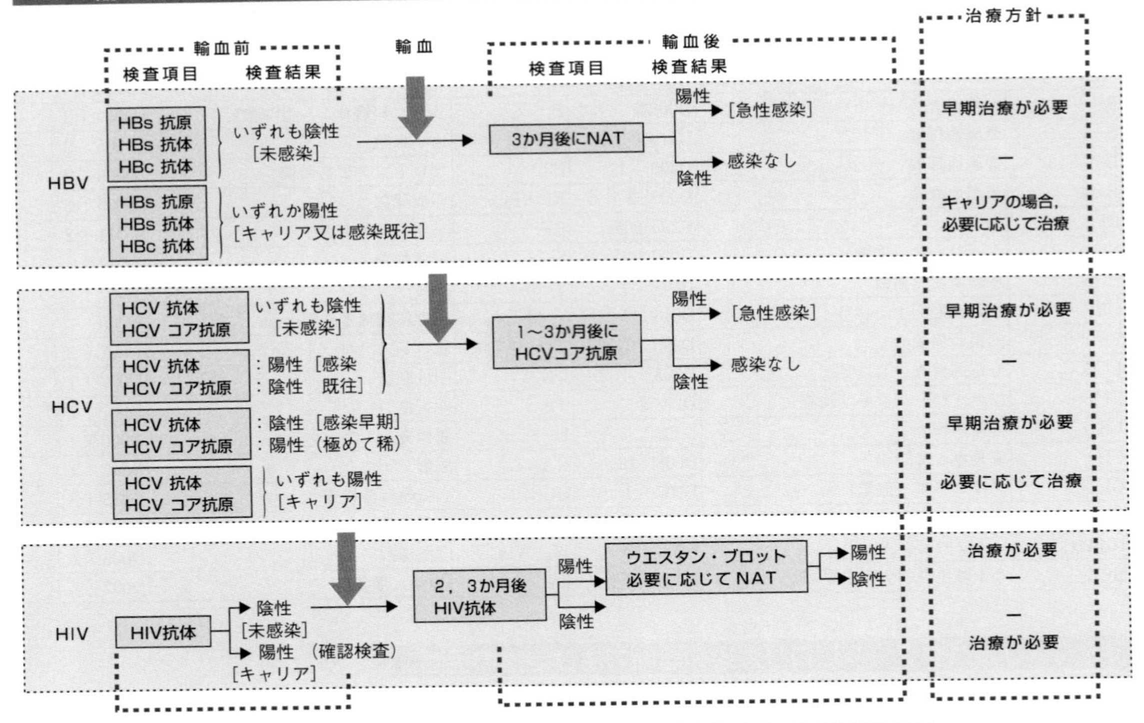

(編注) 上記表中の「HCV コア抗原」はD013「5」HCV コア蛋白，「NAT」はD023「4」「17」等の核酸検査に相当する。

7　特別食加算および栄養指導の対象となる治療食と傷病名

対象疾患	対象状態	特別食加算対象	栄養指導対象
腎臓食		○	○
＊心臓疾患の減塩食療法	減塩食については，食塩相当量が総量（1日量）6.0g未満の減塩食をいう	○	○
＊妊娠高血圧症候群の減塩食療法	減塩食については，日本高血圧学会，日本妊娠高血圧学会等の基準に準じていること	○	○
高血圧症の減塩食療法	塩分の総量（1日量）が6.0g未満のものに限る	対象外	○
肝臓食	肝庇護食，肝炎食，肝硬変食，閉鎖性黄疸食（胆石症及び胆嚢炎による閉鎖性黄疸の場合も含む）等をいう	○	○
糖尿食		○	○
胃潰瘍食	流動食を除く	○	○
＊十二指腸潰瘍	十二指腸潰瘍の場合，侵襲の大きな消化管手術後における胃潰瘍食に準じる食事	○	○
貧血食	Hb　10g/dL以下　その原因が鉄分の欠乏に由来する患者	○	○
膵臓食		○	○
脂質異常症食	LDL-コレステロール値　140mg/dL以上　又はHDLコレステロール値　40mg/dL未満　TG　150mg／dL以上の患者	○	○
高度肥満症	特別食加算：肥満度が＋70%以上またはBMIが35以上に対して食事療法を行う場合は，脂質異常症食に準じて取扱うことができる 栄養指導：肥満度が＋40%以上またはBMIが30以上に対して食事療法を行う場合	○	○
痛風食		○	○
てんかん食	対象疾病:難治性てんかん（外傷性のものを含む），グルコーストランスポーター1欠損症，ミトコンドリア脳筋症の患者 治療食の定義：グルコースに代わりケトン体を熱量源として供給することを目的に炭水化物量の制限および脂質量の増加が厳格に行われた食事	○	○

対象疾患	対象状態	特別食加算対象	栄養指導対象
*ケトン食	炭水化物量の制限と脂質量の増加を厳格に行い，てんかん食の対象疾患に食事として提供した場合	○	○
フェニールケトン尿症食		○	○
楓糖尿症食		○	○
ホモシスチン尿症食		○	○
ガラクトース血症食		○	○
治療乳	乳児栄養障害などで直接調製するもの	○	○
小児食物アレルギー食	16歳未満の小児に限る（外来または入院栄養食事指導に限る）	対象外	○
無菌食	無菌治療室管理加算の算定患者	○	○
特別な場合の検査食	潜血食，大腸X線・内視鏡検査時低残渣食　（入院のみ）	○	○
低残渣食	クローン病，潰瘍性大腸炎等により腸管の機能が低下している患者	○	○

※　経管栄養であっても，特別食加算の対象となる食事として提供される場合は，市販されている流動食のみを使用する場合を除き，当該特別食に準じて算定できる。

8　適応外薬保険承認リスト〔令和6年7月1日現在（令和6年4月1日以降）〕

	一般的名称	販売名	保険適用日
150	エルトロンボパグ オラミン	レボレード錠12.5mg，同錠25mg	R 6.4.26
151	ロミプロスチム（遺伝子組換え）	ロミプレート皮下注250μg 調製用	R 6.4.26
152	リツキシマブ（遺伝子組換え）	リツキサン点滴静注100mg，同点滴静注500mg	R 6.4.26

※　詳細な内容（公知された効能・効果等の概要等）や令和６年３月以前の薬品に関しては，厚生労働省HP「公知申請に係る事前評価が終了した適応外薬の保険適用について」を参照されたい。
また，独立行政法人医薬品医療機器総合機構のHPに「保険適用される公知申請品目に関する情報について」として「薬事・食品衛生審議会において公知申請に係る事前評価が終了し，薬事承認上は適応外であっても保険適用の対象となる医薬品」として示されているので併せて参照されたい。
（URL：www.pmda.go.jp/review-services/drug-reviews/review-information/p-drugs/0017.html）

一覧

索　引

— 数字・欧文 —

— あ 行 —

— か 行 —

— さ 行 —

— た 行 —

— な 行 —

— は 行 —

— ま 行 —

— や 行 —

— ら 行 —

〔著者略歴〕

株式会社 ソラスト

品質統括部 医事業務DX推進グループ
グループ長代理
診療情報管理士 大港　優太

品質統括部 首都圏エリア ディレクター 高塚　康弘

品質統括部 東日本エリア
診療情報管理士
医療経営士２級 髙橋　しのぶ

運営統括部 関西エリア スーパーバイザー
診療情報管理士
医療経営士３級 宮本　健

運営統括部 西日本エリア スーパーバイザー 森岡　秀一

プロのレセプトチェック技術 2024-25年版
請求もれ＆査定減
全280事例の要点解説

＊定価は裏表紙に表示してあります

1995年１月15日　第１版第１刷発行
2024年８月21日　第16版第１刷発行

著　者　株式会社　ソラスト
発行者　小　野　章
発行所　医学通信社
〒101-0051 東京都千代田区神田神保町2-6 十歩ビル
TEL 03-3512-0251（代表）
FAX 03-3512-0250（注文）
03-3512-0254（書籍の記述についてのお問い合わせ）

https://www.igakutushin.co.jp
※　弊社発行書籍の内容に関する追加情報・訂正等を掲載しています。

装丁＆イラストレーション：徳田　彰
印刷・製本：TOPPANクロレ株式会社

落丁，乱丁本はお取り替えいたします。

ISBN　978-4-87058-958-2